LE PALAIS
DES LARMES

Michel de GRÈCE

LE PALAIS DES LARMES

roman

FRANCE LOISIRS
123, boulevard de Grenelle, Paris

Édition du Club France Loisirs, Paris,
avec l'autorisation des Éditions Olivier Orban

From M. to M.

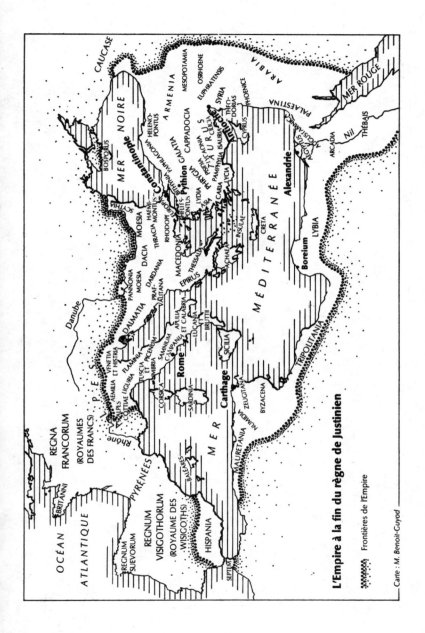

L'Empire à la fin du règne de Justinien

::::::::: Frontières de l'Empire

Carte : M. Benoit-Guyod

Première partie

Chapitre premier

Longtemps je restai décidée à me taire sur mon passé. Et ce ne sont pas même les inventions, les mensonges dont il a été chargé qui m'ont poussée à changer d'avis. Certains, il est vrai, ont fait de mon existence un rocambolesque et parfois sordide roman. La vérité est à la fois plus logique, plus inattendue et encore plus extraordinaire. De tant d'aventures, de gloires, de malheurs, de coups de théâtre, il y a une leçon à tirer mais je laisse à chacun le soin de trouver celle qui lui convient.

Je pourrais farder la vérité ne serait-ce qu'en laissant les chroniqueurs me peindre en sainte. N'en déplaise à mes détracteurs, je suis déterminée à tout dire. Je ne crains le jugement de qui que ce soit. Quant à celui de Dieu, ayant toujours mis ma confiance en Lui, j'ai foi en Sa miséricorde. Par ce récit, cette confession, je lègue à la postérité mon œuvre la plus précieuse, ma réussite la plus chérie, ma vie.

Notre famille est originaire de cette île de Chypre, dont les fils ont la réputation d'être rusés et peu fiables alors qu'ils sont seulement adroits. Mon père, Acacius, était gardien d'ours à l'hippodrome. Ma mère, elle aussi, appartenait au peuple. Je n'ai pas d'arbre généalogique mais lorsque je vois les aristocrates orgueilleux, prétentieux, méprisants, paresseux et inutiles, je préfère ne pas appartenir à leur classe. Je suis une fille du peuple et fière de l'être.

Je suis née à la fin du vᵉ siècle après Notre-Seigneur. Je n'ignore pas qu'on m'a souvent accusée de me rajeunir. En fait, personne ne s'est souvenu de l'année exacte. A ma naissance, j'ai reçu le prénom de Théodora, c'est-à-dire « don de Dieu », signification que ma mère a bien vite oubliée.

J'ai toujours éprouvé de la difficulté à me rappeler les mauvais souvenirs et je déteste tellement ceux de mon enfance que je les ai rangés dans le coin le plus reculé de ma mémoire. Néanmoins, m'étant promis d'être honnête envers moi-même, il me faut bien soulever cette trappe hermétiquement close depuis tant d'années.

Je dois avoir quatre ou cinq ans. Nous sommes si pauvres que ma mère m'envoie mendier quelques déchets chez le boucher à une ou deux rues de la nôtre. Celui-ci, un Arménien, se prend de pitié pour moi. Il devine ma honte, il veut me l'éviter. Il me tend un paquet d'os auxquels adhèrent encore des morceaux de viande, et il me dit : « Tiens, voilà pour le chien de ta mère. » Comme si ma mère était une personne à avoir un chien, comme si dans le quartier il y avait eu quelqu'un d'assez riche pour nourrir des animaux domestiques.

Nous habitions dans la périphérie de Constantinople, un faubourg collé aux murs jadis bâtis par l'empereur Théodose. Autour de la porte dite de la Source s'étendait un dédale de ruelles sombres et sordides, où, dans une semi-obscurité, grouillait tout un monde. Nos fenêtres donnaient sur un passage étroit tapissé d'ordures et d'immondices, car Constantinople, la capitale du monde, la Ville d'Or, est sale. Notre maison s'appuyait de guingois sur d'autres vieilles maisons de bois qui, ensemble, finissaient par former une sorte d'entassement de constructions, dont la façade sur la rue principale était occupée par une taverne. Bien entendu, ni égout ni eau courante dans le quartier que peuplaient nombre de chômeurs.

Ce n'était pas tant la misère qui me répugnait que la promiscuité. Nous n'occupions que deux pièces, l'une servant de cuisine et l'autre de chambre à coucher où nous nous serrions, mon père, ma mère, ma sœur Comito et moi. Trois autres familles logeaient dans la maison, si bruyante, si indiscrète que grâce à la minceur des cloisons nous n'ignorions rien de leurs secrets, de leurs amours ou de leur digestion.

Plutôt que de rester chez nous comme ma sœur Comito, je me précipitais pour un oui ou un non dans la rue. Elle ne doit pas avoir beaucoup changé depuis cette époque. Les troupeaux de moutons et de chèvres y défilaient. Leur odeur, mêlée à celle d'urine et à celle non moins puissante d'oignon, prenait à la gorge le nouveau venu, mais nous y étions habitués. Les mégères se hélaient de fenêtres en portes pendant que les enfants se roulaient, selon la saison, dans la poussière ou dans la boue. J'aimais mieux la pluie, car les premières averses de l'année transformaient la forte pente en véritable torrent dans lequel je pataugeais avec bonheur.

J'étais une petite fille laide, menue, avec de longs cheveux noirs. Ma maigreur et ma pâleur me donnaient un aspect maladif, mais en réalité j'étais plus résistante qu'il n'y paraissait. Je me moquais des gamines de mon âge, mièvres, craintives et affectées, et j'appréciais nettement plus la compagnie des garçons. Je ne résistais pas à les provoquer. Nous nous battions, et ce n'est pas toujours moi qui avais le dessous. Au fond, j'étais sauvage, peu communicative, je n'avais aucun ami et probablement ne cherchais pas à en trouver. De ces féroces affrontements infantiles, je revenais à la maison sale à faire peur, ébouriffée, couverte de bleus et mes haillons encore plus déchirés que d'habitude.

Je ne m'entendais pas avec ma mère parce qu'elle me préférait mon aînée Comito. Nous avions des caractères trop semblables. Il y avait pourtant en moi quelque chose qu'elle

15

ne comprenait pas, qui lui échappait, et qui peut-être l'inquiétait. Elle se défiait de moi. Elle n'avait pas tort de me gronder pour l'état lamentable dans lequel je rentrais. La scène qui suivait se répétait si souvent qu'elle semblait entrée dans le répertoire. Au lieu de me courber, la réprimande de ma mère me faisait sortir de mes gonds. Je me redressais de toute ma taille minuscule, je mettais les poings sur les hanches et, les yeux exorbités par la rage, je lui répondais du tac au tac, lui lançant des injures que jamais fille n'aurait dû proférer contre sa mère. Elle me giflait. Je sortais de la ville, je courais longtemps dans la campagne, à travers champs et terrains vagues, jusqu'au mur fort élevé et crénelé d'une vaste propriété.

La déclivité du sol permettait, en un certain point, d'apercevoir le jardin enchanté d'un palais ancien. Je me blottissais contre un créneau et je regardais, me gorgeant littéralement de ces pelouses soigneusement arrosées, de ces haies taillées, de ces fleurs admirablement entretenues, de ces fontaines toujours murmurantes. Ce lieu représentait pour moi une sorte de paradis inatteignable. J'observais avidement s'y ébattre les enfants de la maison, dont les habits et les jouets témoignaient d'une richesse inconcevable pour moi. J'avais fini par les connaître tous par leurs prénoms. La petite Eudoxia avait à peu près mon âge. Un jour, elle m'aperçut. Son premier geste fut de peur. Elle serra sa poupée contre elle et recula. Cependant, quelque chose en moi dut la rassurer car elle s'approcha du mur et me tendit son jouet. Son frère aîné, qui l'avait vue faire, s'élança derrière elle, l'attrapa par son col et la tira brusquement en arrière en la réprimandant de son imprudence. La poupée tomba par terre et se brisa. Eudoxia éclata en sanglots. Son frère m'intima de déguerpir et de ne plus jamais revenir sous peine d'être fouettée. Je ne bougeai pas. Il menaça d'appeler les esclaves pour se saisir de moi, mais les pleurs redoublés de sa petite sœur détournèrent son attention et il l'entraîna pour la consoler.

Après tant d'années, je n'ai oublié aucun détail de cette scène, qui prit pour moi l'importance d'un symbole. Ce soir-là, je fus en retard pour dîner. Ma sœur aînée Comito, envoyée à ma recherche, me trouva enfin sur l'indication de passants. Je n'avais pas quitté mon créneau. Je contemplais toujours le jardin à présent désert et envahi d'ombres. Alors qu'elle me morigénait, je lui prédis : « Un jour, tout ceci sera à moi, et même plus. » Elle ne fit qu'en rire.

Désormais, lorsque ma mère se montrait par trop dure avec moi, j'allais rejoindre mon père à l'hippodrome. Il prenait sa grosse voix pour me reprocher de ne pas être restée à la maison, mais ma présence le délectait.

J'aimais parcourir l'hippodrome lorsqu'il était vide de spectateurs. Il me paraissait alors encore plus démesuré et le marbre étincelant des gradins m'aveuglait presque. Je foulais le sable immaculé de la piste, levant les yeux sur les obélisques et autres monuments remontant à la plus haute Antiquité. J'allais tout en haut dans la galerie promenoir admirer le peuple de statues qui l'ornent, et toujours je tournais autour de ce fameux quadrige en bronze, chef-d'œuvre de l'art grec. Mais surtout, lorsque personne ne me voyait, je me faufilais dans le kathisma, la grande loge impériale, je m'asseyais sur le double trône de marbre, et j'imitais la pose hiératique que prenait l'empereur lorsqu'il assistait au spectacle. Et des spectacles, il y en avait : courses de chars, chasses, luttes entre hommes, entre bêtes sauvages, acrobates, clowns...

Depuis que Constantinople existe, l'hippodrome a toujours été le seul, le vrai lieu de divertissement et d'affranchissement. C'est le centre nerveux de l'empire, la tribune de la multitude, le baromètre de la popularité. C'est là et là seulement que le peuple s'exprime, et il ne s'en prive pas. C'est là que les empereurs sont faits et défaits, acclamés ou hués, portés au pouvoir ou détrônés. Si l'on veut savoir ce qu'est Constantinople, c'est à l'hippodrome qu'il faut se rendre, plutôt que dans les bazars. Que de mouvements, de fièvres, de passions les jours de spectacle ! Un conducteur de chariot gagne-t-il, des milliers de spectateurs sont au désespoir. Un autre prend-il la tête, la moitié de la ville est en deuil. Les gens les plus calmes, les plus réservés se mettent soudain à hurler des acclamations ou des imprécations. Ils s'interpellent, ils s'insultent, ils en viennent aux mains, ils se prennent à la gorge. Ils se querellent comme si le sort de l'empire était en jeu. Il l'est d'ailleurs parfois car, sous couleur de sport, c'est bien de politique qu'il s'agit. Notre peuple ne peut pas se passer d'en faire, même aux courses. Et que sont donc ces fameux clans, les Bleus, les Verts, qui se disputent les amateurs de courses ? Des équipes sportives ? Loin de là, ce sont des factions, des partis politiques avec leurs millions d'adhérents ou de sympathisants. Les Bleus, couleur de la mer, l'esprit d'aventure, les marins ; les Verts, couleur de la terre fertile au printemps, les paysans, les conservateurs. Les Bleus, les Verts, à travers tout l'empire, ont leur organisation, leur hiérarchie, leurs membres. Il n'est pas exagéré de dire qu'à eux deux ils se partagent l'empire qui oscille perpétuellement entre les uns ou les autres selon le penchant de chaque empereur. Dieu préserve le souverain de voir les Bleus et les Verts s'unir, rien ne leur résisterait. Une seule fois, ils y ont réussi, et l'empire a manqué de n'y pas survivre.

Rien ne m'amusait, ne me survoltait plus que les coulisses de l'hippodrome les jours de courses de chars. J'allais assister à la sélection des chevaux, au tirage au sort et à la mise en place des chars. La foule, qui déambulait dans les longues et larges galeries souterraines, me fascinait. Les gardes, les huissiers, les contrôleurs et les entraîneurs parlaient au personnel de leurs factions, ces petites gens de toutes origines et de tous métiers qui, gratuitement, par amour des courses, servaient Bleus ou Verts. Pendant ce temps, les artistes répétaient les numéros qu'ils allaient produire pendant les entractes, et les habilleurs, les masseurs, les employés de bains offraient leurs services. Courtisanes, astrologues et marchands d'amulettes s'enrichissaient. L'aristocratie, la Cour, le gouvernement déambulaient au milieu du peuple et s'y mêlaient sans façon. La passion des courses abolissait les classes et je frôlais des personnages suprêmement coiffés, embijoutés, parfumés. On entourait jusqu'à les étouffer les deux héros du jour, les cochers vedettes des Bleus et des Verts. Ils étaient les idoles de la ville, et dans cet hippodrome qui était leur palais, ils se voyaient plus vénérés que l'empereur lui-même. Les fauves, sentant autour d'eux l'agitation, manifestaient leur nervosité et rugissaient. Leurs gardiens, mon père en tête, les avaient abandonnés pour aller soutirer aux gardiens d'écuries des tuyaux sur les courses.

J'en profitais pour me glisser dans la cage de ses ours, ce qui m'était strictement interdit. Je ne les craignais pas. L'expérience devait plus tard m'apprendre que les brutes humaines sont semblables aux fauves et que, pour les tenir en respect, il suffit de ne point en avoir peur. Les ours me connaissaient, me laissaient les approcher, les caresser, leur parler à l'oreille et les calmer. Une ourse, qui avait perdu son petit, avait l'habitude de me serrer entre ses pattes. Le danger rôdait beaucoup plus en dehors des cages que dans les cages. Le vrai danger ce n'étaient pas les ours, mais les hommes. Eux étaient durs, ils ne faisaient aucune concession. Ils constituaient une menace pour toutes les femmes et même pour une gamine comme moi...

A tant fréquenter les ours, mon père avait fini par leur ressembler, se tenant, marchant, grondant comme eux. Il n'avait ni éducation, ni finesse et probablement ni esprit, mais il avait un cœur d'or, il m'adorait et me passait tout. Alors que ma sœur Comito avait huit ans et moi six, il mourut d'une courte et brusque maladie.

Je me rappelle surtout son enterrement avec les pleureuses professionnelles qui rivalisaient de gémissements, les voisines qui prenaient des mines de circonstance, les badauds que dévorait une curiosité gourmande. Bien qu'avec la disparition de son mari ma mère vît se tarir son unique et maigre source de revenus, il est probable qu'elle se sentait soulagée car elle avait des prétentions inavouées et mon père, être fruste et mal équarri, l'embarrassait. Quant à Comito, elle sanglotait tout simplement parce qu'elle était impressionnée. J'étais la seule à le regretter.

Déjà du vivant de mon père, il y avait peu d'argent, mais ensuite il n'y en eut plus du tout. Nous vécûmes de petits emprunts et même de mendicité. Notre situation, de critique, devint désespérée. J'avais beau détester ma mère, je dois reconnaître qu'elle se sacrifia pour assurer notre subsistance, car ce ne fut vraiment pas par plaisir qu'elle se mit à recevoir des hommes. Pendant ces visites, elle nous envoyait dehors, occasions inespérées pour moi de profiter de ma liberté.

Un soir, ma mère revint à la maison au bras d'un de ses clients les plus assidus et nous annonça que nous avions désormais un nouveau père. Elle avait réussi à décrocher le gros lot. Il s'appelait Nicétas, il était promis au poste de maître des ours qu'avait occupé mon père et il avait consenti à l'épouser. Pour elle, c'était enfin le repos bien gagné et l'avenir assuré. Tout de suite après, le maître de danse de l'hippodrome, de qui dépendait la nomination de notre beau-père, choisit un autre candidat qui avait su le corrompre. Pour ma mère, c'était la catastrophe. Mariée, elle ne pouvait plus exercer la galanterie et son mari ne lui servirait pas de gagne-pain.

Elle ne perdit cependant pas la tête, preuve de sa force de caractère. A la réflexion, elle ne devait pas être n'importe qui et peut-être l'ai-je méconnue. Elle guetta la prochaine course de chars et, le jour venu, nous mit des couronnes de fleurs sur la tête et nous ordonna de la suivre à l'hippodrome. Elle le connaissait comme sa poche et était à tu et à toi avec ses responsables. Elle obtint du maître des jeux une faveur exceptionnelle. Juste avant le départ de la première course, et alors que les chars n'avaient pas encore pris place, Comito et moi apparûmes sur la piste vide. Ma mère dut nous pousser en avant tant nous avions le trac. Elle nous pinça jusqu'au sang, pour nous faire avancer et pour nous obliger à pleurer. Elle avait exigé de nous des larmes bruyantes, abondantes. J'avais refusé, elle m'avait menacée, si je ne produisais pas des sanglots déchirants, des pires châtiments. Comito et moi, nous tenant la main, tremblantes, trébuchantes, défaillantes de honte et de timidité, nous traversâmes toute la piste devant les trente mille spectateurs. Je n'ai jamais autant détesté ma mère qu'à ce moment-là, et seul ce sentiment me soutenait et me donnait la force de traîner une Comito plus morte que vive.

J'ai un terrible souvenir d'espace vide, de soleil aveuglant, de rumeur grondante, de vertige. Parvenues au pied de la loge impériale, nous tendîmes les bras d'un geste implorant et nous suppliâmes que notre beau-père Nicétas fût nommé maître des ours. Bien entendu, personne ne nous entendait et quelqu'un descendit de la loge impériale pour nous demander ce que nous voulions.

Les spectateurs nous avaient enfin remarquées et commençaient à prêter attention à l'incident. Sans aucun doute, la foule allait se laisser apitoyer par ces deux petites filles, guirlandes en tête, seules au milieu de la piste entièrement vide, chétives, terrifiées. Les Verts, surtout, allaient nous soutenir, appuyer notre requête, imposer à l'empereur d'y accéder. Mon père toute sa vie les avait servis et mon beau-père, Nicétas, leur appartenait. Certainement l'esprit de parti allait jouer. Le contraire se produisit. Les Verts se mirent à se moquer de nous, à nous insulter, à nous lancer des plaisanteries obscènes. Certains même nous jetèrent des fruits ; je reçus sur l'épaule une orange qui me renversa presque et me laissa pendant plusieurs semaines une ecchymose. Alors les Bleus prirent notre défense. Ils nous acclamèrent et réclamèrent de l'empereur qu'il nous donne satisfaction. Un héraut impérial s'avança sur le devant du kathisma et annonça que Nicétas était nommé maître des ours. Sans attendre davantage, Comito et moi, nous courûmes nous réfugier dans les coulisses. Toute à sa joie, ma mère négligeait de me punir pour ne pas avoir pleuré. C'était bien la première fois qu'elle ne tenait pas une promesse désagréable à mon égard. Jamais je n'ai oublié ces visages hilares, ces lazzis, ces obscénités et ces rires... Je les entends encore résonner à mes oreilles. Je me jurai que toute ma vie, de toutes mes forces, je servirais les Bleus et lutterais contre les Verts — et j'ai tenu ces deux promesses. J'avais appris la haine.

Notre beau-père n'eut aucune reconnaissance envers nous pour lui avoir sauvé son poste. Au contraire, il sembla nous en vouloir de notre succès. Il avait tout de la brute avec son crâne entièrement rasé, ses minuscules yeux noirs, sa mâchoire en avant. Il se déplaçait à petits pas, gardant les fesses et les poings serrés comme s'il était constamment prêt à engager la lutte. Il me battait souvent. Non pas qu'il fût ivre ou colérique, il me battait de sang-froid, méthodiquement, avec préméditation, longuement. Les gifles alternaient avec les coups sur la nuque, au point que souvent j'en avais les joues violettes et que la tête me tournait. Et tout cela au nom de Dieu. Il avait une foi étroite et fanatique, il voyait le péché partout sauf, bien entendu, en lui. Et selon lui, il ne se passait pas un jour, une heure, sans que j'offense ce Dieu, d'où les châtiments purificateurs. Ma mère, bien qu'elle n'eût aucune tendresse pour moi réprouvait cette cruauté, mais elle n'osait protester car Nicétas la terrorisait. Je ne me rappelle pas l'avoir vu la frapper, mais il hurlait, la menaçait, toujours au nom de Dieu, et elle qui avait porté la culotte avec son premier mari se soumettait sans rechigner au second. Sous sa brutalité, Nicétas était évidemment un lâche, rudoyant plus faible que lui mais toujours prêt à lécher les bottes des plus forts, à s'aplatir devant plus important que lui.

J'enviais Comito d'échapper à ce traitement. Ma mère

l'avait fait engager dans un théâtre où elle passait la plupart de ses journées. C'était pour des filles comme nous, sans argent, sans formation, sans appui, la seule issue. Au théâtre, on ne réclamait ni diplômes ni recommandations, et l'on pouvait y faire une carrière fructueuse sinon honorable. Bien que nous ne sachions pas quelles étaient les fonctions exactes de Comito, elle revenait tard la nuit à la maison, pleine de récits mirobolants qui la peignaient comme la principale protagoniste de la scène constantinopolite. Mon beau-père en était impressionné, ma mère éblouie, et moi je brûlais de jalousie.

Depuis la mort de mon père, j'avais trouvé un nouveau refuge, l'église de Sainte-Marie-de-la-Source, construite à la suite d'un vœu hors les murs, à quelque distance de la porte du même nom. Le parfum de l'encens refroidi, les lumières des cierges qui brûlaient nuit et jour devant les icônes et même la vieille fille octogénaire à l'aspect de sorcière qui nettoyait le sanctuaire m'emmenaient dans un monde bien éloigné de ma misérable réalité. Hypnotisée par la pénombre environnante, je pouvais rester des heures immobile dans l'église où il faisait frais l'été et chaud l'hiver. Ma mère et mon beau-père critiquaient sévèrement le prêtre, le père Bartholomé, scandaleux selon eux. Il y avait très longtemps, en effet, un patriarche de Constantinople avait eu une maîtresse nommée Antigone. S'en étant lassé, il voulut la renvoyer, mais celle-ci menaça de le dénoncer. Alors, le patriarche convoqua un jeune moine débrouillard qu'il avait remarqué, et lui enjoignit de séduire Antigone, de l'enlever et de l'épouser. Contre quoi, il obtiendrait, malgré son jeune âge, une belle paroisse. Le père Bartholomé s'exécuta, et depuis il vivait à Sainte-Marie-de-la-Source avec Antigone, que l'âge rendait de plus en plus acariâtre et qui apparaissait peu. Le fringant moine d'autrefois s'était transformé en un vieillard tout petit, la barbe et la chevelure broussailleuses, la regard pétillant de gaieté et le sourire plein de bonté. Il m'accueillait toujours chaleureusement, m'offrait quelques sucreries ; il me questionnait et me donnait l'impression d'être la bienvenue. Jamais je n'avais reçu autant d'affection de qui que ce soit, aussi je l'idolâtrais.

Un jour, il me déclara que j'étais trop douée pour rester illettrée, et il s'engagea à m'apprendre à lire et à écrire. Et, bientôt, je passai tous mes après-midi à déchiffrer et à recopier les Pères de l'Église dans d'énormes volumes, sous la direction du père Bartholomé. Je me concentrais avec application sur mon travail et je fis des progrès rapides. J'avais, je le confesse, moins le désir d'apprendre que soif du prestige que me donnerait la connaissance auprès des habitants du quartier pour qui les gens instruits devenaient des personnages importants. Les leçons avaient lieu dans la minuscule sacristie et non chez le père Bartholomé qui redoutait sa femme et craignait qu'elle trouvât à redire. Instinctivement, et sans nous concerter, ni lui ni moi n'en dîmes rien à ma famille.

Pourtant, un soir, je ne pus résister à révéler mon secret. Nicétas, mon beau-père, m'avait traitée d'idiote. Qu'il me batte, passait encore, mais qu'il insultât mon intelligence ! « Idiote, peut-être, répliquai-je, mais une idiote qui sait lire et écrire. Ce n'est pas comme toi. » En un instant, tous les sentiments d'infériorité que la brute avait accumulés dans sa vie se concentrèrent et éclatèrent en une fureur sauvage. Pour une fois, sa brutalité ne fut pas calculée. Il se jeta sur moi à coups de pied et à coups de poing, répétant inlassablement : « Idiote, idiote, je te ferai passer l'envie de lire et d'écrire. » J'étais tombée par terre. Je rampai pour tâcher de me glisser sous la table de la cuisine afin d'éviter les coups qui tombaient toujours plus dru. Ma mère voulut s'interposer. C'était bien la première fois qu'elle osait le faire, et ce fut aussi la première fois que son mari la battit. Il la gifla à toute volée. Je profitai du concert des hurlements et d'imprécations qui s'ensuivit pour filer. Sur le palier, voisins et voisines, alléchés par la querelle, se tenaient tout ouïe. Je courus dehors et ne m'arrêtai pour reprendre mon souffle que lorsque je me fus suffisamment éloignée de la maison. Je me retrouvai non loin de la porte d'Or, en face des vieilles murailles de Constantin, depuis longtemps abandonnées. Ma décision était prise : jamais je ne retournerais à la maison.

Je pensai d'abord me réfugier chez le père Bartholomé puis j'y renonçai, car c'était le premier endroit où ma mère serait venue me chercher et le prêtre n'aurait pu l'empêcher de me reprendre. Ma seule solution, c'était Comito, ma sœur. J'étais persuadée qu'elle m'aiderait, qu'elle m'abriterait, sans d'ailleurs me demander comment. A cette heure-là, elle était encore au théâtre. Je savais vaguement, d'après ses récits, où il était situé. Je me mis en marche.

Je n'étais jamais sortie de notre quartier et de ses alentours, et à part l'hippodrome, je ne connaissais pas Constantinople ni son immensité. Cependant, ma détermination outrepassait mon appréhension. Le froid vif et sec de cette soirée d'hiver avait chassé la plupart des passants. J'en rencontrai cependant certains à qui je demandai mon chemin. Ils regardaient avec effroi cette fille couverte d'ecchymoses, hirsute, sale, en haillons, qui avait un air déterminé et un regard meurtrier. J'avais atteint la Mésé, la large avenue qui coupe la capitale en deux, et en la suivant je traversais un forum après l'autre. Je traînais les pieds, j'étais épuisée, tant par les coups que j'avais reçus que par des mois de malnutrition. Arrivée au forum de Théodose, je pris à droite, vers le port Julien, et là je tombai dans le quartier des tavernes et des lieux de spectacles. Où étaient la foule élégante, les rues scintillantes de lumière, les splendides théâtres dont se rengorgeait Comito ? Je n'apercevais que quelques fêtards avinés, des ruelles un tout petit peu moins sordides que la nôtre et des édifices misérables.

Je reconnus le théâtre de Comito à sa façade entièrement peinte en rouge qui, d'ailleurs, partait en lambeaux et dont la couleur s'écaillait. Je me faufilai à l'intérieur sans être arrêtée. La représentation venait de s'achever. J'avisai un gardien afin qu'il m'indiquât la loge de la grande actrice Comito. Il me toisa, ahuri. Il n'y avait pas de grande actrice de ce nom. D'ailleurs il n'existait aucune Comito dans ce théâtre... Si, pourtant, il croyait avoir aperçu une Comito parmi les petites figurantes de dernière catégorie. Sur ses explications, je passai dans les coulisses et j'entrai dans une petite pièce où une vingtaine de filles se déshabillaient et se démaquillaient. Parmi elles, Comito, l'air infiniment las, se contemplait dans un miroir fêlé. Elle parut fort ennuyée de me voir, me demanda sèchement ce que je faisais là. Je lui racontai ce qui s'était passé et je réclamai son aide. En guise de consolation, elle m'intima de retourner immédiatement à la maison. Je me défendis, j'argumentai, elle resta sourde à mes supplications.

— Si tu ne veux pas y retourner, c'est moi qui t'y ramènerai de force ! menaça-t-elle.

— Voyons, Comito, dans l'état où est cette enfant, et après ce qu'elle a enduré, tu n'as pas le droit de la renvoyer chez elle.

Une actrice de petit renom, prénommée Indaro, venait d'entrer. Elle me parut la femme la plus belle, la plus élégante que je pusse imaginer. Plus âgée que Comito, elle n'en était pas moins devenue son amie. Devant son intervention, ma sœur se radoucit et lui expliqua qu'elle ne savait pas quoi faire de moi. Indaro la rassura :

— Ne t'inquiète pas, c'est moi qui l'hébergerai.

Elle me ramena donc chez elle, non loin du théâtre, dans ce qui me parut un palais. C'était en fait une maison minuscule, vieillotte, mais admirablement tenue par cette femme d'intérieur. Elle me montra la soupente qui me servirait de chambre, puis l'enthousiasme de sa générosité étant passé, elle me contempla avec inquiétude et peut-être avec dégoût. Elle me fit mille recommandations car cette petite bourgeoise était intransigeante pour la propreté et l'ordre. Ce soir-là s'acheva mon enfance. J'avais treize ans.

Chapitre 2

Je m'instituai la servante d'Indaro avec sa complicité. Chaque soir, j'étais la première au théâtre, toujours vêtue de la même tunique rapiécée. Indaro m'avait bien donné quelques vieux vêtements que j'avais ajustés à ma taille, mais je les réservais pour les grands jours que d'ailleurs je ne voyais pas poindre. Je trottinais dans les rues tant j'étais pressée de me retrouver au théâtre. Lorsque j'y pénétrais, il était encore vide, hormis les balayeurs qui nettoyaient et quelques employés qui mettaient de l'ordre. Je me blottissais dans un coin, anxieuse de ne pas être remarquée, car je craignais toujours de gêner ou, pire, d'être chassée. Et j'attendais avidement l'arrivée des actrices et même des comparses que je saluais toutes avec empressement. J'aidais Indaro à s'habiller, je rangeais ses vêtements, je portais son tabouret lorsqu'elle se rendait de loge en loge pour bavarder avec ses camarades, je lui apportais son verre de vin qu'elle ne manquait pas de boire avant d'entrer en scène, j'allumais la veilleuse de l'icône devant laquelle elle faisait ses dévotions comme un conducteur de chars avant de concourir à l'hippodrome.

Indaro était foncièrement bonne fille. Elle avait dépassé l'âge tendre, mais sa vitalité lui gardait sa jeunesse, aidée par des artifices judicieusement utilisés. Avec ses grands yeux innocents, son petit nez retroussé et sa poitrine admirable, elle attirait les hommes. Pourtant, cette coquette ne rêvait que de trouver un bon mari. Elle était toujours disposée à écouter, à encourager, à assister. Elle me traitait avec gentillesse et affectait même un semblant d'égalité avec moi.

J'aimais rendre service et j'étais toujours heureuse d'aider Comito et ses camarades. J'agrafais une tunique, je donnais un coup de brosse à des mèches rebelles, j'allais chercher une plume qui manquait, je portais des messages, je rapportais des rafraîchissements, j'allais quérir une information, je ne m'arrêtais jamais et aucune corvée ne me rebutait. C'était sans cesse des « Théodora, viens ici », « Théodora, rends-moi service », « Théodora, s'il te plaît ». Et je galopais de l'une à l'autre. Le fait que mon aide fût sollicitée, même pour les plus humbles besognes, me flattait. Je me sentais nécessaire, reconnue, je n'étais plus encombrante, méprisée. Au contraire, on avait besoin de moi et on m'aimait bien. Dans ce milieu où règnent la jalousie, l'intrigue, le coup fourré, ces filles, ces femmes ne se méfiaient pas de moi. Quelle menace aurait pu représenter le moineau maigrichon que j'étais, subsistant précairement à la lisière de leur profession ? Bien que peu d'années me séparent des plus jeunes, j'avais encore l'air d'une enfant et aucune ne voyait en moi une future rivale. Du coup, je recueillais leurs confidences les plus intimes, même celles qu'elles se gardaient bien de chuchoter à leurs amies. Quel apprentissage ! car ce que je glanais, ce que j'entendais, équivalait à des rangées entières de livres de classe, mais consacrés à une seule science : la vie.

Je ne recevais aucun salaire, cependant j'étais nourrie d'un bol de légumes et de poissons bouillis. Il m'arrivait d'avoir le ventre creux, toutefois rien au monde ne m'aurait forcée à l'avouer, et lorsqu'on m'offrait des friandises, alors que je mourais d'envie de dévorer la boîte entière, je refusais parfois par fierté. Je supportais cette existence d'abord parce que je n'en voyais pas d'autre possible, et surtout parce que je rêvais de monter un jour sur les planches à mon tour.

L'atmosphère des coulisses me grisait totalement et je veillais le plus tard possible. Parfois, mes yeux se fermaient tout seuls. Les filles me réprimandaient affectueusement et m'ordonnaient d'aller me coucher, mais je tenais bon.

Le jour, je partais à la découverte de ma ville, Constantinople. Je marchais inlassablement, émerveillée par cette profusion d'églises, de chapelles, de palais, d'auberges, d'hôpitaux, d'hospices et d'académies de Barbares destinées à accueillir les étrangers. A côté des quartiers misérables et croulants, comme celui qui avait servi de cadre à mon enfance, se construisaient sans transition des quartiers neufs, aérés, riches. J'étais sensible au charme des rues de Constantinople, à la position admirablement choisie de la ville, à la vue somptueuse que l'on découvrait sur l'Asie, sur la mer, sur les rives verdoyantes du Bosphore. Comme prétexte à mes explorations, j'utilisais les informations glanées chez les actrices sur une église où se trouvait une icône miraculeuse, alors que je n'attendais aucun miracle ; sur une boutique de colifichets, alors que j'eusse été incapable d'en acheter, même le moins coûteux. A contempler les devantures des orfèvres, des brodeurs, des tailleurs, à humer les parfums de chaude nourriture qui sortaient des tavernes, je côtoyais un monde inaccessible. Certes, l'envie me dévorait, mais elle était noyée dans mon plaisir d'observer. Quel que soit le temps, les Constantinopolitains déambulent sous les colonnades, qui les abritent l'hiver contre le froid et l'été contre le soleil. La rue leur sert de lieu de rencontre privilégié. Je regardais les amis s'étreindre, les puissants se saluer, les banquiers opérer leurs transactions, les élégants se pavaner. Et j'apprenais l'art, poussé à un degré unique par notre peuple, d'exprimer les sentiments, de manifester la courtoisie, de traiter les affaires, ou tout simplement de paraître.

Le grand art cependant, c'étaient les mendiants qui l'avaient monopolisé. Ils tendaient des moignons rougeâtres, exhibaient des plaies hideuses, traînaient des enfants aveugles et couverts de mouches, rongeaient le cuir de vieilles chaussures pour montrer leur faim, s'enfonçaient des clous dans le crâne, et tout cela, je le savais, n'était que comédie. Quels acteurs n'ai-je pas admirés parmi eux, bien meilleurs que tous ceux que j'ai vus jouer sur scène ! Mon jeu préféré consistait à déceler les voleurs de bourses, ce qui n'était pas une mince tâche. Ceux-ci, en effet, se fondaient parfaitement dans la foule, s'approchaient sans en avoir l'air de leur victime désignée, et lui subtilisaient son bien sans qu'elle s'en rende compte, avec une habileté fantastique, fruit de longues années d'études. Ils étaient groupés en corporations et ils portaient le doux surnom d'« enfants de l'archevêque ».

Un jour, l'un d'entre eux s'empara de l'or d'un juge presque sous mes yeux. Son larcin commis, il vit que je l'avais vu et je compris à la peur dans son regard qu'il s'attendait à ce que je le dénonce. J'éclatai de rire, il vint vers moi, mit une pièce d'or dans ma main : « Tu as bien mérité que nous partagions. » Je le croisai plusieurs fois lors de mes promenades. Il paraissait respectable et banal, avec sa tunique bien coupée mais élimée, ses cheveux gris, son aspect propre et soigné de fonctionnaire appauvri. Nous ne nous parlions pas, car nous ne frayions pas ensemble. Nous nous contentions de nous adresser des petits signes de reconnaissance. J'appris cependant qu'il s'appelait Minas. Après m'avoir récompensée la première fois pour mon silence, il n'éprouva plus le besoin de recommencer.

L'observation des étrangers m'était une leçon de géographie car je découvrais par leur aspect des contrées lointaines dont, bien entendu, j'ignorais jusqu'au nom. Des provinciaux isauriens, anatoliens, illyriens ou thraces venaient dans la capitale pour y exercer un commerce. Les domestiques, les soldats appartenaient souvent à des races barbares, germaniques ou slaves, huns, bulgares, hongrois. Syriens et Égyptiens, qui baragouinaient le grec, se montraient surtout sous la défroque du clergé. Une grande partie de l'artisanat était aux mains des Juifs. Les Italiens, les Espagnols, les Africains parlaient entre eux le latin, et puis il y avait encore les Arméniens et les petits hommes aux yeux bridés, Khazars, Techenegs, hérauts de la Chine et de l'Inde. Tous témoignaient de la grandeur de l'empire et de l'universalité des peuples qui le composaient.

Mes pas me portaient fréquemment jusqu'à l'Augusteum, bordé par les trois bâtiments qui figuraient les trois sources traditionnelles du pouvoir impérial, la basilique Sainte-Sophie où l'empereur reçoit l'onction sacrée sans laquelle il ne peut régner, le Sénat, reliquat de la Rome républicaine, chargé d'élire le souverain, et là-bas, au fond, derrière cette arche triomphale, l'hippodrome où le peuple, spontanément, librement, se rassemble pour approuver une accession au trône ou exiger une abdication. Je contemplais longuement les murailles qui défendaient le Palais Sacré, résidence de l'empereur. Je m'arrêtais devant la Chalke, le pavillon d'entrée, en fait palais dans le palais, et dans un rêve je voyais les gigantesques portes de bronze s'ouvrir toutes grandes devant moi.

J'accompagnais souvent Comito et ses camarades lorsqu'elles rendaient visite à la plus célèbre voyante du quartier, la nommée Photini. Tremblantes d'excitation et aussi de peur, car la magicienne avait la réputation de jeter des sorts, nous traversions la cour misérable, encombrée de vieilles caisses et de plantes à moitié desséchées, jusqu'à la petite pièce obscure où elle opérait. Pour la divination, elle pratiquait l'« omoplate », qui consistait à inspecter l'aspect qu'un os de mouton prend à la cuisson, ou les « oiseaux », qui comporte l'observation du vol de pigeons lâchés à cet effet. Le nombre de cris poussés par ces volatiles était-il impair : ces demoiselles s'arrachaient les cheveux devant cet indice hautement défavorable. J'écoutais, j'étais fascinée, je m'amusais. Un jour, les filles demandèrent à Photini de me lire l'avenir. La vieille haussa les épaules. Pour moi, elle utilisa les « coquillages » : elle en lança une poignée en l'air et examina longuement la façon dont ils étaient retombés dans le sable du sol. Puis, brusquement, elle releva la tête et me regarda les yeux écarquillés, la bouche ouverte, comme si j'étais un monstre terrifiant. « Que vois-tu ? que vois-tu ? » s'écrièrent les filles. La sorcière secoua la tête comme si elle ne les entendait pas et ne dit rien. Puis elle se leva lourdement, difficilement, elle s'approcha de moi, s'agenouilla, prit le bord de ma guenille et la baisa. « Je ne vous demande qu'une faveur, souvenez-vous de moi plus tard. » Ce fut la seule phrase qu'elle prononça et elle avait utilisé le pluriel de courtoisie. Puis elle se reprit : « Allez, fichez le camp, c'est fini pour aujourd'hui, je ne vois plus rien. » Heureusement, les filles, avec l'insouciance de leur âge, oublièrent l'incident. Mais moi j'y repensais souvent.

Photini était aussi experte en élixirs d'amour. Ah ! ces philtres miraculeux, combien n'en ai-je pas fabriqués d'après les recettes de la sorcière communiquées par Comito et ses camarades. Je préfère ne pas me souvenir des ingrédients peu ragoûtants qu'il me fallait piler et mélanger pendant des heures. Apprentie sorcière était une autre de mes attributions dans les coulisses du théâtre. J'eus double ration de travail lorsque Comito tomba véritablement amoureuse. Un temps, elle parut comblée et me couvrit de menus cadeaux, affirmant que j'étais la seule à réussir les philtres d'amour, ce qui me comblait d'un étonnement sans borne, car j'oubliais consciemment un ingrédient dans les concoctions que je lui remettais, afin de les rendre inopérantes. Par contre, je prenais bien soin de mélanger toutes les composantes selon le dosage requis dans le breuvage que je fabriquais en cachette, pour le verser ensuite dans le verre de vin que j'apportais au sigisbée de Comito. Il s'appelait Pharas.

C'était un acteur sans travail. Il avait vécu toute sa vie dans le théâtre. Je fus séduite par la couleur de ses yeux, bleu, vert, brun, jaune, doré tout à la fois, et par sa voix rauque et chaude. Malgré une extraction aussi populaire que la mienne, d'instinct il avait la courtoisie et le raffinement, et ses manières me caressaient. Ses attentions me laissaient croire que j'étais la seule à compter pour lui. Malgré ses fanfaronnades de comédie et son effronterie de collégien, il était la timidité même et rougissait pour un oui ou pour un non, ce qui le parait à mes yeux d'un charme décuplé. Sa vulnérabilité, que j'avais devinée, le rendait irrésistible à une adolescente comme moi. Bref, j'en étais tombée folle amoureuse et je ne supportais plus de voir Comito béate de bonheur, gloussant à tout bout de champ comme une grosse poule couvant un œuf énorme.

Un soir, j'attendais avec lui que la représentation s'achevât et que Comito sortît de scène. Nous nous trouvions dans le couloir des coulisses, un boyau sale et étroit, à peine éclairé par un quinquet. Depuis que j'aimais secrètement Pharas, j'étais devenue coquette, comme une fille peut l'être à quatorze ans et avec les moyens du bord, c'est-à-dire que j'avais délaissé mes haillons pour les défroques abandonnées par Indaro. J'avais coiffé mes cheveux, généralement hirsutes et emmêlés, en un chignon dans lequel j'avais piqué une fleur, un gros hibiscus rouge. Appuyé contre la paroi, la tête penchée, les bras ballants, l'aspect plus fragile que jamais, Pharas me confia qu'il se sentait épuisé. Je lui offris de se reposer dans la loge d'Indaro dont j'avais la clef. Je lui ouvris la porte. Il se jeta sur le lit, les bras en croix, les yeux fermés. Je m'agenouillai à côté de lui, j'hésitai longuement, puis, tremblante d'émotion, le cœur battant, je déposai un baiser léger sur son front. Il ne bougea pas. Alors, je me relevai pour fermer la porte à clef, et je revins m'étendre à côté de lui. Soudain, il se retourna et se coucha sur moi, sa bouche enveloppa la mienne. Il m'étouffa sous ses baisers. Il m'arracha mes vêtements, il me pétrit. La hâte, la brutalité de cette initiation, bien différente de la scène que mon imagination avait mille fois composée, m'affolaient plus qu'elles ne m'excitaient. Pharas me faisait mal mais je ne bronchai pas afin de ne pas gâcher son plaisir. Puis j'éprouvai une douleur beaucoup plus vive, beaucoup plus brûlante au bas-ventre. Cette première expérience n'ouvrit pas à la volupté mon corps trop jeune. Elle y laissa une blessure que toute une vie ne suffirait pas à cicatriser. Pharas se releva, l'air détaché, prit un torchon et m'essuya. Il embrassa distraitement ma joue, puis se rhabilla : « Allons attendre Comito », conclut-il. Le pire, c'est que j'étais heureuse. J'étais heureuse parce que je m'étais approprié l'amant de Comito, parce que j'aimais Pharas.

Peut-on appeler vraiment liaison l'aventure entre Pharas et moi ? Pendant le jour, nous nous promenions lorsqu'il n'était pas occupé, car ce garçon sans travail avait toujours mille choses à faire. Ni lui ni moi n'avions d'argent pour nous payer un verre dans une taverne, encore moins un repas, même modeste. Le seul cadeau qu'il m'ait offert fut un mati, un œil porte-bonheur en verre bleu, héritage de la magie égyptienne, enchâssé dans une petite croix de métal. Nos rares moments d'intimité, nous les volions presque dans la loge d'Indaro pendant la représentation. Pharas continuait à être l'amant officiel de Comito. Pour comble, ma haine ne se portait pas sur lui qui me trompait, mais sur Comito qui ignorait qu'il la trompait avec moi. Sans me l'avouer, je pressentais qu'il me méprisait. Je me croyais laide à l'époque et j'étais fière d'avoir un amant que toute femme m'aurait envié. Pharas ne pouvait pas se passer de faire l'amour, mais il le faisait toujours à la sauvette. Il ne savait me donner aucun plaisir et pourtant chaque fois j'attendais impatiemment, désespérément. Cette frustration exaspérait mon désir pour lui. Sous sa gaieté se cachait un être essentiellement tragique. Cela, je l'avais deviné, comme je sentais qu'il était voué au malheur, à l'échec, ce qui me le rendait d'autant plus attachant. Il y avait chez cet homme des profondeurs insondables qui me seraient à jamais interdites. Ses facéties, son esprit endiablé rendaient sa

34

compagnie éminemment divertissante. Il n'était que sarcasmes contre sa famille et critiques contre les autres acteurs. Il se moquait de tous et de toutes ; en fait, il fallait qu'il détruise, et nul ne trouvait grâce à ses yeux. Si j'avais été plus expérimentée et moins amoureuse, j'aurais pris conscience de son amertume et de sa jalousie. Il me disait qu'il m'aimait. Il le montrait bien rarement mais il était sincère. Avec toute la douceur infinie dont il était capable, il m'avait rendue son esclave, dans la volonté semi-consciente de soulever l'emprise indiscernable que, par ma seule personnalité, j'avais sur lui. Et si je me soumettais à lui, c'était dans la peur constante et inexprimée de le perdre.

Dotée par la nature d'une puissante mémoire, j'avais appris par cœur tous les rôles que je voyais tenir par Indaro et ses camarades. Elles jouaient dans ces comédies graveleuses sur l'adultère qui faisaient la réputation de notre théâtre. Amants surpris par des maris, épouses jalouses, gifles, coups, gros mots, grimaces, mais aussi déshabillage et même acte charnel commis sur scène... les traditions du genre se maintenaient inchangées depuis des siècles. Mes quinze ans atteints, je me présentai au directeur du théâtre, je lui demandai de m'engager et, pour le convaincre, je lui donnai, sans en être priée, quelques exemples de mon talent. Il me laissa jouer quelques bouts de rôles, puis fit la moue : « Tu en fais trop, tu seras beaucoup mieux comme mime. » J'éprouvai une forte déception. Mime, c'était moins bien qu'actrice, mais c'était aussi monter sur les planches, ce que je brûlais de faire à n'importe quel prix.

Je me revois encore dans les coulisses. J'attends le moment d'entrer en scène. Au trac se joint une timidité maladive, qui souvent me paralyse même dans la vie courante, et pourtant je suis dévorée d'impatience. Les applaudissements saluent la fin du numéro précédent. Le directeur me fait un signe. Je bondis sur la scène. Je suis seule face au public, je suis la reine, l'impératrice, le monde est à mes pieds... Pauvre petit théâtre horrible !... Il ressemble à une grange de bois. Les poutres, les colonnes qui soutiennent son toit, et même les bancs mal équarris sont peints en couleurs criardes qui s'écaillent comme la façade. Le public est presque entièrement composé d'hommes — fêtards désargentés, bons à rien, loustics, gueulards —, mais à cette lie se mêlent parfois des élégants et des élégantes venus s'encanailler. Un simple rideau cache les coulisses. Je porte un habit collant, bariolé, et je laisse flotter un grand manteau. Je joue face au public et, à la différence des actrices, je ne porte pas de masque. La trame de mes numéros est encore plus immorale, plus obscène que les comédies jouées par Indaro. Je tiens à peu près tous les rôles et plusieurs fois celui de marchande de saucisses. J'ai le sens du comique, de la bouffonnerie. Le public m'apprécie puisqu'il me réclame et qu'il rit à gorge déployée. J'aime entendre les spectateurs s'esclaffer. Mais le mime ne doit pas seulement divertir, il lui faut aussi chanter, jouer des instruments, danser. Or, je n'ai jamais appris ni la flûte ni la harpe, ma voix est trop rauque, et l'improvisation guide les figures de ma danse, et quelle danse ! Selon les règles, je dois me déshabiller progressivement jusqu'à apparaître torse nu et continuer à me tortiller lascivement. Dans l'art du nu, j'obtiens un franc succès : j'imagine qu'une fille très jeune, à peine nubile, qui se dévêt soulève toujours les applaudissements...

Je recevais dix folles par jour, moins d'un vingtième de solidus, l'équivalent du salaire d'un ouvrier en bâtiment. Je louais deux chambres d'une maison insalubre, plutôt deux caves, sans lumière autre qu'un soupirail. Il y faisait l'hiver un froid atroce et l'été une chaleur étouffante. J'avais abandonné le confort et l'hospitalité d'Indaro pour pouvoir héberger Pharas. J'économisais aussi sur mes repas, que je sautais souvent pour payer les siens.

Mon minuscule succès sur scène me ravissait, car j'escomptais qu'il me valoriserait aux yeux de Pharas. Je ne me rendais pas compte que le seul fait d'être montée sur les planches avait déchaîné sa jalousie, d'autant plus venimeuse qu'il n'avait toujours pas trouvé de travail : quelque chose d'indéfinissable en lui décourageait les engagements. Il ne me pardonna pas mon brin de réussite. Malgré sa douceur, il se montrait parfois agressif avec moi. Je n'étais pas heureuse, car lui-même ne l'était pas. Je devins nerveuse, car lui-même l'était et pourtant je pouvais moins que jamais me passer de lui. Cette situation me rendait querelleuse. Pour un oui, pour un non, je me disputais avec les autres filles puis, pour me faire pardonner, je leur achetais, en me saignant, des sucreries, des rafraîchissements, du vin.

J'avais fini par croire qu'une grande carrière s'ouvrait devant moi. Indaro me ramena à plus de réalisme. Elle me reprocha de ne pas chercher à améliorer mon jeu et à travailler ma voix. Si je voulais réussir, il me fallait étudier. Elle me proposa de m'indiquer un professeur qui m'enseignerait les ficelles du métier. Ses remarques me piquèrent parce qu'au fond elles étaient justes, et je devins blessante :

— Comment est-il possible qu'après le dur apprentissage que tu as subi tu ne profites pas mieux de ton succès auprès de riches protecteurs ?

Elle se fâcha :

— Je vois, tu ne feras jamais le moindre effort pour devenir actrice. Sais-tu seulement ce que c'est qu'une actrice, une artiste ? En fait, tu ne voulais, dès le départ, que triompher non sur la scène mais dans la vie.

— Pour triompher, dans la vie, il faut d'abord être l'amie de celui qui commande, ensuite le triomphe vient tout seul, répliquai-je.

— Si telle est ta philosophie..., commenta-t-elle amèrement.

J'avais exagéré. Refusant d'accepter la réalité, j'attribuais mon manque d'avenir scénique à mon physique. J'étais trop maigre, trop brune de peau et de cheveux ; on se moquait assez de moi pour me le rappeler : « Alors, la négresse »,

« Viens ici, petit squelette », entendais-je souvent. Et d'envier mortellement les blondes, les dodues, objets d'admiration.

Depuis plusieurs semaines, j'avais de fréquentes nausées. Sur les conseils de Comito, j'allai voir la sage-femme du quartier, chez qui toutes les filles du théâtre se rendaient pour avorter aussi facilement que de se faire arracher une dent. Pour moi, pas question d'avorter, j'étais enceinte, et de trois mois. J'étais si innocente que je ne m'en étais pas aperçue plut tôt. Je passai trois jours d'appréhension et d'anxiété, trois jours avant mon prochain rendez-vous avec Pharas.

Nous dînâmes dans ma cave. J'avais acheté assez cher une bouteille de vin doux de Samos, comme s'il s'agissait d'une célébration. En fait, c'était pour me donner du courage. Je le regardais dévorer la soupe à l'oignon, le thon mariné, le maquereau séché, ses plats préférés que je lui avais préparés. Il avait déjà repris deux fois du fromage de chèvre et s'attaquait aux fruits secs, lorsque je me lançai. Je lui avouai mon état. Il fut toute sollicitude, me demandant avidement si je me sentais bien, si je souffrais, si la sage-femme avait été gentille, mais sur un ton neutre, comme s'il n'était pas véritablement concerné. Le moindre mot de son verdict est gravé dans ma mémoire :

— Je ne peux rien faire pour toi, Théodora, je viens de trouver enfin du travail, j'ai accepté un rôle qu'on m'a proposé, je dois m'y consacrer exclusivement. Tu comprendras que je n'ai ni l'énergie, ni le temps, ni l'argent de vous assumer, toi et l'enfant. Il vaut mieux ne pas se revoir. Bonne chance.

Il guettait ma réaction. J'étais tellement ébahie, anéantie que je ne sus que répondre :

— Peut-être as-tu raison.

Il se leva, me plaqua deux baisers sur les joues et sortit de ma vie aussi facilement que ce soir-là il sortit de mon logis.

Je restai attablée devant les reliefs du repas. Je finis la

bouteille de Samos et j'achevai aussi le pichet de piquette qui restait de la veille. Je ne fermai pas l'œil de la nuit. J'avais l'impression qu'à l'intérieur de moi-même je n'avais plus de chairs, qu'il y avait un vide, et que celui-ci se remplissait de toiles d'araignée.

Le lendemain, j'avais l'air d'un cadavre lorsque j'arrivai au théâtre. Je ne dis rien, je ne racontai rien, mais la sage-femme avait dû parler. Les filles savaient que j'étais enceinte et pressentaient un drame. Je le sentis aux regards de pitié qu'elles me jetaient furtivement. Mon air farouche arrêtait cependant leurs questions brûlantes de curiosité. Lorsque je sortis de scène après mon numéro, un homme m'aborda, probablement un de ces admirateurs qui, chaque soir, engageaient les filles à dîner et dont, à cause de Pharas, j'avais toujours refusé les invitations. Ses yeux me caressaient et ses grosses lèvres esquissaient un sourire engageant. Il me déclara qu'il connaissait mon état et me prédit que je n'aurais pas assez d'argent pour survivre sans emploi et mettre au monde mon enfant. Aussi me proposa-t-il de m'aider jusqu'à mon accouchement. « Et en contrepartie ? » lui demandai-je. Pour toute réponse, il me tendit un contrat. La soussignée s'engageait à travailler fidèlement et scrupuleusement pour son employeur, et à lui remettre 60 % de ses bénéfices. L'employeur se gardait la possibilité de la revendre... J'avais donc affaire à un lenos, un de ces proxénètes qui hantent les coulisses des théâtres pour pousser les filles trop pauvres ou trop faibles à la prostitution. Il m'assura que la proposition était très sérieuse. Je demandai à réfléchir.

Lorsque je revins chez moi, lasse à mourir, au milieu de la nuit, je trouvai mon logis sens dessus dessous. On avait emporté trois bols en faïence, des petits bijoux de pacotille et surtout la croix avec le mati, que m'avait donnée Pharas. C'était le seul lien qui me rattachait à lui et j'y tenais. Aller dénoncer les voleurs au préfet de nuit chargé de poursuivre eût été bien inutile. Ils ne seraient jamais retrouvés.

Le lendemain matin, j'allai au forum Amasium que

fréquentait Minas, mon petit coupeur de bourses. Brisant notre code inexprimé, je l'abordai et je le suppliai de retrouver mon bien. Il m'expliqua que les « enfants de l'archevêque » dont il était n'appartenaient pas à la même corporation que mes cambrioleurs. Néanmoins, il s'engagea à faire de son mieux et me donna rendez-vous l'après-midi au port Julien. Lorsqu'il m'y rejoignit, il m'annonça que mes voleurs avaient déjà disposé de ma grossière vaisselle et de mes misérables parures. Il ne me rapportait que la croix.

— Pourquoi gardes-tu cette croix ? L'homme qui te l'a donnée a le mauvais œil, il te porte malheur, me dit-il en me la tendant.

— Comment peux-tu le savoir, tu ne le connais même pas ?

— Mon métier m'a fait pousser d'invisibles antennes. Tant que tu resteras avec cet homme, tu n'auras que des ennuis et des malheurs. Fuis-le et débarrasse-toi de cette croix.

Sans attendre ma réponse, il la jeta à la mer et sans un mot s'éloigna de moi.

Son avertissement me fit curieusement du bien. Je réalisai que j'étais au creux de la vague pour des raisons indépendantes de ma volonté, que je ne pouvais pas descendre plus bas. Il me suffisait de bander ma volonté pour remonter la pente, étape par étape.

Le soir même, je signai le contrat du lenos. Il fut très étonné de découvrir que j'avais de l'instruction et que je ne traçais pas une simple croix comme les autres filles. Ce fut mon prénom que j'apposai en toutes lettres au bas de ce document qui faisait de moi une putain.

Chapitre 3

Bientôt, mon état m'obligea à interrompre mon numéro de mime et, en accord avec le contrat passé, je commençai à toucher du lenos une modeste pension qui me serait versée jusqu'à mon accouchement. Pendant cette période d'oisiveté, les émeutes de 509, sous le vieil empereur Anastase, m'offrirent une distraction de choix et ma première rencontre avec la politique.

Un jour, en me promenant, j'entendis au loin une rumeur, un grondement, des cris, des imprécations vers lesquels la curiosité me poussa. Arrivant sur la Mésé, je fus emportée par une foule furieuse et vociférante qui se précipitait contre les barrages dressés par l'armée. Il y eut des coups, des blessures, du sang qui giclait, des hurlements de douleur, des cris de rage, des corps qui tombaient tout près de moi. Je fus bousculée, jetée à droite, à gauche, une lance fendit l'air à quelques pouces de ma tête. Pourtant je n'avais pas peur. Par contre, j'étais furieuse. Furieuse contre les forces de l'ordre car, bien entendu, une pauvresse comme moi soutenait les émeutiers quels qu'ils fussent. Je glapis de joie lorsque les soldats reculèrent et que la barricade fut enfoncée. Plus tard, j'applaudis lorsque je vis les maisons des familiers de l'empereur mises à feu par les émeutiers. J'appréciai beaucoup moins le spectacle lorsque des moines et des religieux furent égorgés et étripés. Mon existence m'avait habituée à tout voir, mais cette vision me répugna. Des gens autour de moi m'expliquèrent qu'il s'agissait d'hérétiques, de monophysites, un nom difficile à prononcer et incompréhensible. « Mort aux hérétiques ! », criai-je avec la foule. « A bas Anastase, abdication, déchéance », devais-je entendre hurler toute la nuit dans la ville.

Le lendemain matin, des hérauts annoncèrent que l'empereur parlerait au peuple à l'hippodrome. La séance promettait d'être houleuse et je risquais cher d'y aller avec mon ventre proéminent. J'étais trop alléchée pour écouter les voix de la prudence. Les troubles mettaient du piment dans mon existence terne. D'ailleurs, notre peuple raffole d'événements, surtout tragiques, sans lesquels il s'ennuie. L'hippodrome était comble lorsque l'empereur Anastase apparut dans le kathisma. De loin, je vis un homme grand, portant beau, très droit malgré son âge, auréolé d'une longue chevelure blanche. Intentionnellement, il n'avait pas mis la couronne. Malgré son apparence digne et noble, il fut aussitôt pris à parti par la foule qui le conspua et exigea son abdication. Il laissa faire, puis commença à parler. Au début, dans la cacophonie, on n'entendit pas un mot de son discours. Mais, petit à petit, les rangs les plus proches du kathisma devinrent silencieux et les milliers de spectateurs se turent. Le vieil empereur avait une belle voix de basse qui s'entendait de loin. Il offrait de se soumettre à la volonté populaire et d'abdiquer, et suppliait ses sujets de lui choisir un successeur. L'assistance l'écoutait avec une attention grandissante. Il promit toutes les concessions qu'on voulait. Enfin, il fit appel à la loyauté du peuple. Plus question d'abdication ni de succession. La foule était complètement retournée lorsque l'empereur, son discours achevé, se retira. Elle n'alla pas jusqu'à crier « Vive Anastase », mais elle quitta l'hippodrome dans le calme et la bonne humeur.

Le lendemain, Constantinople avait retrouvé son aspect habituel. Alors les gardes s'abattirent sur la ville et arrêtèrent tous ceux qui étaient soupçonnés d'avoir participé à l'émeute.

Bientôt les exécutions succédèrent aux exécutions. Moi-même, je vis aux carrefours et dans les forums des corps se balancer au bout des cordes, sur les échafauds. Quelle leçon de politique ! Toutes ces promesses pour endormir le peuple, puis tous ces châtiments publics pour l'intimider. J'étais trop jeune pour apprécier l'enseignement. Au contraire, je partageais, à l'époque, l'indignation populaire, mais comme les autres, je courbai la tête.

Bientôt, la nouvelle se répandit qu'un jeune et vaillant général nommé Vitalien, là-bas en Thrace, s'était soulevé avec ses troupes pour défendre notre religion menacée par l'empereur qui protégeait les hérétiques et qui était soupçonné de leur appartenir. Je ne comprenais rien à ces querelles théologiques, pourtant je brûlais pour Vitalien qui partait en guerre contre le pouvoir détesté. Mais la Thrace était loin, j'avais d'autres soucis en tête et bientôt j'oubliai Vitalien que je devais rencontrer plus tard dans des circonstances bien différentes.

Peu avant la naissance, Comito vint habiter avec moi. Le jour venu et les premières douleurs commencées, elle alla chercher la sage-femme et une de ses camarades. Mon accouchement ne fut pas aussi difficile ni douloureux que je le prévoyais. Je mis au monde une fille toute rouge et toute velue, le bébé le plus laid que j'aie jamais vu de ma vie. Comito m'annonça que ma mère voulait voir sa petite-fille. Je lui interdis de lui dire où j'habitais. J'évitai de m'attacher à l'enfant ou de m'attendrir, car je savais d'avance ce que je devais faire. Tant d'exemples de filles dans ma situation me montraient la voie, tant de conseils, ceux d'Indaro, ceux de Comito, m'y poussaient. Par ailleurs, je n'avais aucune autre possibilité. Deux semaines plus tard, je plaçai donc ma fille dans un panier neuf, j'épinglai sur ses langes un papier où je déclarais que l'enfant n'était pas baptisée et que je souhaitais qu'on lui donnât le nom de la paix : Irène. Je me dirigeai vers le couvent de la Vierge Pamakaristos. Lorsque, dans la pénombre, j'aperçus le mur de vieilles briques au-dessus duquel se multipliaient les coupoles des chapelles, je m'arrêtai, comprenant l'horreur de mon geste. « Il le faut », me répétais-je, mais sans pouvoir bouger. Mes pieds refusaient d'avancer, et lorsque j'entendis un gazouillis s'élever du panier, je faillis renoncer. Quel coup de fouet ai-je réussi à infliger à ma volonté, je ne le sais plus. Je repris ma marche, très vite aveuglée par les larmes. Je sonnai à la porte du couvent, déposai le panier et m'enfuis, dévalant la pente comme une criminelle pourchassée par toutes les polices de l'empire.

Aurais-je gardé ma fille qu'elle serait probablement morte de faim, et moi aussi car j'aurais dû renoncer à mon métier pour l'élever. Je savais que les nonnes du couvent la recueilleraient, l'élèveraient, lui apprendraient un métier de brodeuse ou de fileuse. Au pire, elle entrerait dans les Ordres, au mieux ses éducatrices lui trouveraient un mari. De toute façon, l'avenir de ma fille était bien plus assuré que le mien. Je n'en haïssais pas moins Pharas de m'avoir obligée à prendre cette décision, et s'il avait été devant moi je l'aurais tué, si atroce était ma souffrance.

J'arrivai haletante au théâtre. Je n'eus que le temps de m'habiller, de me maquiller hâtivement avant de bondir sur scène. Jamais les rires bruyants qui accueillirent mon numéro ne furent plus francs, plus fréquents, que ce soir-là. L'énergie du désespoir me brûlait et j'enflammai mon public, je le tenais en main, je sentais que j'aurais pu lui faire faire n'importe quoi. Jamais je n'avais été aussi satisfaite d'exercer mon pouvoir sur lui, et jamais je ne m'étais sentie aussi déchirée. En regagnant les coulisses, je trouvai mon lenos souriant à son habitude, suave comme une friandise trop sucrée. Son parfum à la violette, dont il s'inondait, me donnait des nausées. « Cet homme t'attend », me murmura-t-il en désignant un individu qui se tenait près de lui et qui me dévorait des yeux. C'était mon premier client. Il m'impressionna si peu que ses traits se sont évanouis dans ma mémoire. Je le ramenai chez moi. Nous nous déshabillâmes, il me fit l'amour. Ce ne fut pas désagréable et eut l'avantage d'être rapide. Je n'eus qu'à penser à Pharas pour simuler le plaisir. Mon client me remit dix folles, l'équivalent de mon salaire de mime.

Je n'allais cependant pas rester une petite putain de cave comme des milliers de mes consœurs. En trois mois, j'étais devenue la reine de la vie nocturne du quartier. A peine sortie de scène, je me changeais, j'endossais une tunique bariolée, plus haut fendue que ne le permettait la décence. Je transformais mon maquillage en agrandissant mes yeux d'un trait noir. J'avais compris que je ne pouvais pas être belle selon les canons de l'époque. J'étais condamnée à devenir fascinante.

A la porte du théâtre, l'accueil des admirateurs m'attendait, excité, pressant. Parmi eux, je remarquais chaque soir un homme qui semblait profondément malheureux. J'appris qu'il s'appelait Hécébolus, qu'il était originaire de Tyr, et qu'il était un modeste fonctionnaire. Il puait la province. Il était lourd et maladroit. Chaque fois qu'il arrivait à me parler, il m'invitait à dîner en tête à tête. Une fois même, il s'enhardit jusqu'à me proposer le mariage. Il me tendait toujours des petits cadeaux ridicules que parfois je faisais semblant de ne pas voir. Je le plantais là et me dirigeais, entourée par la troupe joyeuse, jusqu'à notre taverne qui portait le nom — Dieu sait pourquoi — *les Anes du Paradis*. On y trouvait beaucoup d'ânes, mais ce n'était certainement pas un paradis.

Un soir qu'un de mes clients s'était montré particulièrement généreux, j'y avais entraîné une bande de joyeux compagnons pour une soûlerie mémorable. Nous avions fait assez de bruit pour réveiller le quartier entier. Malgré les dégâts considérables, le patron avait eu l'esprit de ne pas se fâcher. Depuis, nous y avions établi nos quartiers nocturnes. *Les Anes du Paradis* était devenu le théâtre où je jouais dans la vie bien mieux que je n'avais jamais joué sur scène. Ce hangar bruyant, si vaste qu'une armée aurait pu s'y restaurer, plaisait à la clientèle populaire. Murs et piliers étaient blanchis à la chaux, les poutres étaient peintes en noir et la vaisselle était en grès grossier. Familles nombreuses, couples d'amoureux venus là se gaver pour quelques folles, étaient à cette heure tardive allés sagement se coucher. La nuit était réservée aux noceurs enragés, appartenant d'ailleurs à toutes les couches de la société confondues dans la rage de s'amuser.

Le patron m'accueillait avec cette chaleur des taverniers avisés. J'étais sa reine car je lui amenais de riches consommateurs. Il servait les meilleurs chrysophrys, ces poissons fameux de Constantinople, dont il me réservait les plus succulents, ainsi qu'un caviar de toute première qualité. Enfin, je pouvais manger à ma faim, aussi je me jetais sur les soles bouillies à la sauce de merluche fraîche, sur les dorades et la friture de rougets. Ma fringale, qui ne semblait jamais satisfaite, me permettait d'avaler encore des homards, des écrevisses, des huîtres, des moules, des grenouilles. Complice, le patron continuait à apporter plats après plats. Les pichets, les bouteilles, les tonnelets de vin de Samos, de Crète, de Chypre défilaient sans interruption.

Je me mettais à chanter et tous les hommes reprenaient avec moi le refrain scabreux. Puis je montais sur une table, débarrassée à la hâte, et je dansais, beaucoup plus lascivement que sur scène, accompagnée du rythme entêtant des tambourins. J'interrompais mon exhibition pour disparaître avec un client, dans la chambre du patron. Je pouvais me permettre d'y aller avec qui je voulais, quand je voulais. Mon lenos, attablé dans un coin, venait me reprocher de négliger le travail pour l'amusement. En fait, il était secrètement fier de ma popularité et il savait que les autres lenos lui enviaient un produit aussi précieux que moi. Je pouvais me montrer difficile sur le choix de mes clients, me réservant les plus généreux. Et aucun ne protestait car mon travail était soigné. La réputation qu'on m'a faite depuis m'amuse toujours lorsqu'on m'en rapporte des bribes.

Il paraît que je consommais trente hommes et plus par soirée et qu'après avoir épuisé les maîtres les plus débauchés je me jetais sur les esclaves les plus vigoureux. Selon les gens bien informés, je n'attendais pas les avances des hommes, au contraire, par gestes ou par postures particulièrement explicites, je les excitais. La vérité est que je n'avais pas besoin de les provoquer, car les hommes bourdonnaient autour de moi comme des mouches. On racontait que je me plaignais de ne pouvoir inventer de nouvelles manières de m'accoupler. Ces assertions prouvent simplement la dépravation de l'imagination de ceux qui les inventaient. Enfin, j'aurais été la honte du quartier, et les gens respectables qui me rencontraient par hasard se seraient écartés de moi à la hâte, de crainte en m'effleurant d'être souillés. Moi, la putain la plus populaire du voisinage, que tous les hommes saluaient joyeusement et à qui toutes les femmes adressaient des gestes de malédiction. En tout cas, malgré la légende, je n'ai jamais appartenu à « l'infanterie », ainsi qu'on surnomme les plus humbles des troupes de la galanterie.

Mon préféré, c'était Arsénius, un fidèle. Il était riche, généreux, et promis à un brillant avenir. Plus jeune, moins laid que les autres — il était même bien de sa personne — et beau parleur ! L'entendre discourir était un véritable plaisir. Pourquoi tenait-il à mes charmes alors qu'il pouvait s'offrir l'une quelconque de ses admiratrices qui étaient légion ? Il y en aurait eu long à dire sur ses goûts les plus étranges, mais une professionnelle ne trahit jamais les secrets de ses clients. L'autre loi était de ne jamais tomber amoureuse. Depuis que Pharas s'était vengé sur moi de ses échecs, je ne pouvais plus aimer. Était-ce pour toujours ou seulement pour un temps, je ne le savais. Cependant, l'existence que je menais desséchait chaque jour un peu plus mon cœur. Or, je ne voulais pas me laisser aller à la haine des hommes, engendrée par celle d'un seul, car le

47

ressentiment est toujours négatif. Je ne cherchais pas à me venger des hommes, mais à les utiliser.

Lorsque j'en avais fini avec le dernier de mes clients, je revenais dans la grande salle. Entre-temps, la musique s'était amplifiée, les voix étaient devenues pâteuses et les chants avinés. Beaucoup d'hommes ronflaient, la tête sur la table. La plupart étaient bien incapables de se tenir debout. J'avais de nouveau faim. Le patron m'apportait des fruits frais, des raisons secs, des confitures ainsi que du sel de Manethon, souverain pour la digestion et dont je faisais grand usage. C'était l'heure où je bavardais avec les autres courtisanes qui, restées sobres comme moi, trinquaient avant d'aller se coucher. Parmi elles, j'avais remarqué Antonina, une grande jument à la voix haut perchée et aux yeux mouillés, une fausse blonde, cliquetante de pacotille.

— Tu n'es pas fatiguée ? me demanda-t-elle à la fin d'une soirée, alors que l'aube poignait dans le ciel.

— Non, parce que je ne suis jamais résignée, lui répondis-je.

— Tu quitterais donc le métier ? s'étonna-t-elle.

— Certainement.

— Tu n'as pas peur de ton lenos ; tu sais bien que la règle, pour celles qui abandonnent, c'est la mort, et que les lenos savent les retrouver où qu'elles se cachent.

— Je n'ai peur de rien.

— Je t'envie, me dit-elle avec une sincérité qui n'était peut-être pas entièrement simulée. Moi je me vois continuer jusqu'à la déchéance, ajouta-t-elle mélancoliquement.

Pour l'encourager, je lui déclarai que le seul mobile de ma vie était de m'en sortir à n'importe quel prix. Je n'en prenais cependant pas le chemin car, bientôt, pour la seconde fois, je tombai enceinte.

J'ignorais qui était le père. Cette fois-ci, je m'y pris à temps. J'allai chez la sage-femme pour me faire avorter. Ce fut atroce, bien pire que mon accouchement. Il me semblait

48

que plusieurs poignards fourrageaient dans mes entrailles pour m'arracher la partie la plus sensible de mon être. La sage-femme emporta le fœtus gluant pour l'enterrer dans son jardinet.

Je revenais chez moi, triste et faible à mourir, lorsque je tombai, par hasard, sur le père Bartholomé. Il détailla d'un air navré mes vêtements trop voyants :

— Ta mère m'a dit que tu étais devenue actrice. Elle en est toute fière, l'impie. Ne sais-tu donc pas, malheureuse, que tes exhibitions sont une source de désordre, d'adultère et de sorcellerie ? C'est le diable qui a bâti dans les villes des théâtres comme le tien. Les gens abandonnent tout, leur famille, leur travail, leur foi pour aller rire de vos indécences alors qu'ils devraient vous lapider.

Son sermon achevé, il redevint le brave homme que j'avais connu. Il ne me comprenait pas. J'avais tant déçu les espoirs qu'il avait mis en moi et cela le chagrinait plus que tout. J'étais si intelligente, si douée, fallait-il que je finisse par exercer un métier immonde condamné par Dieu : « Ce n'est pas moi que tu as trahi ainsi, Théodora, c'est toi-même. Tu étais destinée à mieux et à plus. » Autant son exorde m'avait irritée, autant son chagrin m'accabla.

Ce soir-là, mon public, pour la première fois, resta de glace pendant mon numéro. Aucune réaction lorsque je dansai à moitié nue. C'était ma faute et non la sienne, je n'étais pas en forme. A la sortie m'attendaient mes admirateurs pour m'emmener aux *Anes du Paradis*. Parmi eux, j'aperçus Hécébolus, le malheureux que je n'avais jamais encouragé, mais qui n'était jamais découragé. Il se tenait à l'écart et ressemblait toujours à un chien triste. Pour la première fois, au lieu de l'éviter, je me dirigeai vers lui. Il baissa la tête :

— Tu ne veux toujours pas m'épouser ? Théodora, bredouilla-t-il.

Mes compagnons ricanèrent. Ils nous entouraient, s'attendant à un divertissement inédit de ma composition.

— Mais si, je veux bien t'épouser, Hécébolus, m'entendis-je répondre.

Les autres furent persuadés que je me moquais de l'amoureux transi. Ils commencèrent à se rendre à l'évidence lorsque je m'éloignai à son bras. Il m'emmena dans une taverne peu bruyante et peu fréquentée. Il m'éblouit en m'annonçant qu'il venait d'être nommé au poste extrêmement important de gouverneur de la ville de Boreium, en Libye, qu'il devait incessamment rejoindre et où il espérait que je l'accompagnerais... Pour une courtisane, une telle proposition était la planche de salut, et le mariage avec un fonctionnaire un pactole inespéré. Les filles m'encourageaient de toutes leurs forces à accepter.

Ce soir-là, la souffrance, l'accablement obscurcissaient mon jugement. J'avais un besoin désespéré de protection, de gentillesse, et Hécébolus me les offrait. Je m'accrochai à lui comme le noyé à son radeau. Il était sympathique et je crus que je serais heureuse avec lui. Je me voyais déjà sur le bateau qui m'emportait vers l'Afrique. Je n'avais jamais voyagé et l'idée de naviguer au loin me transportait. Il me semblait que sur la mer je quittais mon habit de misère, de tristesse, de malheur, que je me lavais des excréments dont m'avait couverte l'existence et que j'en sortais immaculée.

Je ne retournai plus aux *Anes du Paradis*. Mon fiancé m'avait rachetée au lenos pour cent trente solidi d'or, c'est-à-dire pour plus du prix de trois esclaves qualifiées. Je fis des adieux déchirants au théâtre. J'avais le cœur léger, mes camarades étaient en larmes. Antonina en particulier se surpassa en sanglots. Dans notre peuple, le sentimentalisme ne refuse aucune occasion de s'exprimer. Peut-être Indaro fut-elle la seule à me regretter sincèrement. Pour Comito, j'avais toujours été un embarras et pour les autres filles, bien qu'elles ne m'eussent pas jalousée, mon départ laissait une place libre.

Un gros navire de commerce nous conduisit, mon fiancé et moi, jusqu'à Ptolémaïs, capitale administrative de la Libye, et de là nous poursuivîmes sur un caboteur de pêche. Des journées durant, je fus empuantie par l'odeur de poisson. Bien que la misère ne sente jamais bon et que le quartier de mon enfance fût traversé de pestilences, j'y étais affreusement sensible. Aussi fus-je sans discontinuer malade pendant les trois jours que dura l'expédition. Lorsque nous fûmes en vue de Boreium, j'apparus sur le pont, verdâtre et décharnée. Notre bateau dansait littéralement entre les récifs dont je voyais avec terreur les sombres dards pointer entre les vaguelettes et s'approcher dangereusement de nous. L'horizon derrière Boreium était fermé par des montagnes escarpées, rocheuses, ocre et rouge. La ville n'était qu'une bourgade groupée autour de la caserne et de la petite église basse et bosselée. Quelques soldats, qui tâchaient maladroitement de tenir l'alignement, nous accueillirent. Il faisait bien trop chaud pour que les habitants fussent sortis de chez eux. La déception me serra la gorge déjà desséchée par la soif. Le palais du gouverneur se réduisait à une villa disgracieuse sans jardin et presque sans meubles. A l'étage, la chaleur était intenable. Au rez-de-chaussée, il faisait frais mais les promeneurs pouvaient voir tout ce qui se passait par les fenêtres ouvertes.

Boreium était la dernière ville à l'ouest de la province de Libye. Plus loin, c'était l'inconnu. La cité n'avait nul besoin de murailles pour la défendre. D'un côté c'était la mer et ses récifs, de l'autre des montagnes infranchissables qui ne s'ouvraient que sur un étroit défilé. Pas un arbre, pas une fleur, l'eau salée, les rochers, le soleil, la fournaise et rien d'autre. Les caravanes venues de l'intérieur de l'Afrique auraient pu mettre un peu d'animation ; or, elles se dirigeaient vers Ptolémaïs, car les incursions meurtrières des nomades du désert avaient donné la pire réputation à la région de Boreium.

Tout de suite, je compris que je m'étais fourvoyée. Hécébolus aussi dut se rendre compte de sa méprise, car de mariage il ne fut plus question. Il ne m'en parla plus et je ne me souciai pas de lui rappeler sa promesse. Peu importait, d'ailleurs. Les habitants de la colonie nous croyaient mariés et nous nous conduisions comme un couple légitime. Voulant ignorer notre erreur réciproque, nous nous hasardâmes bravement à la vie conjugale. Alors que je n'avais jamais été une femme d'intérieur, je m'occupai de la maison avec des serviteurs indigènes, paresseux et sournois, qui nous haïssaient au point de glisser dans notre soupe des poisons heureusement inoffensifs. J'essayai bien de planter un jardin, mais l'aridité du sol et la sécheresse du climat vinrent rapidement à bout de mes efforts.

Les jours se suivaient exactement semblables, à tel point que j'en étais presque venue à souhaiter les attaques des Barbares qui auraient apporté un peu de sel et d'imprévu dans la vie à Boreium. Le pire, c'était le jour du Seigneur qui me condamnait à l'oisiveté. Le matin, nous allions à la messe où, sous les regards envieux de la colonie, j'occupais à côté d'Hécébolus la place d'honneur. Ensuite, on se promenait sur le port où chacun faisait assaut d'élégance. La mode à Boreium ! Inoubliable ! On se saluait, on s'observait, on se dénigrait. L'après-midi, je restais chez moi ; en effet, il n'eût pas été digne de se montrer dans les rues. Le soir, c'était l'enfer, car nous nous recevions les uns les autres. Les officiers de la garnison, les colons et leurs épouses étaient de toutes petites gens envoyés à Boreium de force, car personne de sensé n'aurait accepté volontairement d'y aller. C'était un grouillement de jalousies, d'intrigues, de ragots baignant dans un océan de mesquinerie et de conformisme. Tous se montraient serviles envers Hécébolus qui représentait l'autorité. Mais avec moi, c'était différent. Je tentais pourtant sincèrement d'être un modèle d'épouse. Je réglais

52

mes habits, mon langage, mon comportement sur les plus dignes matrones. Plus de couleurs vives, de maquillage outrancier, de jurons ni de danses. Malgré mes efforts, les colons sentaient en moi quelqu'un de dissemblable, d'étranger : j'étais un corps hétérogène qu'ils traitaient de haut, et ils faisaient la fine bouche en parlant de moi. Dès lors qu'ils ne me comprenaient pas, ils me méprisaient tout en me couvrant d'hypocrites amabilités. Tout compte fait, je préférais les crachats et les insultes que j'avais reçus de la part des épouses de mes clients du temps où j'étais putain.

Ces soirées constituaient pourtant le summum de l'amusement comparées aux dîners en tête à tête avec Hécébolus. Sa physionomie aurait pu ne pas être trop laide malgré son nez énorme et crochu, mais sa façon de se tenir courbé lui donnait le port de tête d'un chameau. Grand et maigre, les yeux bruns étirés, les cheveux gris frisés, ces dames de la colonie le trouvaient irrésistible et me reprochaient à l'unisson de ne pas savoir apprécier la chance que j'avais de posséder un tel homme. Il était éminemment imbu de son importance. Gouverneur de Boreium, n'était-ce pas considérable ? Je me demande quel écolier de l'empire sait seulement qu'il existe une ville appelée Boreium. Hécébolus prenait un ton sentencieux pour énoncer même des banalités. Tout m'insupportait en lui : les bagues trop voyantes, d'ailleurs peu coûteuses et de mauvaise qualité, qu'il aimait porter, cette manie qu'il avait de faire craquer les jointures de ses doigts et la nuit ses ronflements, travers que je n'ai jamais pu supporter chez quiconque. En résumé, ce n'était pas un méchant homme, mais il n'avait ni imagination ni envergure. L'ennui qui suintait de Boreium n'était rien à côté de celui qu'il sécrétait.

J'en vins à m'occuper de moins en moins de la maison et de ma personne, au point que l'une et l'autre furent lamentablement tenues. Hécébolus m'en fit des remarques, au début affectueuses, puis de moins en moins amènes. Un soir, il rentra de mauvaise humeur. Le courrier de

53

Constantinople, apporté par le bateau de pêche, contenait une dure réprimande contre son laxisme vis-à-vis des bandes de brigands. Il entra comme un taureau dans la salle à manger, passa son doigt sur la table couverte de poussière, trouva à juste raison le poisson trop peu cuit, et me contempla avec réprobation car j'avais vraiment l'air d'une souillon. Il commença par des reproches aigrelets. Tout de suite, je hurlai. Je n'aurais jamais avoué qu'il avait raison ni osé lui cracher la seule chose que je lui reprochais : l'ennui. Au contraire, je l'accusai injustement de tous les défauts de la terre, de ne pas être généreux, de se montrer méchant et dur avec moi, et flèche de Parthe je lui lançai que les colons se moquaient de ses prétentions. Cette dernière invention le mit hors de ses gonds. Il tapa sur la table. En le voyant pour la première fois se mettre en colère, j'éprouvai un semblant d'admiration pour lui. Nous nous insultâmes copieusement et bruyamment, tâchant de nous dépecer vivants l'un l'autre comme à plaisir.

La chaleur était plus forte que d'habitude. Dehors pas un souffle d'air, dedans la fournaise. La rage nous échauffait encore plus et nous ruisselions de sueur. Les esclaves négroïdes alignés dans leurs robes blanches contre le mur blanc roulaient leurs gros yeux, ravis et effarés à la fois. Les badauds s'étaient agglutinés aux fenêtres ouvertes et des maisons d'en face les voisins n'en perdaient pas une miette. A bout d'injures, Hécébolus tira sa dernière flèche :

— J'aurais dû te laisser dans la rue !

— Je préférerais mille fois y retourner que de rester avec toi, répliquai-je.

Il fit le geste de me battre, puis baissa les bras, parut accablé et d'une voix sourde m'ordonna :

— Fous le camp immédiatement et pour toujours.

A quoi je répondis claironnante :

— Je n'ai pas besoin de ta permission. Je n'ai que trop tardé.

Et je sortis de la pièce, triomphante comme après une fête particulièrement réussie.

Je quittai ainsi la maison, Hécébolus et la sécurité. Je laissai les bijoux et les vêtements qu'il m'avait offerts, je marchai seule sous le ciel étoilé, dans les rues désertes et silencieuses, éclairées par la luminosité de la nuit. A la vérité, j'avais tout mis en œuvre pour que cet homme, patient et bon, en arrive à me jeter dehors. Tout plutôt que le cauchemar de cette médiocrité, tout plutôt que Boreium et Hécébolus. Mais que faire ? Où aller ? Car Boreium était complètement coupée du monde. Le bateau qui assurait la liaison ne reviendrait que dans un mois, et mon but était d'atteindre Alexandrie, à trente jours de marche dans le désert.

Alors, je me mis tout simplement en chemin. J'étais folle mais je l'ignorais.

Chapitre 4

Franchi le défilé qui défendait l'accès de Boreium, la piste s'arrêtait. Seuls les caravaniers retrouvaient leur chemin à des repères connus d'eux seuls. Je tâchai de suivre la côte en direction de l'est, vers Alexandrie. Les montagnes avaient vite laissé place à un plateau, désespérément morne, qui semblait plat mais qui, en fait, était semé d'embûches sous forme de vallons, d'anfractuosités, de gorges et de ravins. La roche alternait avec le sable. Tantôt je m'enfonçais dans celui-ci, au point d'avancer à peine, tantôt il était solidifié par le vent, depuis des millénaires, en arêtes dangereusement coupantes. Bien entendu, pas un village, pas un être humain, pas un seul signe de vie. La chaleur était telle que je préférais marcher la nuit.

Le jour, j'essayais de dormir dans quelque trou que je partageais avec les serpents. Je me nourrissais de racines ou de feuilles de plantes grasses. Pour me rafraîchir je me trempais dans la mer, mais cela n'apaisait pas ma soif. Pour boire, je n'avais que de rares flaques d'eau saumâtre et boueuse, restes de torrents d'hiver. Mes fines sandales étaient parties en lambeaux. Mes pieds nus, mes jambes déchirées par les rochers et par les épines étaient en sang. Le sel de la mer avait blanchi mes cheveux, le soleil avait bouffi mon visage et craquelé ma peau. Mes yeux n'étaient plus que deux fentes. J'ai dû marcher ainsi plus d'une semaine.

Une nuit, l'épuisement eut raison de moi. L'obscurité annonciatrice d'une tempête de sable rendait mon avance quasi impossible. Je trébuchai, tombai, ne pus me relever, sombrai instantanément. Je ne sais combien de temps je dormis. Dans un demi-sommeil, je sentis qu'on soulevait ma tête et qu'on humectait mes lèvres. Je distinguais, penché sur moi, le visage d'un homme terrifiant de laideur et de saleté mais je le voyais à peine car j'étais enveloppée d'obscurité et de bruit. Autour de moi tout baignait dans une brume ocre et opaque. Dans le ciel obscurci, le soleil n'était plus qu'un disque sans éclat. Le vrombissement du vent m'étourdissait. Le sable de la tempête pénétrait dans mes yeux, dans mes oreilles, entre mes dents, sous mes vêtements. L'homme me souleva avec une vigueur insoupçonnée ; il me porta jusqu'à une caverne creusée dans des rochers et me déposa sur une paillasse de foin séché.

Plusieurs jours durant, la tempête souffla à ne pas mettre le nez dehors ; d'ailleurs, c'eût été inutile, on n'y voyait rien. Marras, car tel était le nom de celui qui m'avait sauvée, venait plusieurs fois par jour me voir. Il m'apportait pour toute nourriture du lait de brebis ; il m'obligeait à avaler des décoctions d'herbes, ignobles au goût mais qui devaient être singulièrement efficaces car elles me rendirent rapidement mes forces. Toutefois, ce fut surtout à Marras que je dus de recouvrer la santé. Il restait longuement à mon chevet, psalmodiant, méditant, me fixant et son regard semblait irradier de la chaleur dans mon corps et en chasser la fatigue et la fièvre. Excepté ses prières, il ne parlait pas et ne répondait pas à mes questions. Sa présence, le bruit du vent, l'étrange lumière que filtraient les nuages de sable, composaient une atmosphère irréelle, dans laquelle je baignais hors du monde réel.

Le quatrième jour, j'étais debout et la tempête cessa. Dès mon réveil, je sortis et regardai autour de moi. Je me trouvais dans une sorte de cul-de-sac entouré de falaises creusées de cavernes presque toutes habitées. En émergèrent des êtres dont l'aspect me terrifia, squelettiques, couverts de crasse, hirsutes, brûlés de soleil, affichant les plus dégoûtantes maladies de peau et vêtus seulement de quelques haillons. Ils me parurent plus proches des bêtes que des humains. J'étais tombée dans une communauté d'ermites dont Marras était le chef.

Il m'imposa d'en suivre le rythme et de participer à leurs activités. Nous nous levions à six heures, après avoir déjà été réveillés à trois heures du matin pour nous rendre à la chapelle et prier. Nous y retournions dès l'aube pour le service matinal. Le sanctuaire n'était qu'une caverne plus grande que les autres, aux parois grossièrement égalisées, recouvertes de fresques naïves dues à un amateur.

Toute la matinée était consacrée aux travaux. Chaque membre devait pratiquer un métier utile à la congrégation. Il y avait les cultivateurs, les bergers, les menuisiers, les boulangers. Marras lui-même tressait les paniers avec des feuilles de palmier. Je m'étais instituée « couturière », forte de mon expérience à ajuster les défroques que me repassait Indaro. J'étais chargée de ravauder les haillons de la communauté, opération que je menais avec dextérité car je réussissais à faire des miracles avec ces bouts de tissus déchirés, usés jusqu'à la corde et maculés.

Tout en travaillant, je m'étais attachée particulièrement à la potière, métier que jusqu'alors j'avais vu exclusivement exercé par des hommes. Alors que les dures conditions du désert avaient recouvert les autres d'une couche de rudesse, elle seule gardait une douceur qui m'était un baume.

Nous déjeunions en silence. Le menu succinct ne variait pas de celui du dîner : des tomates, des oignons, du fromage de brebis, du pain, parfois quelques autres légumes, de rares fruits et pour boire de l'eau.

Même cette alimentation était encore trop pour mon amie, la potière, nommée Caesaria. Elle refusait de toucher au pain, se contentant d'avaler de temps à autre quelques légumes crus et un ou deux raisins. Elle n'écoutait pas Marras qui la priait d'ajouter, le dimanche au moins, quelques gouttes d'huile à son menu. Il avait beau la prévenir qu'à ce régime, elle allait tomber malade à être incapable de remplir ses devoirs religieux, elle lui répliquait que son seul souhait était que Dieu lui fasse la grâce d'être constamment malade de corps du moment que son âme pouvait être sauvée. Elle dormait nue sur un sac jeté sur le sol rocheux et même Marras la critiquait pour ses excès.

Pourtant il rivalisait avec elle de mortifications. Il pratiquait l'ascèse avec cette vigueur qu'il mettait en tout, jeûnant, priant sans répit et ne se permettant qu'une heure ou deux de sommeil la nuit. Il marchait toujours pieds nus. Chacun faisait pénitence. Sœur Suzanna, par exemple, s'abstenait de boire le moindre liquide, n'acceptant une cruche d'eau que le dimanche.

Dans ce lieu, dans cette atmosphère, je trouvais les privations normales. Bien que n'ayant connu depuis ma naissance que la misère, j'aimais instinctivement le confort et, de nature, je suis une sybarite. Et pourtant là, je mettais constamment mon organisme à l'épreuve contre la faim, contre la soif, contre le sommeil. « Quelle importance, nous répétait Marras, si votre corps mortel tombe en ruine, du moment que votre âme, lavée de tant de péchés, échappe au feu éternel à ce prix ? »

Malgré leur aspect qui, au début, m'effrayait, j'avais appris à aimer les ermites. Sous la rudesse due à leur existence et à leur manque de contact avec le monde extérieur, ils n'étaient que bonté. Ils m'avaient d'emblée acceptée, sans jamais me critiquer ou me poser de questions. Ils avaient oublié comment exprimer leurs sentiments et néanmoins je percevais leur affection pour moi. Ils s'inquiétaient de mon salut et m'engageaient à renoncer au monde pour rester avec eux. Dans ce lieu consacré à la solitude, je ne me suis pas sentie seule comme j'avais pu l'être dans les villes. Au contraire, j'étais épaulée, soutenue, entourée. Aussi, je n'hésite pas à dire que, de ma vie, je n'ai jamais été plus heureuse que dans cet âpre désert.

Après le déjeuner, à l'heure la plus chaude de la journée, nous avions le droit de nous reposer. Certains, qui avaient fait vœu de silence, demeuraient seuls dans leur coin. Les autres aimaient se rendre visite de caverne en caverne. Malgré son ascétisme, Caesaria avait réussi à conserver quelque féminité, et elle ne dédaignait pas de venir bavarder de temps à autre avec moi. Nous communiions toutes les deux dans notre dévotion pour Marras. Bien qu'il dût être jeune encore, il paraissait sans âge, son regard brûlait plus que le soleil et pourtant il était plein de compassion.

Un jour que j'interrogeais Caesaria sur le passé de notre pasteur, elle me révéla, comme si c'était la chose la plus naturelle du monde, qu'il avait été un des plus riches banquiers d'Alexandrie. L'ermite grossier adonné à des tâches de paysan avait été un élégant jeune homme, roi de la vie nocturne de la métropole. Il s'était fiancé avec une jeune fille ravissante, presque aussi riche que lui. Le jour de son mariage, il entendit la voix de Dieu. Il abandonna tout et partit s'installer dans le désert.

Éberluée par cette révélation, j'interrogeai du coup Caesaria sur sa vie d'autrefois. Elle me répondit qu'elle avait oublié qui elle avait été. Ce fut Marras qui m'éclaira à son sujet, au cours d'un de ces examens de conscience qu'il avait régulièrement avec chacun de nous. Caesaria, me dit-il, dans une autre vie avait été une aristocrate de très haut rang, parente de l'empereur Anastase. Cependant, dans la splendeur et le luxe qui l'entouraient, elle édifiait ses proches par sa piété et l'austérité qu'elle pratiquait en son palais. Son ambition de fuir le monde, elle la combla le jour où elle rendit visite à Marras dans son désert. Voulant être un exemple de modestie, elle avait tenu à occuper le rang le plus bas dans la communauté.

61

Aurais-je pu me douter que l'humble potière pouilleuse avait naguère frayé à la Cour ? Jamais je n'aurais imaginé que les épouvantails qui m'entouraient étaient issus de familles nobles et riches, qu'ils avaient reçu l'éducation la plus soignée, connu le luxe le plus raffiné. Brûlant du feu de Dieu, ils avaient un beau jour renoncé à tout pour venir fonder cette communauté. Par un curieux phénomène, chacun refusait d'évoquer son propre passé mais n'hésitait pas à révéler celui des autres.

Le reste de l'après-midi était consacré au travail, le soir à la prière. Après un rapide dîner, nous nous couchions à neuf heures. Sœur Suzanna choisissait ce moment pour me rendre visite. Elle me terrifiait par son apparition de fantôme, car elle était toujours épaissement emmaillotée dans des voiles qui ne laissaient paraître que le bout de son nez. Elle voulait ainsi éviter d'induire quiconque en tentation par la vision de ses charmes... si charmes il restait.

Elle venait me sermonner sur la faiblesse de ma chair, et stigmatiser la vanité du monde. Elle me décrivait la damnation que j'encourrais lors du Jugement dernier et me peignait longuement les dangers qui attendaient mon âme si je revenais à la civilisation.

Puis, elle me quittait pour aller se battre contre les démons qui l'assaillaient chaque nuit. Elle était toujours victorieuse de leurs assauts, disait-elle, et elle se flattait de les avoir entendus raconter entre eux qu'elle n'était pas une véritable femme car elle avait une pierre à la place du cœur et du fer à la place de la chair, compliment qui de la part de ces créatures infernales la ravissait.

Elle n'était pas la seule à courir le désert la nuit. Je l'imitais souvent, à cette différence près que je ne rencontrais nul démon. Les étoiles, en cette partie du monde, étaient plus scintillantes que partout ailleurs. L'air avait une extraordinaire transparence. Il me semblait en marchant devenir de plus en plus légère jusqu'à oublier le poids de mon corps. Je m'étendais sur le rocher resté chaud d'avoir été incendié par le soleil de la journée, et je contemplais les astres. Le temps, la matière, les contingences se diluaient. Le jeûne et la méditation aidant, je me sentais aspirée par une spirale vers l'infini, vers l'éternité. Les préoccupations, les agitations des humains m'apparaissaient alors dans toute leur mesquinerie. Les efforts que j'aurais pu faire, les ambitions que j'aurais pu avoir me devenaient superflus. Je me fondais dans l'univers comme un grain de sable dans le désert qui m'entourait, sentiment totalement apaisant.

Je manquais parfois les matines de trois heures, et je ne revenais qu'à l'aube. Ciel et terre étaient du même rose. La fraîcheur de la nuit lentement s'évaporait. Soudain, un éclair orange, parti de l'horizon, transperçait le paysage vide, annonçant encore une journée brûlante.

Je repartais après le déjeuner, car j'aimais l'outrance de ces midis blancs, aveuglants, incandescents. Je me tenais debout au milieu du paysage plat de pierre et de feu. Il n'y avait aucun mouvement dans l'air lourd. Mon corps s'arc-boutait pour résister à la chaleur et à la pesanteur. Je respirais, je bougeais à peine, j'étais enivrée par cette lutte contre les éléments mortels et immobiles. La folie de la nature, la folie de ces ermites qui m'entouraient me gagnait. Je n'entendais plus, je ne voyais plus, et j'avais mille visions, j'entendais mille sons, mille voix. Affaiblie de corps et d'esprit par cette existence, je ne réfléchissais plus, je ne résistais plus. Ma volonté avait fondu. Je rendais les armes. A ce faire, j'éprouvais un sentiment exaltant. C'était décidé, je resterais à l'ermitage.

Toute ma vie, je la passerais en compagnie des ermites et je finirais par leur ressembler. Je serais un squelette à la peau tannée et purulente, aux pieds sanguinolents et je n'aurais cure de mon aspect. Je parlerais à Dieu, je sauverais mon âme et je connaîtrais la vie éternelle.

J'ouvris les yeux. Au loin était apparue une ville féerique. Malgré la distance, je pouvais distinguer en leurs moindres détails les tours des remparts, les terrasses des palais, la cime des arbres des jardins et les coupoles des églises. J'étais assez informée des illusions du désert pour savoir qu'il s'agissait d'un mirage. Cependant, le décor trompeur de cette ville agit comme un appel sur moi. Ce n'était pas dans ce désert que m'attendait mon destin, mais dans la capitale, splendide, fiévreuse, surpeuplée où j'accomplirais ce que j'étais appelée à accomplir. Sœur Suzanna avait tort. Ma voie ne me conduisait pas hors du monde, mais au contraire en plein milieu de ses trépidations.

Alors que jusqu'à présent je n'en avais pas ressenti les effets, ce midi incandescent imprima ses marques sur moi. Je suais à grosses gouttes, ma peau brûlait, mes pieds, mes jambes, mes muscles n'étaient que douleur. Soudain, je pris peur, peur d'être dissoute dans ce vide, d'être broyée parmi ces fous de Dieu. Malgré la chaleur, je frissonnais de fièvre, de crainte. Je me sentais déjà happée et il s'en fallait de peu que je ne perde toute résistance, toute réaction, toute lucidité. Les saints hommes autour de moi condamnaient la tentation du diable, mais je découvrais que la tentation de Dieu pouvait être aussi terrible.

Revenue à l'ermitage, je tombai, par un de ces hasards extraordinaires qui semblaient baliser mon existence, sur une caravane qui s'était arrêtée pour se ravitailler en eau à notre puits. Nous nous trouvions en fait sur une voie de communication que les caravaniers, naguère, utilisaient fréquemment. Depuis, elle était considérée comme dangereuse à cause de la présence dans le désert de bandes de brigands. Ces brigands, nous ne les avions pourtant jamais vus et il n'est pas impossible qu'ils n'eussent été qu'une légende créée par les trafiquants afin de pouvoir se livrer en paix à leur fort illicite commerce. Nos mystiques encourageaient cette crainte pour ne pas être dérangés par des visiteurs venus du monde extérieur. Considérés comme des sorciers, ils inspiraient eux-mêmes une saine terreur aux caravaniers.

Non point cependant à ceux qui venaient d'arriver et qui, à voir leurs têtes, ne devaient craindre ni Dieu, ni diable. Ils déclarèrent avoir fait escale ici parce qu'ils avaient emprunté le chemin le plus court pour rejoindre Alexandrie où ils étaient pressés de se rendre.

Ce nom me fit dresser l'oreille. Je pris à part le chef caravanier, un Sémite basané au nez en bec d'aigle.

— Emmène-moi avec toi jusqu'à Alexandrie.

— A quel prix ?

— Je n'ai pas d'argent, je me vends à toi comme esclave contre mon passage.

Il accepta. Je posai comme condition qu'il m'emportât en cachette des membres de la communauté. Il fit vider le vaste couffin d'un dromadaire et me mit dedans à la place des sacs de dattes. La caravane ne tarda pas à s'ébranler et s'éloigna sans que nul ne se fût aperçu de mon départ. A ceux qui m'accuseraient de ne jamais être satisfaite, je répondrais que j'avais tenu presque deux ans à l'ermitage, alors que quelques mois à peine avec Hécébolus m'avaient suffi.

Le voyage ne fut pas désagréable, mon service auprès de mon nouveau maître ne se révélant pas très astreignant. Il consistait surtout à éviter de me laisser trop souvent violer par lui. Je lui cédais de temps à autre, afin de pouvoir marcher non plus à pied mais à dos de chameau. Nous atteignîmes Alexandrie un soir. Lorsque j'aperçus de l'autre côté du lac Mareotis la ville alignée sur sa langue de sable, je sentis mon cœur battre la chamade. J'étais enfin arrivée.

A peine la caravane fut-elle entrée dans l'entrepôt du bazar où elle devait décharger, que je plantai là mon maître et m'enfuis.

Alexandrie. Rien qu'en prononçant son nom, j'en éprouve la nostalgie. Cette ville ne ressemble à nulle autre, fascinante, déconcertante, enchanteresse. Bâtie sur son île, elle n'appartient ni à la mer, ni à la terre, ni aux Grecs qui l'ont fondée, ni aux Égyptiens qui lui offrent l'hospitalité. Elle n'a aucun lien avec le pays dont elle est l'avancée. Elle est cosmopolite, originale, accueillante, luxueuse, facile de mœurs. Elle ne songe qu'à l'argent et à l'amusement.

Mais, cette nuit-là, j'étais bien loin d'être séduite. En dévalant droit devant moi la rue, j'avais abouti au port, ce port d'Alexandrie, le plus grand, le plus riche de la Méditerranée, le bazar du monde entier. A cette heure de la nuit, il était pratiquement désert et mal éclairé. En face de moi, sur son rocher, une des sept merveilles du monde, le Phare brillait comme un soleil en plein jour. Derrière moi, surplombant les quais sombres, la corniche violemment éclairée servait, malgré l'heure tardive, de lieu de promenade à une foule élégante. Des alignements de palais et de temples semblaient en feu, tant il y avait de torches fichées dans leurs murs. Mais toutes ces lumières, ce mouvement, cette richesse me donnaient le tournis. J'attendais à chaque instant de voir surgir la garde envoyée à ma poursuite par le caravanier. Car on ne badinait pas avec un esclave en fuite.

Je n'avais ni argent, ni amis, ni avenir. Des souvenirs s'entrechoquaient dans mon esprit, le taudis de mon enfance, Nicétas, mon beau-père, le lenos, Pharas, mon avortement, Hécébolus, les ermites... J'imaginais les soldats de la garde m'enchaînant et me fouettant, puis le caravanier m'écorchant vive... J'étais exténuée, à bout.

Je me tenais debout au bord du quai, et devant moi l'eau noire et immobile me repoussait et m'attirait à la fois. J'oscillais de plus en plus fortement, j'allais tomber dans la mer qui se refermerait à jamais sur moi, lorsque, au dernier moment, une musique inattendue me surprit et me tira du fatal enchantement. J'entendais des chants d'église mais je n'étais pourtant pas au paradis. D'ailleurs, il est bien connu que les suicidés n'y sont pas admis. En fait, c'était une procession nocturne en l'honneur d'une des saintes patronnes d'Alexandrie qui passait sur la corniche. Une longue théorie de prélats et de diacres portant icônes, cierges et encensoirs s'avançait lentement au son des hymnes et des orgues portatifs. Les soldats du gouverneur et les gardes du patriarche lui faisaient une haie d'honneur. Machinalement, je me mêlai à la foule qui suivait dévotement la procession. Je parvins ainsi à la cathédrale et, à la suite de ces pieuses gens, je pénétrai dans la cour du sanctuaire. Mais, au lieu de les suivre dans la basilique, je m'affalai contre une colonne, sachant que, dans cet abri inviolable, nul ne viendrait me chercher.

Au petit matin, je fus tirée de mon hébétement par le patriarche d'Alexandrie allant dire sa messe. Une multitude de fidèles et de solliciteurs, pétitions en main, tâchaient de l'approcher. J'étais bien trop faible pour bouger et je restai seule à l'écart. Il dut apercevoir la pauvresse exsangue que j'étais, car il tourna la tête de mon côté et se pencha vers un moine qui l'accompagnait. Celui-ci se détacha du cortège et vint à moi. Il n'eut pas besoin de m'interroger sur mes besoins. Un regard lui suffit. Je pouvais à peine tenir debout.

Je fus transportée à l'hospice du patriarcat où on hébergeait les plus déshérités. On m'attribua un lit dans un dortoir plus grand et plus haut qu'une basilique, où gisaient des dizaines et des dizaines d'épaves féminines de tous âges et de toutes origines. Sœur Placidia s'en occupait. Elle était toute petite, bossue, avec un nez crochu et de petits yeux bleus, vifs et fureteurs. Malgré sa taille et son apparence chétive, elle se révélait l'énergie même. Elle me bourra des mets les plus nourrissants et me força à dormir neuf à dix heures par nuit. « Mange, ma fille, tu es maigre comme un échalas », me répétait-elle.

Sous son apparence bourrue, elle était profondément maternelle. Le soir, elle venait me caresser les cheveux et le visage jusqu'à ce que je m'endorme. Son sourire édenté exprimait la plus profonde, la plus authentique sollicitude. Grâce à ses soins, je fus rapidement en état de me lever. Bientôt, il me faudrait quitter l'hospice. La veille de mon départ, sœur Placidia s'assit à mon chevet et me demanda

67

d'où je venais. Je lui racontai mon étape à l'ermitage du moine Marras dont, bien entendu, elle connaissait l'existence et pour qui elle éprouvait une admiration profonde. J'avais voulu gagner sa considération dont j'avais soif, mais elle ne parut nullement impressionnée. « Et auparavant, où étais-tu, que faisais-tu ? » me demanda-t-elle abruptement. Son regard perçant et son affection maternelle m'invitaient à la franchise. Alors, je lui déballai tout mon passé. Je ne tentai de dissimuler ni ma détresse ni le naufrage de mon existence.

Elle m'écouta sans rien manifester et sans m'interrompre. Lorsque j'eus achevé, elle me souhaita bonne nuit comme d'habitude et se retira en trottinant. J'étais certaine de l'avoir scandalisée et d'avoir perdu une amie, un soutien.

Au réveil, le matin suivant, elle apparut devant moi, jeta sur mon lit des habits de nonne : « Mets cela, tu restes ici », m'enjoignit-elle d'un ton qui n'admettait aucune réplique. Je revêtis donc la robe noire, les bas noirs, les sandales noires et emmaillotai ma tête dans le voile noir qui cachait la chevelure et les oreilles. Dans l'ouvroir du patriarcat, je pris rang parmi des jeunes femmes qui n'avaient pas encore prononcé leurs vœux et dont on espérait, sans les y pousser, qu'elles entreraient dans les ordres à la fin de leur stage.

J'avais été ravaudeuse chez les ermites du moine Marras, je fus brodeuse au patriarcat d'Alexandrie. « Tu chantais bien des chansons à boire dans les lupanars de Constantinople, désormais tu chanteras pour Dieu », m'intima sœur Placidia, qui me fit entrer dans la chorale patriarcale.

Je passai plus d'un an enfermée sans me plaindre, bien au contraire. Je baignais dans une paix fort différente de l'exaltante aliénation que j'avais connue dans le désert. Là-bas, je m'étais consumée volontairement, au risque de me réduire en cendres. Au patriarcat, j'étais enveloppée dans un doux cocon. J'habitais un vaste couvent propre et sonore, aux cours abondamment fleuries et rafraîchies par des fontaines. J'étais bien logée, bien nourrie. Les nonnes qui nous surveillaient, et mes compagnes, toutes naïves et bornées qu'elles fussent, avaient une innocence désarmante et une fraîcheur d'âme communicative. Elles s'amusaient d'un rien et me communiquaient leur gaieté. A leur contact, je baignais dans une pureté que je n'avais jamais connue. Je n'avais plus de soucis matériels, plus de préoccupations intimes, plus de problèmes, je ne me posais plus de questions. Ma vie, mon âme, mon esprit étaient pris en charge. Pour la première fois, une sérénité se répandait en moi, inspirée par l'existence que je menais et par celles qui m'entouraient.

Un jour, ma chorale reçut la permission de sortir, car nous devions chanter pour la dédicace de l'église de Saint-Savas que le patriarche Timothée achevait de faire édifier sur l'emplacement d'un temple à Apollon non loin de la porte du Soleil.

Nous nous rendîmes, protégées par les gardes patriarcaux, jusqu'au lieu de la cérémonie. L'église étant trop petite, nous prîmes place sur les marches du parvis, d'où j'étais admirablement placée pour voir défiler les arrivants. En Égypte, le gouverneur de la province la plus riche de l'empire avait rang de duc, mais le véritable maître était le patriarche d'Alexandrie, Timothée. Son cortège révélait la diversité et l'étendue de ses pouvoirs. Son trésorier, son chancelier et le distributeur de ses aumônes marchaient en tête de centaines de financiers, de notaires, de secrétaires et de conseillers légaux. Les officiers disciplinaires chargés d'administrer sa haute et basse justice précédaient les contrôleurs des bazars et des tavernes. Une armée de messagers et d'huissiers introduisaient les chambellans qui, tout gonflés de leur importance, annonçaient eux-mêmes le clergé entouré de gardes patriarcaux en uniformes rutilants, panaches au vent. Le proto-presbytère et l'archidiacre conduisaient des dizaines de diacres en ornements de brocarts, des cohortes de moines en guenilles. Venaient enfin les évêques, masse mouvante d'or rose, d'or jaune, d'or bleu, d'or vert. Et en dernier, entouré de nuages d'encens que lui envoyaient ses acolytes, accompagné de l'hymne triomphant entonné par plusieurs chorales, le patriarche Timothée, crosse d'or en main, barbe blanche et couronne de diamants sur la tête. Avec une touffe de basilic, plante magique, à la main, il bénissait à grands gestes la foule qui se signait sur son passage.

La ville entière était accourue pour voir le spectacle. La place devant l'église, les rues avoisinantes étaient noires de monde. Devant ce public si différent de celui de la chapelle patriarcale, nous chantâmes avec un enthousiasme décuplé les splendides hymnes grecs que nous avions appris.

C'était la première fois depuis plus d'un an que je me retrouvais dans la rue et j'étais tout heureuse. Je ne pouvais m'empêcher de regarder furtivement les spectateurs. Je sentais des yeux fixés sur moi. Je cherchais à qui ils appartenaient. Mon regard croisa celui d'un homme dans la foule. Il me fit un clin d'œil. Je ne détournai pas la tête assez rapidement. J'avais assez appris autrefois le langage des yeux pour savoir que les siens exprimaient le désir. Il m'envoya un baiser de la main. Je rougis, mais je souris involontairement. Soudain, j'aperçus sœur Placidia qui se tenait un peu en retrait. Elle m'observait sévèrement, je baissai les yeux...

La cérémonie était terminée, les officiels les plus importants déjà repartis, lorsque éclata un incident entre deux religieux.

— Vous avez chanté en grec et non pas en latin comme le prescrivent les canons de notre Sainte Mère l'Église. C'est un scandale dont je me plaindrai au Saint-Père, cria l'un d'eux en qui je reconnus un prélat appartenant à la suite de l'envoyé permanent du pape.

— Le peuple ne parle pas latin. Il faut bien qu'il comprenne le langage de Dieu qui, ici, est le grec, répliqua un moine que j'avais souvent vu dans l'entourage du patriarche Timothée.

70

Je ne saisis pas pourquoi cette querelle. Le latin est réservé aux actes officiels et le père Bartholomé dans mon enfance m'en avait appris quelques bribes seulement. Le grec est notre langue, celle que j'avais toujours entendu parler dans la rue comme à l'église.

Les deux religieux continuaient à se chamailler à tue-tête sur le parvis, mais le sujet de la dispute avait dévié. Le tenant du pape soutenait la double nature, divine et humaine, de Dieu, le partisan du patriarche affirmait que le Christ était de nature uniquement divine, il contredisait les encycliques du pape et rejetait son infaillibilité. Le premier lui opposait les décrets de l'empereur : « Ce très pieux Justin qui vous a ordonné de faire amende honorable pour vos criminelles erreurs. »

— Nous n'avons pas peur du martyre, lui répliqua le monophysite. Nous sommes prêts à le subir pour la plus grande gloire de Dieu, ce même Dieu que vous insultez en affirmant qu'il a une nature humaine.

L'altercation, déjà violente, dégénéra rapidement. Les insultes « hérétiques », « blasphémateurs » et autres volèrent de part et d'autre. La foule venue assister à la cérémonie s'était dispersée, mais il restait assez de badauds ravis de l'aubaine pour s'agglutiner autour des ergoteurs. Le moine du patriarcat, qui perdait pied, appela soudain à la rescousse les « vrais chrétiens ». Ceux-ci, n'attendant que cette occasion, fondirent sur le prélat de Sa Sainteté. Heureusement, une patrouille déboucha brusquement sur la place et put dégager ce dernier. Il était en sang, couvert de plaies et respirait à peine. Entre-temps, le moine, bien entendu, avait disparu et les « vrais chrétiens » s'étaient évanouis dans la nature. Personne n'avait rien vu ni rien entendu.

De retour à l'ouvroir, nous épiloguâmes, sœur Placidia et moi, sur l'incident. Depuis l'époque où j'avais pour la première fois entendu parler des monophysites, lors des émeutes contre l'empereur Anastase accusé de les protéger, j'avais eu la possibilité, grâce au moine Marras et à ses fidèles, de comprendre leur dogme. L'Église chrétienne était divisée entre les monophysites et la papauté, qui polémiquaient sur la nature du Christ.

En Égypte, la population et le clergé, depuis le dernier moinillon jusqu'au patriarche Timothée, étaient monophysites, et je n'avais jusqu'à ce jour surpris aucune contestation ni perçu aucun conflit. Sœur Placidia hocha la tête, préoccupée, tourmentée :

— Tu t'es laissé abuser. Dans tout l'empire les monophysites souffrent, mais tout particulièrement en Asie où ils sont les plus nombreux. Cinquante-quatre évêques de Syrie et de Palestine ont été destitués et chassés. Des dizaines de couvents ont été évacués de force et pillés. D'innombrables religieux et religieuses ont été jetés à la rue, tués ou sont morts de mauvais traitements. Ailleurs, ils sont traqués comme des bêtes. Chaque jour le pape presse notre empereur Justin d'en finir avec l'Égypte, mais l'Égypte est trop puissante, trop riche, trop vitale pour que notre souverain se la mette à dos en y déclenchant des persécutions. Aussi son intolérance s'arrête-t-elle à nos frontières.

— L'Égypte n'est donc pas menacée, me félicitai-je.

Sœur Placidia se rembrunit :

— La pompe immuable et impressionnante qui entoure notre patriarche est trompeuse. Le danger est constant, même s'il demeure invisible. La tolérance de l'empereur durera-t-elle toujours ? L'Égypte sera-t-elle épargnée ou notre patriarche sera-t-il un jour déposé et ses fidèles périront-ils pour leur foi ?

Je ne comprenais pas pourquoi le pape se plaisait à multiplier les martyrs... pour si peu, ajoutai-je tout bas.

Sœur Placidia, qui m'avait entendue, ne put s'empêcher de sourire :

— C'est que tu n'as pas entrevu le sens profond et caché du monophysisme. Derrière ce que tu prends uniquement pour une recherche théologique, il y a l'indépendance d'une foi qui refuse d'obéir au lointain pape de Rome. Tu n'es pas égyptienne et tu ne peux comprendre. Nous voulons bien appartenir à l'empire, mais nous tenons à conserver notre personnalité. Ma famille vient de l'oasis du Fayoum, où nous sommes installés depuis des générations et des générations, bien avant que les fonctionnaires envoyés de Constantinople nous imposent leur loi. Et si je suis monophysite, c'est aussi pour affirmer que je suis égyptienne.

Déjà ma sympathie allait aux monophysites. Par deux fois, dans le désert et à Alexandrie, c'étaient des monophysites qui m'avaient sauvé la vie. Ils m'avaient recueillie, entourée, refait de moi un être humain. Instinctivement, je sentais chez eux plus d'humanité, d'ouverture, d'accessibilité que chez les catholiques de l'Église officielle. Je voulais rester parmi eux, me dévouer à eux et au patriarche Timothée mon protecteur. Comme tant de pensionnaires de l'ouvroir, je songeais à prendre le voile. La raison me susurrait que mon avenir matériel, mon confort, ma sécurité seraient assurés au couvent.

Après tant d'années, je me suis aperçue qu'il ne faut jamais agir selon la seule raison, car les décisions que l'on prend sous sa maigre lumière restent toujours étriquées. Bien entendu, devant sœur Placidia je me contentai de me targuer d'une foi brûlante et de mon impatience de me consacrer à Dieu. Au lieu de me sauter au cou comme je m'y attendais, elle disparut pour revenir peu après me chercher : « Suis-moi, on t'attend. »

Nous traversâmes la vaste cour de la cathédrale toujours pleine de fidèles, et nous atteignîmes les remparts du palais du patriarche. Ils entouraient une immense superficie semée de bâtiments et de jardins. Un donjon carré, très gros et très élevé, se dressait au milieu d'une aire ensablée. Un degré monumental montait jusqu'à un pont-levis, car on y pénétrait par le premier étage. Je suivis sœur Placidia sur les escaliers, raides, étroits, interminables. Elle s'effaça et me poussa délicatement.

Au début, aveuglée par la lumière du soleil, je ne vis à peu près rien. Seuls quelques grands cierges jaunes dispensaient une faible lueur. Les nuages d'encens étaient presque aussi épais que ceux du sable dans le désert lors d'une tempête. Les murs étaient entièrement nus. Ni icônes ni pieuses orfèvreries. Au sol, plusieurs épaisseurs de tapis, sur lesquel étaient assis une vingtaine de moines. Leurs capuchons noirs rabattus sur le front empêchaient de voir leurs visages. Les bras tendus, ils psalmodiaient, et leurs voix de basse résonnaient étrangement. La chapelle était coupée en deux par une sorte de paravent en fine dentelle de bois précieux percée d'ouvertures. De l'autre côté, sur un très large trône d'ébène, m'attendait le patriarche Timothée. Sa barbe blanche se détachait sur ses longs voiles noirs.

— Approche, mon enfant, sœur Placidia m'a dit que tu souhaitais entrer dans les ordres.

Les yeux modestement baissés, la tête humblement courbée, je lui annonçai ma vocation d'une petite voix tremblante.

Il me répondit d'une voix tonnante, en détachant chaque mot et en roulant les « r », habitué comme il était à s'exprimer devant une vaste foule :

— Depuis le moment où tu es arrivée parmi nous, mon enfant, nous t'avons suivie pas à pas. Nous sommes certains de ta foi, qui est profonde et sincère. Mais tu n'es pas faite pour le couvent.

Dans la pénombre, je ne voyais pas les yeux du patriarche. Debout devant lui, je sentais une sorte de vertige me gagner. Les voix des moines, leurs ombres noires, l'encens, l'obscurité dorée m'enivraient et me mettaient mal à l'aise à la fois. Je dus faire un effort pour parler :

— Je voudrais tellement pouvoir servir Votre Béatitude.

— Mais tu le peux, mon enfant, sans être obligée de prendre le voile.

— Demandez-moi tout ce que vous voulez, pourvu que je puisse rester ici.

— Au contraire, je compte t'envoyer au loin en mission. Si tu refuses, je ne te chasserai pas et tu resteras ici autant que tu voudras.

Il avait dit cela d'un ton détaché, mais je ne sais pourquoi un instinct fulgurant m'affirma que je me trouvais à cet instant même à la croisée des chemins et que j'y étais placée par le patriarche Timothée. Le choix qu'il me présentait, la décision que j'allais prendre seraient déterminants. Sans hésiter, j'acceptai sa mission.

— Tout ce que vous déciderez, je le ferai; où vous m'enverrez, j'irai, déclarai-je.

Je savais que le patriarche Timothée tenait ses pouvoirs exceptionnels de la vertu et de l'expérience, lisait jusqu'au fond de moi-même et qu'il n'ignorait rien de mon passé, de mon âme et peut-être de mon avenir. S'il voulait me confier une mission, c'est qu'elle serait primordiale. Bien sûr, il y trouverait son compte, mais je saurais aussi y découvrir le mien.

Il formula alors ce qu'il attendait de moi. Je partirais pour la Palestine et la Syrie porter des lettres aux communautés religieuses monophysites qui se cachaient là des persécutions. Cette mission, quoiqu'elle comportât quelque danger, me parut bien secondaire. J'en fus déçue et je me demandai si je ne m'étais pas trompée dans ma décision. Lorsque je m'agenouillai pour recevoir la bénédiction du patriarche, je m'aperçus que je n'entendais plus les voix des moines. Un rayon de lumière tombé d'une ouverture que je n'avais pas remarquée nimba brusquement le visage du prélat qui rayonna autant que celui d'un saint d'icône. D'un ton solennel, il me dit:

— N'oublie jamais, mon enfant, ceux qui t'ont recueillie et aimée, et si un jour tu en as la possibilité et eux le besoin, aide-les de tout ton pouvoir. Sache que où que le destin t'appelle, les regards paternels des pères te suivront. Et maintenant, va.

Ses paroles, sa voix eurent un effet extraordinaire sur moi. Je me relevai transfigurée. Je me sentais désormais forte et puissante. Comme j'atteignais le seuil, je l'entendis me lancer :

— Adieu, Despina.

Je me retournai tout d'une pièce. Assis sur son trône au fond de la chapelle, il n'avait pas bougé et se fondait dans la pénombre. Était-ce vraiment lui qui avait parlé... Despina, c'était le titre réservé à l'impératrice et aux plus grandes dames de l'empire. Moi, Despina ! Pourquoi ?

Chapitre 5

La Méditerranée étant pratiquement un lac byzantin, je voyageai en toute sécurité sur un navire de commerce jusqu'à Beyrouth. De là, j'utilisai le remarquable réseau routier laissé par la Rome antique. Je me déplaçais comme une femme en pèlerinage, prétexte que ma tenue de nonne séculière et l'abondance des lieux saints dans cette région rendaient plausible. Tantôt le char d'un marchand s'arrêtait pour me prendre, tantôt un courrier impérial me faisait monter en selle derrière lui. La plupart du temps, je marchais mais je trouvais toujours un voyageur pour me tenir compagnie.

J'étais étonnée du nombre de voyageurs au Levant, au point que les voies de communication y étaient constamment sillonnées. Les « monastères de l'ombre », où se cachaient les monophysites, étaient à l'écart des routes, dans des régions isolées et désertiques. Je ne possédais que de vagues indications pour les localiser, mais il me suffisait de demander des précisions au premier paysan rencontré. Bien que leur emplacement fût supposé secret, toute la région le connaissait. J'atteignis ainsi soit une gorge profonde, soit l'anfractuosité d'une falaise, et je découvrais, dissimulées par les rochers, perchées au-dessus d'un gouffre, des constructions de fortune. Autour d'une petite chapelle grossièrement construite en moellons irréguliers se serraient quelques bâtiments en bois.

Je savais mon approche épiée. J'entrai dans la cour déserte, suivie par d'invisibles regards. Dans la chapelle, j'entonnai en grec le credo monophysite. Alors, religieux et religieuses émergèrent de leurs cachettes. Je devais encore passer des contrôles, donner des mots de passe avant d'être admise. Je remis les lettres dont on m'avait chargée, et on m'en donna d'autres à porter dans un autre monastère.

On me garda la nuit et malgré l'aridité des moyens, on m'offrit un festin. Pendant tout le repas, je n'entendis que le récit des cruautés du pouvoir contre les monophysites. Sœur Placidia n'avait pas exagéré. Ces religieux, ces religieuses attablés autour de moi avaient été pourchassés, expulsés, volés, battus, parfois torturés. Ils en parlaient sans la moindre amertume et sans s'attendrir aucunement sur eux-mêmes. Je ne voyais que des êtres pieux et charitables, dont la vie entière était consacrée à glorifier Dieu. Alors, plus que jamais, m'apparaissait l'aberrante absurdité de ces persécutions.

Durant plusieurs mois, je parcourus la région selon un itinéraire apparemment décousu. Je visitai Gaza, Laodicée, Apamée, Sergopolis, Edesse et tant d'autres lieux. Je n'éprouvais cependant aucun plaisir à voyager.

Un jour, j'arrivai à Antioche. La communauté monophy-site, au lieu de s'être réfugiée dans quelques baraques perdues au milieu du désert, se terrait dans une maison d'un des faubourgs de cette ville. A ma surprise, on me pria d'y attendre de nouvelles instructions. Plusieurs jours se passèrent sans que rien ne parvînt. L'ennui me poussa à sortir. Dans ce couvent qui n'en était pas un, les règles étaient moins strictes à mon égard puisque je ne lui appartenais pas ; quant aux consignes de sécurité, elles étaient plus lâches pour l'étrangère que j'étais.

Antioche est peut-être moins magique qu'Alexandrie mais tout aussi prestigieuse et cet avant-poste de l'Asie réserve de nombreuses surprises. Ville du Nord, elle est plus active, plus fiévreuse, moins exotique mais plus riche que la capitale de l'Égypte. Héritière de la grande tradition antique, elle est restée païenne sous le vernis chrétien. La troisième ville de l'empire est une métropole fastueuse, pleine de palais, de théâtres, de cirques, de tavernes, où se succèdent les soirées, les banquets et autres fêtes. Cette atmosphère de facilité et de réjouissance me déprimait par contraste avec ma situation. Combien de temps allaient encore durer mes pérégrinations ? Quand en verrais-je l'issue, le but ? Pourquoi cet itinéraire, pourquoi cette mission, pourquoi moi ? J'étais lasse de chercher et de courir dans les ténèbres.

Pour combattre ma morosité, j'utilisai mon remède préféré qui consistait à me rendre au bazar. Gourmande de nature, je commençai par défiler devant les alignements de bouchers, de charcutiers, de poissonniers, d'épiciers, de pâtissiers. Je fis un détour pour admirer des manuscrits superbement copiés et richement ornés de miniatures. Je traînai devant les boutiques des orfèvres, j'admirai ici un coffret d'ivoire pour les cosmétiques, là une fibule en or et filigrane. Des objets du culte m'éblouirent par leur richesse, croix en or enchâssées de pierreries, lampes en argent, reliquaires en émaux et métaux précieux.

Je gardai pour la bonne bouche ma « rue » préférée : celle des marchands d'étoffes. Je m'arrêtai devant un étal particulièrement bien approvisionné. Mon œil caressait inlassablement les soies, les brocarts, les mousselines que je n'osais toucher. Le marchand considéra avec un étonnement désapprobateur cette religieuse qui avait des tentations de coquetterie. Je ne pouvais détacher mes regards de certain manteau léger en soie bleu nuit, bordé d'un large galon rose et argent.

Soudain, j'entendis derrière moi une voix me glisser à l'oreille : « Le voulez-vous, je vous l'offre. » Je me retournai. Une très grande femme admirablement faite, aux yeux bleus étirés et à l'opulente chevelure noire, me souriait. Elle était vêtue à la dernière mode mais d'une façon quelque peu voyante. « Laissez-moi vous acheter ce manteau », me répéta-t-elle. Je ne trouvai à répondre que je ne saurais où et en quelle occasion porter un si beau vêtement. « Tant pis, vous le cacherez dans la cellule de votre couvent ou, mieux, je le garderai et vous viendrez le mettre chez moi... » Il y avait de la bonté mais aussi une étrange complicité dans les yeux de cette tentatrice. Sans écouter mes protestations, elle marchanda avec aplomb. Le marchand, d'ailleurs, céda facilement. Il était presque à quatre pattes tant il se courbait devant elle. Il bavait de compliments et de flagorneries. Il lui eût laissé le manteau à un quart du prix, flatté qu'elle se fût arrêtée dans sa boutique. C'est ainsi que je rencontrai Macédonia, la danseuse la plus célèbre, la plus populaire de la ville, en quelque sorte la mascotte d'Antioche.

« A bientôt », m'avait-elle dit lorsque nous nous séparâmes, en m'invitant à venir lui rendre visite. J'hésitai pendant plusieurs jours, mais les instructions à mon sujet n'étant toujours pas parvenues au couvent, je me rendis chez Macédonia. Elle habitait non loin du Grand Théâtre où se déployait son talent. La taille modeste de la maison, le mur aveugle qui la protégeait, l'entrée discrète ne laissaient en rien prévoir le luxe inimaginable dans lequel je pénétrai. La demeure de la danseuse, telle une boîte à surprises, recelait des escaliers à demi dérobés, des ailes insoupçonnées, des cours abritées des regards. Je considérai ces objets, ces meubles, ces peintures avec ébahissement. Probablement le goût de Macédonia était-il abominablement criard, mais à l'époque il m'apparaissait comme le comble du raffinement.

Il était midi passé et elle se réveillait à peine. Elle me reçut le plus joyeusement du monde. Elle fit apporter le merveilleux vêtement qu'elle drapa sur mes épaules. Il offrait sur ma robe noire le plus triste des contrastes.

— Déshabille-toi, m'intima-t-elle.

Je m'exécutai avec une impudeur qui parut l'étonner considérablement.

— Pourquoi donc cacher tant d'attraits et de beautés ? me demanda-t-elle plusieurs fois, tout en contemplant longuement ma nudité. C'est une honte de si mal entretenir un corps aussi parfait ! Quelle peau sèche ! Et ces ongles sales, ces cheveux ternes !

Elle frappa des mains pour appeler ses esclaves et leur ordonna de procéder à ma toilette comme s'il se fût agi d'elle. Bain chaud, huilage, massage, parfumage, maquillage, coiffure, je passai par chacune des délicieuses étapes de l'élégance. Macédonia choisit la tunique dont elle me revêtit, d'un rose semblable à celui de mon manteau. Elle attacha sur moi une fibule et des boucles d'oreilles en argent, puis me remit le fameux manteau. Elle me conduisit alors jusqu'à un grand miroir de bronze en pied.

Je n'eus pas besoin de l'expression admirative des servantes pour comprendre que j'étais belle. Enfant, je m'étais crue laide, adolescente, je connaissais mon pouvoir d'attraction sexuelle, mais de là à posséder la beauté ! Or, voilà que la mode et les soins des élégantes me la révélaient. J'avais toujours eu les traits accentués, mais les épreuves traversées durant ces dernières années en avaient affiné le dessin et les avait comme purifiés. Les défauts de mon visage, que je n'avais jamais songé à cacher, étaient devenus des avantages car ils le personnalisaient et lui conféraient son étrangeté. Tout au plaisir de ma découverte, je virevoltai devant le miroir, faisant voler mon manteau autour de moi.

— Allons à la Stoa, décida Macédonia.

Je m'arrêtai net. Une religieuse dans le lieu de rencontre des élégantes d'Antioche, c'était impensable. Le rêve s'évanouit et je revins sur terre. Lentement, soigneusement, j'enlevai les somptueux vêtements et repris mon austère tenue. La plus désolée de nous deux, c'était Macédonia. Elle m'arracha la promesse de revenir très vite.

J'avais goûté au fruit défendu de la coquetterie. En conséquence, je revins, et souvent. Je commençai par me changer, puisant dans l'inépuisable garde-robe de

Macédonia. Elle me conseillait, m'encourageait et je n'étais que trop ravie de lui servir de poupée. Nous prenions le frais dans l'une ou l'autre des cours ombragées et fleuries. Nous grignotions des sucreries qui, contenues dans des bols d'argent, traînaient sur toutes les tables de marbre. Nous écoutions les musiciens juchés sur leur estrade de bois jouer quelques mélopées à la mode.

Macédonia recevait beaucoup, des gens de théâtre, des admirateurs, des nouveaux riches. Je m'épanouissais au contact de ce monde. Sans être cultivée, je savais d'instinct tenir une conversation, donner la réplique, intriguer un interlocuteur, plaire. Les invités partis, nous restions encore longtemps à dialoguer inlassablement, comme deux complices. Elle ne connaissait de moi que ce que j'avais bien voulu lui dire et, m'ayant jugée en un clin d'œil, m'avait accueillie pour ce que j'étais, sans se préoccuper de mon origine, de mon passé, trait qui avait contribué à m'attacher à elle. « Il me semble t'avoir toujours connue », me disait-elle. Et la réciproque était tout aussi vraie.

La vedette la plus célèbre d'Antioche et la mystérieuse inconnue se trouvaient avoir le même registre de pensée, de réaction, d'espoir. Macédonia aimait par-dessus tout la vie, moi j'attendais tout de la vie. Je profitais de sa personnalité chaleureuse et généreuse. Nous aimions toutes les deux rire et nous avions le même genre d'esprit, l'une finissant souvent la phrase commencée par l'autre. Nous étions aussi gourmandes l'une que l'autre d'étoffes, de bijoux, de petits plats et de vin de Samos.

Elle m'ouvrait les portes du grand monde auquel j'aspirais et elle n'était pas mécontente d'y produire une nouvelle venue aussi mystérieuse que sage. Quant aux hommes, nos expériences se rejoignaient à leur sujet. Nous étions décidées à n'en pas être les victimes mais nous savions aussi qu'ils étaient la clé de tout.

Je cédai enfin à ses instances et j'acceptai de sortir avec elle. Elle m'entraîna à l'hippodrome un jour de courses.

Lorsque je me retrouvai au milieu de la foule, habillée, coiffée, comme les plus élégantes, au bras d'une célébrité et que je sentis cent regards converger sur moi, me détailler, me critiquer et m'admirer, j'éprouvai une sensation de nudité et de menace, et en même temps je plongeai dans mon élément. Je m'amusai comme une folle. Le pli était pris et sous la houlette de la danseuse, je me lançai dans la vie mondaine. Elle m'emmena aux spectacles, à des banquets ; nous allâmes passer une journée à Daphné, célèbre et ancienne villégiature, naguère surnommée Orgiopolis, « la ville des orgies », où de ravissantes villas se nichaient entre les lauriers et les peupliers. Un jour, nous poussâmes jusqu'à Seleucie de Pierie, le port de la métropole où de riches maisons, blanches et modernes s'alignaient face à la mer.

Au couvent, personne ne me posait de questions sur mes absences de plus en plus répétées et prolongées, et cette tolérance m'encourageait sur la pente fatale. Je me retrouvai ainsi menant une double vie : tantôt j'étais religieuse, toute de noir vêtue, assidue aux offices de la communauté ; tantôt outrageusement maquillée, et parée des plus belles tenues de Macédonia, j'étais sa digne émule dans des soirées tumultueuses.

Cependant, mon caractère se rebellait contre cette existence de mensonge qui, de toute façon, n'aurait pu se prolonger indéfiniment. Peut-être dans ma vie ai-je été souvent malhonnête avec les autres, mais jamais envers moi, et là, je savais que je trichais.

Un après-midi, à l'heure où la chaleur commençait à décroître, nous allâmes, Macédonia et moi, au Grand Théâtre. Il était bien différent d'aspect et de taille de celui où je me produisais à Constantinople. Immense et somptueux, il était construit à l'ancienne, à ciel ouvert. Nous prîmes place sur les gradins de marbre recouverts de coussins de brocart. Le fond de la scène était occupé par des arcades et des colonnes entre lesquelles se dressait tout un peuple de statues, mais j'admirai surtout le sol de mosaïques du chœur où des masques grotesques alternaient avec des oiseaux.

On donnait au Grand Théâtre des spectacles de danses où s'illustrait Macédonia, mais aussi des tragédies et des comédies antiques. Cependant, face à la vogue montante des spectacles chrétiens, il n'y avait plus que quelques érudits pour apprécier cette tradition. Ainsi le public, dans sa grande majorité, bavardait sans se soucier de la pièce jouée ce jour-là, *l'Assemblée des femmes*, une comédie politique d'Aristophane. Le Tout-Antioche était présent, dans un brouhaha frivole et mondain. On mangeait, on buvait car coupes et plats circulaient entre les gradins. Le temps radieux rafraîchi par une brise légère était délicieux. Macédonia et moi, assises côte à côte, au second rang juste derrière les autorités de la ville, étions l'objet de la méfiance de toutes les femmes et de l'admiration de beaucoup d'hommes.

Malgré ces hommages silencieux, je me sentais abattue. Je ne sais pourquoi, je choisis ce moment pour me confier à Macédonia. Je lui avouai mon incertitude et mon indécision. Je ne savais plus pourquoi j'étais ici et j'ignorais ma destination. Le patriarche Timothée ne m'avait rien dit de la suite de mon périple et aucune instruction ne parvenant à mon sujet, je me résignais à reprendre mon destin en main. Que ferais-je? Je n'avais aucun port d'attache, aucun but. Lorsque j'eus achevé, Macédonia ne manifesta aucune surprise. Elle me posa seulement des questions sur le patriarche Timothée et sur mes sentiments pour lui. Je lui jurai que je brûlais toujours de me consacrer à lui, même si, comme il l'avait pressenti, je ne croyais plus à ma vocation.

« Toi et ta famille, n'apparteniez-vous pas aux Verts? » me demanda-t-elle brusquement. Je cachai mon étonnement de la découvrir si bien informée et je lui répondis que les Verts nous avaient trahis, et que nous avions été sauvés par les Bleus auxquels je me dévouerais de toutes mes forces lorsque l'occasion s'en présenterait. Je n'ignorais pas que Macédonia soutenait activement ces derniers. Elle se tut. Je la voyais réfléchir, hésiter. Le soleil couchant jetait une soie transparente sur le ciel. Un air marin, porté par la brise, vivifiait l'atmosphère. D'innombrables hirondelles voletaient au-dessus de nous, criant si fort qu'elles couvraient presque la voix des acteurs.

Je me penchai vers ma compagne et lui racontai que la nuit précédente, j'avais fait un rêve fort éloigné de ma triste réalité. J'arrivais à Constantinople, et j'y rencontrais un inconnu dont l'image restait floue. Cet homme déposait à mes pieds plus d'or, plus de pierreries, plus de trésors que le monde n'en avait jamais vu.

Je demandai en riant à Macédonia quel sens attribuer à une telle divagation.

— Si tu veux, Théodora, me répliqua-t-elle, ce songe peut devenir réalité.

Je fis pleuvoir sur elle une grêle de questions auxquelles elle refusa de répondre.

— Demain, viens chez moi, je te l'expliquerai.

La pièce d'Aristophane s'acheva sous les applaudissements du public. Je n'en avais pas suivi la trame. A tort, car le sujet en était la prise du pouvoir par les femmes. La société élégante d'Antioche se dispersa et s'apprêtait pour de nouvelles fêtes. Nous rentrâmes sans échanger un mot. J'endossai ma robe noire et revins au couvent.

Je ne fermai pas l'œil de la nuit. Dans le calme précédant l'aube, j'entendais les cris des gardiens de nuit annonçant l'heure, les aboiements des chiens, les jurons d'un passant butant sur une pierre, les miaulements de chats amoureux. Étendue sur ma couche étroite, dans ma minuscule et étouffante cellule, je réfléchissais.

Je cherchais la cause de la sollicitude de Macédonia. La sympathie qui nous unissait, sa générosité sincère ne suffisaient pas à l'expliquer entièrement. D'ailleurs, son offre de but en blanc ne m'avait pas étonnée. Depuis un certain temps, je m'attendais à quelque chose de ce genre, et en lui faisant mes confidences, j'avais voulu provoquer semblable réaction.

Le matin, je courus chez elle. Elle dormait encore et je dus patienter jusqu'à son réveil. Elle prit alors son temps pour avaler une collation, babiller, donner des ordres à ses suivantes. Lorsqu'elle les eut renvoyées, elle s'adressa enfin à moi :

— Tu retourneras dès maintenant au couvent et tu prépareras tes paquets. Tu ne donneras aucune explication. D'ailleurs, on ne te posera aucune question. Tu te rendras au port, tu trouveras un bateau nommé *Empereur de l'Occident* en partance pour Constantinople et tu le prendras.

— Avec quel argent ? Je n'ai pas un sou.

— Tout est réglé d'avance, me dit-elle, me tendant de surcroît une bourse pour assurer mes premières dépenses.

Je ne posai aucune question. Je savais qu'elle m'aurait répondu par des faux-fuyants ou des mensonges. Je découvrais une Macédonia bien différente de celle à laquelle j'étais accoutumée, et pourtant elle ne me surprenait pas. Elle apparaissait soudain en maîtresse qui donnait ses ordres mais quelque part, aussi, elle restait une exécutante. Pour le compte de qui ? Il serait bien temps plus tard de s'en préoccuper. Un des grands secrets de l'existence, c'est de connaître le temps des questions et de ne pas les poser trop tôt. Pour lors, seule la voie qu'elle me traçait m'intéressait. Le pourquoi pouvait attendre.

Elle m'indiqua l'adresse de la maison que je devais louer, une fois à Constantinople, le métier que j'exercerais, elle m'énuméra mes activités quotidiennes, mes fréquentations, elle me précisa même l'endroit de mon futur logis où je devrais me tenir pour travailler. Un soir, poursuivit-elle, un homme viendrait me trouver, que je reconnaîtrais à la description qu'elle m'en fit. Qui était-il ? ne pus-je m'empêcher de lui demander.

— Il te le dira lui-même, se contenta-t-elle de me répondre.

— Et que devrai-je faire alors ?

— Uniquement ce que te dicte ton instinct. Je lui fais confiance.

Tout cela, elle me le dit légèrement, comme s'il s'agissait

d'un jeu, d'une plaisanterie, mais je sentais l'intensité de son attention et, toujours souriante, elle me força à lui réciter plusieurs fois ses instructions pour bien être sûre que je les avais retenues.

L'*Empereur d'Occident*, malgré son nom ronflant, était un vieux rafiot qui menaçait de faire eau de toutes parts. Cependant il me parut le navire le plus luxueux du monde, car il me ramenait à Constantinople, la seule ville au monde, ma ville, où j'avais tant souffert et que je n'avais cessé de regretter dès l'instant où je l'avais quittée. Ce fut un des jours les plus heureux de ma vie, celui où du haut du pont je vis ses coupoles et ses tours émerger lentement de la brume de chaleur. Jamais la ville blanche et or ne m'avait paru si belle et je ne pouvais détacher mes regards du spectacle féerique. J'étais revenue chez moi, décidée à n'en plus repartir. En débarquant, j'arrachai mon voile noir et je le jetai à la mer.

Je suivis à la lettre les instructions de Macédonia. Je louai deux pièces dans la maison qu'elle m'avait indiquée, derrière le forum de Constantin, dans ce quartier commercial occupé par les marchands en gros et les entrepôts. Je devins fileuse, travaillant à domicile et vendant le produit de mon labeur à un grossiste. Je m'habillai le plus sobrement et dignement possible. Macédonia m'avait interdit de près ou de loin le théâtre, mes camarades, mes compagnons de taverne et même ma famille.

Malgré son interdiction, je retournai à la maison de mon enfance. C'est elle que je désirais voir et non mes parents. Je retrouvai la taverne puis la ruelle sordide. Le cœur battant d'émotion mais aussi d'appréhension, je pénétrai dans la bâtisse plus penchée, plus branlante que jamais. Je croisai notre voisine, elle me reconnut instantanément. Notre logement avait été vendu à des inconnus. J'éprouvai comme une sorte de soulagement à cette nouvelle. La voisine prit mon expression pour du désespoir. Elle m'emmena chez elle, me fit asseoir, m'offrit pâtisseries et fruits. Elle me bombarda de questions que j'éludai par une succession de mensonges.

Après ces préliminaires, elle fut impatiente de me donner des nouvelles, surtout les mauvaises. Elle prenait bien des mines de circonstance, mais les tragédies d'autrui la ravissaient visiblement. Ma mère était morte peu après mon départ pour l'Afrique d'une maladie peut-être héréditaire. Pour Nicétas, mon beau-père, c'était la déchéance, il avait perdu son travail pour cause d'ivrognerie et n'habitait plus le quartier. Quant à Comito, la voisine croyait qu'elle se produisait toujours sur scène, mais elle ignorait où elle demeurait. Le seul pincement de cœur que j'éprouvai, ce fut lorsqu'elle m'apprit la mort du père Bartholomé. J'aurais tant voulu avoir le temps de changer la triste impression qu'il emportait de moi.

Contre toute attente, ma nouvelle existence ne me déplut pas. J'aimais rester tard penchée sur mon rouet. Selon les instructions de Macédonia, je m'installai près de la fenêtre pour travailler. Des passants, la plupart des commerçants du quartier, s'arrêtaient pour me faire des propositions malhonnêtes. Je les éconduisais et lorsqu'ils insistaient, j'utilisais un langage appris dans mon passé, dont la verdeur les repoussait. J'avais reçu pour instructions d'afficher la vertu. Ma nouvelle vie me convenait et sans l'obligation de faire l'amour pour gagner ma vie, je me sentais libérée.

Cependant, les semaines, les mois passaient et je ne voyais rien ni personne poindre à l'horizon. J'en arrivai à me demander si Macédonia ne s'était pas moquée de moi et si le pécule qu'elle m'avait donné n'avait pas été une façon de se débarrasser de ma présence. Le travail occupait mes journées suffisamment pour tuer l'ennui, mais je m'étiolais au sein de cette monotonie. J'avais l'impression de suivre un chemin sans montagnes, sans précipices, sans paysages nouveaux et de me préparer à un avenir stérile. Du temps où j'étais courtisane, j'étais descendue jusqu'au fond du gouffre et j'avais connu le désespoir. Mais la résignation devant une platitude infinie était presque pire.

Un soir, au début de l'été, un 25 juin précisément, il faisait très chaud et j'avais laissé la fenêtre grande ouverte. Le jour n'en finissait pas de mourir et répandait une lumière tamisée et grise. Certains commerçants, leur boutique à demi fermée, faisaient leurs comptes, d'autres rabattaient leurs auvents et rentraient chez eux. J'enviais ceux qui allaient retrouver un foyer, s'attabler autour d'un dîner préparé pour eux. J'enviais les jeunes apprenties qui repartaient au bras de leur fiancé venu les chercher à la sortie de leur travail. Moi, personne ne m'attendait, j'étais seule et je me sentais seule.

Soudain, j'eus conscience d'un regard posé sur moi et je levai les yeux. Dans l'ombre de la rue, un homme m'observait, depuis un long moment sans doute. Silhouette immobile aux traits indiscernables, il ne bougeait pas, il ne parlait pas. A la fin, agacée, je lui lançai :

— As-tu fini, enfin, de me reluquer ?

— Pardonne-moi si j'ai pu te faire peur.

La voix était mélodieuse, douce, appartenant visiblement à un homme éduqué. Elle me rassura.

— Montre-toi, lui intimai-je d'un ton plus amène.

Il ne bougea pas.

— Me donnes-tu la permission de t'inviter ? me demanda-t-il.

— Montre-toi d'abord, je veux voir à quoi tu ressembles.

Il fit quelques pas en avant et la lumière de ma fenêtre tomba en plein sur lui. Je reconnus instantanément l'homme décrit par Macédonia. Petit de taille, large de poitrine, un beau nez droit, un visage rond, le teint clair, cheveux et barbe grisonnants et bouclés. Il n'avait plus vingt ans mais ses yeux gardaient toute leur jeunesse et, aurais-je dit, toute leur innocence. Les recommandations de Macédonia m'avaient laissé imaginer un homme important, or j'en doutai en le voyant. Ses vêtements n'avaient rien de luxueux et portaient même des traces d'usure. Tout son comportement trahissait une certaine humilité, bien étrangère aux notables.

Il me proposa de nous promener ensemble dans les rues. Je n'étais pas accoutumée à ce genre d'invite. Les hommes me conviaient surtout à la taverne ou chez eux. Intriguée, j'acceptai néanmoins. Je le suivis depuis le forum de Constantin jusqu'à celui d'Arcadius par les rues quasi désertes. Généralement, je devinais aussitôt à qui j'avais affaire, et je m'étonnai de ne pas réussir à situer cet homme qui ne ressemblait à personne. Aussi prêtai-je à ses propos une attention qu'il prit pour une approbation. Il parlait sans discontinuer d'une sorte d'âge d'or qu'il espérait voir s'instaurer un jour et où régneraient la justice, l'égalité, l'abondance, la paix. Il n'y aurait plus de pauvres ni de rejetés, ni de maltraités. Probablement était-il un poète, peut-être pensionné par la Cour. En tout cas il appartenait à la catégorie des rêveurs. Il possédait un charme indiscutable qui, sans que je m'en rendisse compte, m'enveloppait. Sous sa douceur, il celait sa fermeté. Je réalisai qu'il me conduisait exactement là où il voulait.

Quand il m'offrit de monter au sommet de la colonne de l'empereur Arcadius, creuse comme chacun sait et dotée d'un escalier en spirale, j'étais épuisée, je me sentais incapable de faire un pas de plus, et pourtant je grimpai les deux cent trente-trois marches — je le ai comptées une par une et je me souviens encore de leur nombre. Du sommet, on découvrait Constantinople entière, le Bosphore, l'Asie éclairée par la lune. L'homme n'avait pas songé à m'offrir à boire ni à manger. Penché sur la balustrade, immobile et silencieux, il semblait incapable de se détacher du spectacle féerique. Je m'impatientai :

— T'en as encore pour longtemps ? lui demandai-je du ton le plus vulgaire.

— Pardonne-moi, j'oublie mes devoirs, mais vois-tu, cette ville me fascine.

— Pourquoi ? elle n'est pas à toi, remarquai-je sottement.

— Non, mais si Dieu le veut, elle le sera, car cet empire pourrait un jour être mien. Je suis Justinien, le neveu de l'empereur Justin.

Il avait parlé sans aucune fierté ni forfanterie, mais au contraire avec un profond embarras, me dévisageant comme s'il s'attendait à que je m'en allasse sur-le-champ. Il m'émut plus qu'il ne me stupéfia. Il avait su me toucher et me convaincre qu'il était différent des autres.

Nous redescendîmes sur le forum et il s'empressa de m'emmener à la première taverne que nous trouvâmes encore ouverte. La marche, la surprise, les émotions m'avaient creusée. Il me regarda m'empiffrer avec effarement. Il semblait regretter d'avoir révélé son identité, ne disait plus rien. Il me raccompagna jusqu'à ma porte. Toujours aussi muet. A mon ébahissement, il me salua avec une courtoisie qu'aucun homme ne m'avait jamais témoignée et disparut dans la nuit.

Restée seule, je mesurai ma déconvenue.

C'était donc au propre neveu de l'empereur que Macédonia m'avait destinée. Elle avait très certainement espéré que je deviendrais sa maîtresse et que j'exercerais une influence sur lui, exécutant ainsi par personne interposée ses desseins à elle. Son plan, qui m'apparaissait désormais clairement, m'aurait tout à fait convenu. Seulement, nous avions visé trop haut et nous avions toutes les deux négligé un détail primordial : je n'avais pas plu à Justinien.

Le lendemain, je me remis au travail sans le moindre entrain. J'exécutai machinalement les tâches quotidiennes et le soir me retrouva assise à mon rouet, devant la fenêtre, bien que ce fût devenu sans objet. J'avais eu toute la journée pour ruminer mon échec, lorsque j'entendis soudain un « bonsoir, Théodora ». C'était Justinien. Il était revenu à la même heure et se tenait à la même place que la veille, car c'était un homme d'habitude. Ma joie fut à l'égal de la tristesse qui m'avait accablée jusqu'alors. Je me sentais légère, épanouie, transportée, heureuse.

Il revint chaque soir. Il se promenait quotidiennement dans les rues sans façon et sans escorte. Il aimait bavarder avec des commerçants pour s'informer, pour prendre le pouls de l'opinion, pour aussi se créer des partisans. Afin de ne pas les déranger dans leur travail, il passait en fin de journée.

91

Ensuite, il s'arrêtait dans mon logement, et nous parlions fort avant dans la nuit. Il ne paraissait jamais avoir faim et il était si frugal qu'il se contentait du plat de légumes ou du « saint-bouillon », la soupe populaire à l'oignon que je réchauffais pour lui.

Justinien n'était pas homme à courtiser une femme. Il n'employait pas la flatterie, il ne débitait pas des fadaises, il n'abusait pas. Sa manière de me prouver ses sentiments consistait à me questionner inlassablement non sur mon passé, mais sur mon quotidien.

Il me racontait aussi sa journée. L'empereur Justin l'ayant alors nommé comte des domestiques, il avait à sa charge les cadets de la garde au palais, mais surtout ce poste lui donnait le droit d'assister au Consistoire, conseil restreint de la Couronne. Il évoquait les affaires de l'État aussi facilement qu'un modeste fonctionnaire parlerait de sa besogne. Et, entre les murs resserrés de mon logis mal éclairé, se dévoilèrent les rouages les plus secrets du pouvoir et les tractations les plus considérables de l'empire.

Des semaines durant, il se contenta de m'embrasser, de me caresser, et je me gardais bien de lui faire la moindre avance. Puis, un soir, tout naturellement, il devint plus entreprenant et nous fîmes l'amour. Nos deux corps ne se cherchèrent pas en tâtonnant, mais en usèrent comme s'ils avaient toujours été familiers l'un de l'autre. Je fus surprise de découvrir en Justinien un amant expert et plein de considération. Il y avait aussi dans sa manière d'agir quelque chose de féminin qui me séduisit. Le plaisir m'était depuis toujours refusé malgré mes simulacres, mais au moins me fit-il connaître le contentement. Lorsque sa passion s'apaisa je me sentis gênée d'avoir dû l'emmener dans ma pauvre chambre et m'en excusai.

— Ne te préoccupe pas, Théodora, j'ai connu bien pire, m'affirma-t-il, ce qui me combla d'étonnement.

Chapitre 6

Un jour, contre son habitude, il apparut le matin et me pria de le suivre. Je me demandais s'il ne m'entraînait pas à nouveau dans une marche épuisante lorsque, après avoir traversé l'Augusteum, il me guida dans les ruelles qui s'entrecroisaient en contrebas de l'hippodrome. Il s'arrêta devant une porte basse, tira une clé, ouvrit et me fit pénétrer dans le petit palais d'Hosmidas, du nom d'un prince perse qui s'y était naguère réfugié. Il était relié au Palais Sacré par un escalier dissimulé dans la muraille. De ses terrasses, on découvrait une vue infinie sur la mer, les îles et l'Asie. Jamais je n'aurais pu imaginer un luxe et un confort pareils. Les soies les plus artistiquement brodées garnissaient portières et fenêtres. Les brocarts les plus délicatement fleuris se déroulaient sur les sols de marbre. Des meubles en ivoire ou en argent finement sculptés décoraient chaque pièce, doucement éclairés par des vitraux en albâtre. Des serviteurs souriants nous accueillirent et nous offrirent des rafraîchissements. Je pensais être entrée dans une demeure enchantée. Justinien me déclara qu'elle était désormais mienne. Il le fit avec un profond embarras, comme s'il voulait se faire pardonner sa générosité. Je mis longtemps à croire que je possédais tant de richesses, et pourtant, dès le premier instant, j'étais décidée à n'en pas perdre une miette et à ne jamais retomber dans la pauvreté.

Justinien vint me voir chaque jour, le matin fort tôt, à l'heure discrète de la sieste où tout le monde a disparu chez soi, et enfin le soir pour dîner et passer la nuit lorsqu'il n'y avait pas cérémonie à la Cour. Malgré ses responsabilités, il me consacrait beaucoup de temps. C'était un travailleur acharné et, lors de nos rendez-vous amoureux, il amenait souvent avec lui des dossiers qu'il lisait et annotait.

Le sentiment qui m'attirait vers Justinien se teintait chaque jour davantage d'un profond respect. Ce discoureur émérite parlait des sujets les plus variés de la façon la plus intéressante. Je savais écouter, ainsi que mon ancien métier me l'avait appris afin de plaire aux hommes. Avec lui, j'étais loin de feindre. Il savait me captiver à chaque instant par ses connaissances, pas ses récits, par ses jugements. Sa gentillesse me touchait par sa totale authenticité. Au lieu de rappeler son rang comme tant de puissants, il le masquait avec une sincère modestie. Il mettait à l'aise quiconque l'approchait, même les esclaves qui ne le craignaient pas mais au contraire qui se seraient fait tuer pour lui. Son humeur constante offrait un contraste bienvenu avec mon tempérament colérique, comme son optimisme savait combattre victorieusement mon pessimisme et son énergie constamment positive me stimulait. Il tempérait mon caractère trop anguleux.

Il m'était attaché physiquement. Il avait certes possédé d'autres maîtresses, mais j'aurais été prête à jurer qu'elles avaient été peu nombreuses. A peine me connut-il qu'il eut l'impression de ne jamais pouvoir atteindre un tel plaisir avec aucune autre femme. Mes reparties populaires le divertissaient. Le bon sens et la langue bien pendue que je tenais de mes origines le changeaient et je dirais le reposaient des flatteries trop parfumées et des circonvolutions mielleuses qui empestaient la Cour. Il appréciait mon esprit, il aimait dialoguer car il trouvait mon intelligence à la hauteur de la sienne. Il avait eu surtout le bon instinct de me faire d'emblée confiance, alors qu'en général je n'en inspire aucune. Il avait ainsi visé juste car, une fois que je suis la dépositaire d'une confiance, non seulement je ne cherche pas à la trahir, mais je tâche constamment de m'en rendre digne. Le monde extérieur ne pouvait le percevoir et se demanderait plus tard comment une créature telle que moi avait enchaîné à son char le neveu de l'empereur. La vérité est que nous nous complétions à miracle. Comme deux moellons ajustés au millimètre, comme deux pièces si bien imbriquées que rien ne peut les séparer.

Un jour, je demandai à Justinien comment il m'avait dénichée dans mon logis. « Par hasard », me répondit-il, et je découvris ainsi qu'il savait mentir. Fréquentait-il une certaine Macédonia ? le questionnai-je. Qui ne connaissait la danseuse la plus populaire de Syrie à laquelle sa popularité et ses accointances avec les Bleus les plus haut placés conféraient une sorte de puissance. A la demande de Justinien, elle envoyait à celui-ci des rapports réguliers sur la situation à Antioche et dans la province. Justinien ne me cacha pas que bien des nominations ou des disgrâces pouvaient lui être imputées et que, grâce à elle, il avait étoffé le nombre de ses partisans dans la région. Je devais apprendre plus tard qu'un de ses rapports contenait un post-scriptum. Macédonia, voulant remercier le neveu de l'empereur de toutes ses bontés à son égard, le priait d'accepter un cadeau. Ce cadeau, c'était moi. Sa description était à la fois assez alléchante et incomplète pour l'intriguer. Il n'avait eu qu'à suivre ses indications pour me trouver.

Mes journées au palais d'Hosmidas étaient consacrées à attendre Justinien. D'être la maîtresse clandestine du neveu de l'empereur m'imposait de ne recevoir personne, de ne pas me montrer et de sortir le moins possible. En plus de cette résidence enchanteresse, Justinien me couvrait d'argent, de bijoux, et commença dès cette époque à m'offrir terres et propriétés. Je vivais dans une profusion qui aurait comblé n'importe qui et encore plus une pauvresse comme moi...

Le Palais Sacré se dressait tout à côté. Le pouvoir était à portée de main et je bouillais de n'y avoir accès. J'étais décidée à enfoncer les portes afin d'être plus près de Justinien.

En attendant, je me distrayais comme je pouvais. J'allais parfois au bazar où je dépensais, je le confesse, des fortunes en étoffes mais non sans les marchander âprement. Un jour, le long de la Mésé, mes porteurs, retardés par la foule de plus en plus serrée, avançaient lentement. Par les rideaux à demi tirés, j'observais les passants déambuler.

Depuis un moment, je suivais du regard une femme marchant à la hauteur de ma litière que je ne voyais que de dos. Ses pas hésitants, son dos courbé, sa tunique reprisée donnaient une image de la détresse. Brusquement, elle se tourna pour traverser : c'était Indaro. Une Indaro vieillie, brisée, toujours soignée mais que l'entrain et l'éclat semblaient avoir désertée. Son regard croisa le mien, ses yeux s'agrandirent, elle ouvrit la bouche, incapable de produire un son, et tendit un doigt tremblant vers moi. Elle m'avait reconnue et n'en croyait pas ses yeux. D'un geste, je lui intimai silence, puis j'ordonnai à l'un des esclaves d'aller lui dire de se présenter au palais Hosmidas. Je tirai les rideaux et je poursuivis mon chemin.

Lorsque je revins du bazar, elle m'attendait déjà. Nous nous jetâmes dans les bras l'une de l'autre ; elle éclata en sanglots :

— Théodora... ô pardon, Excellentissime.

— Ne te moque pas de moi et continue à me tutoyer.

Elle hoquetait dans mes bras, incapable de dire autre chose que « te souviens-tu, te souviens-tu ». Pour arrêter ces épanchements, je la taquinai sur sa fascination des hommes libres qui, autrefois, m'agaçait tant.

— Alors, ces aristocrates que tu vantais tellement ne t'ont pas donné de travail ?

Elle hocha la tête et me raconta sa triste odyssée. Pas de rôle, pas de riches amants, l'âge, la rue. Elle ne me demandait d'ailleurs rien et semblait tout heureuse de constater que j'avais réussi. Je l'invitai à venir habiter avec moi. Non seulement elle ne se défendit pas ni ne parut surprise mais, en un instant, elle avait retrouvé son allant, sa gaieté, et le palais Hosmidas retentit de sa voix claironnante et de son rire en cascades. Comme elle était bonne fille, elle évoqua Comito. Elle m'apprit que ma sœur se défendait vaille que vaille parce qu'elle était un peu plus jeune qu'elle, mais n'en tirait pas moins le diable par la queue. L'idée de revoir Comito ne me contentait pas car je n'avais pas oublié sa dureté. Indaro insista, prétendant que ma sœur avait beaucoup changé.

Le lendemain, Comito se joignit à nous. J'avais cédé moins par devoir familial que par besoin de compagnes parlant mon langage et partageant les mêmes souvenirs, afin de me faire prendre patience dans ma cage dorée. Et bientôt, nous formâmes le plus joyeux trio.

Je désirais ardemment retrouver ma fille. Ce ne devait pas être difficile. Indaro accepta de se rendre au couvent de la Pamakaristos, et de demander s'il n'y avait pas parmi les pensionnaires une petite Irène, née au début de 509. Je voulais savoir comment était cette enfant, à qui elle ressemblait. Je voulais me rassurer en apprenant qu'elle était heureuse, aimée, entourée et qu'elle disposait de tout ce dont elle avait besoin. D'ailleurs, je chargeai Indaro d'une très grosse somme d'argent pour les nonnes. Quel sentiment me poussait, je me le demandais moi-même. L'instinct maternel ? J'en doutais fortement. La curiosité ? Probablement. Mais peut-être y avait-il un remords enfoui, un besoin de réparer. Réparer quoi, d'ailleurs ? Ce que j'avais commis, acculée par les circonstances.

J'attendis le résultat de la mission d'Indaro avec une impatience que je ne soupçonnais pas. Elle revint enfin. Elle avait vu Irène. Elle l'avait trouvée très grande pour son âge. Ma fille devait avoir hérité ce trait de mon père. Elle ne me ressemblait en rien et, fugitivement, je le regrettai. Irène était parfaitement heureuse. Elle aimait les nonnes qui l'entouraient de tous les soins possibles en même temps qu'elles lui donnaient une éducation soignée. Elle se croyait bien entendu orpheline, ainsi que le lui avaient dit ses éducatrices. Les nonnes se pâmèrent de surprise et de joie devant le tas d'or qu'Indaro leur distribua. Elles devinrent volubiles et parlèrent beaucoup d'Irène. C'était une petite fille fort affectueuse mais dotée d'un caractère impérieux et colérique. Il lui prenait parfois de brusques et terribles rages. Là au moins, je me retrouvais.

Je vis Indaro hésiter, chercher ses mots puis me demander timidement si je ne prendrais pas Irène avec moi :

— Le Seigneur Justinien n'y trouverait certainement rien à redire, ajouta-t-elle.

— Jamais, répliquai-je.

— Tu n'aurais pas besoin d'avouer qu'elle est ta fille. Il suffirait de mentir et dire qu'elle est ta nièce, la fille de Comito.

Indaro avait compris que la maîtresse — même officieuse — du neveu de l'empereur ne pouvait avouer une petite bâtarde et que mon vernis de respectabilité risquait de sauter. Je heurtai Indaro en lui disant avec dureté que cette enfant je ne l'avais pas voulue et que je n'en voulais toujours pas. J'avais tiré un trait sur mon passé, je m'en étais lavée, purifiée. Rien ne devait me le rappeler, et surtout pas si cruellement.

L'imprévu m'attendait un soir. Justinien était en retard pour sa visite quotidienne, événement inouï. Un esclave ne tarda pas à venir du Palais Sacré pour annoncer de sa part qu'il était retenu, sans autre explication. Une heure, deux heures passèrent. Mon étonnement se mua en inquiétude. Un deuxième esclave apparut et me pria de ne pas attendre Justinien pour dîner. Il semblait agité, effaré, au point que je l'interrogeai. Il se fit un plaisir de m'annoncer que Vitalien venait d'être assassiné. Vitalien, ce général qui avait été mon héros lors des émeutes de 509, parce qu'il s'était révolté au nom de la religion officielle contre l'empereur Anastase soupçonné d'hérésie. Depuis, j'avais souvent entendu parler de lui tant il faisait de bruit sur la scène de l'empire. Plusieurs fois il s'était révolté et avait ébranlé le trône, chaque fois l'empereur avait pardonné. Finalement, il s'était amendé et, pour le récompenser d'avoir bien voulu cesser d'être un trouble-fête, Justin l'avait couvert d'honneurs. Vitalien assassiné ! Indora envoya aussitôt un de nos esclaves se renseigner au Palais Sacré : les serviteurs ne sont-ils pas toujours les mieux et les plus vite informés ?

Notre espion bénévole revint la bouche pleine d'informations. Donc, ce soir-là, Vitalien avait été invité à dîner par l'empereur, notre seigneur Justin. Accompagné d'un de ses aides de camp et de son secrétaire, il passait sous un portique, désert à cette heure avancée, et se dirigeait vers le palais privé, résidence de l'empereur, lorsque plusieurs hommes, surgissant de derrière les colonnes, se précipitèrent sur eux trois, les poignardèrent à mort et, avant que les gardes, aux portes, fussent revenus de leur surprise, disparurent dans les jardins. L'alerte avait été donnée, les fouilles entreprises aussitôt mais en vain : on ne retrouva personne. L'empereur, bouleversé par cet événement, conférait sans discontinuer avec les généraux de sa garde et avec son neveu Justinien.

Celui-ci arriva très tard, à minuit passé, épuisé, tendu. Il refusa nourriture et boisson. Son désarroi se décelait à des signes infaillibles. Les sourcils froncés, la bouche entrouverte, il rentrait les épaules et baissait la tête, sans se soucier d'exposer ainsi son début de calvitie. Anormalement retourné par l'assassinat de Vitalien, il ne retrouverait pas la paix, m'avoua-t-il, avant que le mystère ne soit percé.

En quoi pouvais-je l'aider ? Il s'agissait, à l'évidence, d'un meurtre politique. Et pour qu'il ait eu lieu dans l'enceinte même du Palais Sacré, les assassins devaient sinon appartenir à la Cour, du moins y bénéficier de complicités.

— Mais pourquoi lui? Pourquoi Vitalien? répétait Justinien.

— Parce qu'il était d'autant plus dangereux qu'il était populaire, qu'il était resté un rebelle même s'il s'était amendé. Il a maintes fois prouvé qu'il ne reculait devant rien et qu'il était capable de mettre sens dessus dessous l'empire.

Justinien affirmait que Vitalien s'était converti:

— De rebelle, il était devenu un des premiers dignitaires de l'empire. Les plus hautes charges de l'État lui ont été confiées qu'il a brillamment et loyalement occupées.

— En tout cas, ce meurtre n'est pas une mauvaise affaire puisque ton concurrent le plus direct à la succession au trône a été éliminé, remarquai-je, profitant des leçons de réalisme politique que Justinien s'était plu à me donner. Or, à ma surprise, il déplora « ce crime atroce ».

— Mais tu le détestais! protestai-je, tu me l'as souvent répété.

— C'est moi-même qui lui ai donné le sauf-conduit lui permettant de pénétrer dans le Palais Sacré, je ne me le pardonnerai jamais.

— Tu n'as pourtant pas la responsabilité de sa mort, et personne ne songera à te l'imputer.

Il m'écoutait à peine:

— Tu oublies, Théodora, que nous nous étions réconciliés et qu'en signe d'amitié, nous étions montés ensemble à l'autel pour recevoir la sainte communion.

Je ne saisissais pas où menait cet argument, et je comprenais de moins en moins sa réaction. Jamais je ne l'avais vu ainsi, désemparé, alors que, dans les pires catastrophes, il gardait toujours son sang-froid. Il me paraissait aux abois. Je le dévisageai longuement, interloquée, et soudain, j'eus comme un éclair qui m'illumina: c'était le remords, c'était l'horreur qui mettaient

Justinien dans cet état, car c'était lui qui avait fait assassiner Vitalien.

— Nous sommes montés à l'autel ensemble côte à côte..., ressassait-il.

— Alors, Seigneur, au crime, tu as ajouté le blasphème.

Il ne répondit pas. Il se contenta de me regarder, non plus affolé mais calmé. Que j'aie deviné sa culpabilité l'avait soulagé. Sous aucun prétexte, il ne me l'aurait avouée. Cependant, ses propos, son attitude m'avaient délibérément mise sur la piste.

Je n'oublierai jamais cette nuit qui vit la naissance de notre complicité. En cette fin de novembre, un vent aigre venu du Pont-Euxin soufflait sur le Bosphore, soulevant des vagues rageuses. Je me tenais dans ma pièce préférée, un petit oratoire voûté, décoré de mosaïques profanes représentant sur fond or des arbres et des animaux stylisés. Les fenêtres aux carreaux d'albâtre étaient fermées et en outre, pour me protéger du froid, j'avais fait allumer le grand brasero d'argent. Justinien et moi nous étions tous les deux penchés, comme fascinés par les braises rougeoyantes, pendant que dehors le vent mugissait sur les terrasses.

Justinien n'avait pas reculé devant le crime pour se rapprocher du trône. Sur le fond, il n'avait pas tort car il était le plus — sinon le seul — capable d'assumer le pouvoir. Quant à la forme, elle trahissait une action impulsive, irraisonnée. Justinien, de nature, n'avait rien de cruel. Comment en était-il arrivé à commanditer un meurtre ? Je découvris son secret, le plus important et le mieux gardé. Sous le génie, sous la personnalité, sous l'énergie, Justinien était un faible et seule la faiblesse avait pu le pousser à tuer. Il avait eu peur de ne pouvoir évincer son rival, et cette initiative, pour décisive qu'elle fût, risquait de se retourner contre lui. Cette révélation, loin de le dévaloriser à mes yeux, m'attendrit. Cependant, il me fallait me montrer dure avec lui et peut-être l'attendait-il :

— Au crime, tu as ajouté non seulement le blasphème mais la bêtise, repris-je.

Il releva la tête comme s'il avait reçu un coup de fouet. Je lui démontrai qu'il y avait bien d'autres façons de se débarrasser des gens, même les plus puissants. Sa parenté avec l'empereur le protégeait, mais les soupçons se reporteraient vite sur lui, car à qui d'autre profitait la disparition de Vitalien? Il me demanda conseil:

— Conduis-toi comme si tu étais innocent. Ne te défends pas, surtout si l'on fait allusion à ta culpabilité. Convaincs les observateurs que le meurtre de Vitalien ne t'intéresse pas.

Les hommes détestent reconnaître leurs erreurs, surtout devant une femme. Aussi Justinien tâcha de justifier la sienne. Il avait voulu entrer dans les bonnes grâces de son oncle, l'empereur Justin, qui haïssait et craignait Vitalien. Je m'étonnai de cette explication. N'était-il pas le neveu de l'empereur, qu'avait-il besoin de chercher à lui plaire?

— L'empereur est un vieux soldat et seuls les militaires trouvent grâce à ses yeux. Or je n'ai pas l'âme d'un militaire. L'empereur le sait, et je sens bien que je ne suis pas le choix de son cœur.

— Alors, Seigneur, présente-moi à lui et je l'amadouerai pour toi.

Justinien me remercia avec effusion de mon aide:

— C'est à moi de te remercier, Seigneur, de ta confiance. Jamais auparavant tu ne me l'as témoignée aussi profondément. Et je tendis ma main pour prendre la sienne. Comprends, Seigneur, que désormais nous faisons Un.

Justinien entendit le message car peu de temps après, il m'annonça qu'il allait me présenter à sa famille. Je lui répondis que je regretterais toujours l'intimité que j'avais connue avec lui au palais Hosmidas. La scène sur laquelle il voulait me propulser était semée de risques, mais lui-même s'exposait tout autant que moi. Notre sort était lié.

102

J'avais tressailli de joie à l'annonce de ma présentation à la famille impériale. Pourtant, le soir venu, jamais je n'éprouvai un tel trac. Je me vêtis avec un soin tout particulier d'une robe de voile d'or brodée d'étoiles vertes. J'avais choisi parmi les cadeaux de Justinien le grand collier de diamants à pendants de grosses émeraudes et le bandeau le plus modeste que je pus trouver incrusté des mêmes pierres. Je drapai sur mes épaules un voile blanc brodé d'un large galon d'or. Nous étions conviés à l'un de ces dîners intimes où l'empereur Justin réunissait les siens. Ils avaient lieu dans le gynécée, les appartements privés de l'impératrice. Pour Justinien, ces réunions n'étaient que routine. Il ne pouvait comprendre mon émotion en foulant pour la première fois le sol du Palais Sacré, en traversant les cours, les jardins, les portiques, jusqu'au bâtiment appelé le palais de Daphné, résidence impériale.

Nous suivîmes l'un des huissiers de l'impératrice qui nous mena à travers une succession de salles plus enchanteresses l'une que l'autre. Je passai sous des voûtes incrustées d'étoiles d'or d'où pendaient, suspendus à des chaînes d'or, de larges lustres d'argent. Entre chaque colonne de marbres rares surmontée de chapiteaux délicatement sculptés se tenaient des gardes personnels de l'impératrice, tous des eunuques. D'autres marbres de toutes les couleurs, de toutes les contrées s'agençaient subtilement sur le sol et sur les parois jusqu'à mi-hauteur. Au-dessus s'alignaient de longues théories de saintes femmes et de prélats en mosaïques sur fond or. Des portes à deux battants en argent ciselé s'ouvraient les unes après les autres devant nous. Par les fenêtres, je découvrais, éclairés par les rayons du soleil couchant, des jardins qui descendaient en terrasses jusqu'à la mer scintillante.

Le palais Hosmidas était presque austère en comparaison. Autour de moi, la richesse s'étalait avec une profusion sans pareille, la splendeur s'étendait à perte de vue. Je n'en étais pas le moins du monde écrasée. Au contraire, le gynécée impérial était la demeure qu'il me fallait.

Dans l'antichambre de l'impératrice, son grand chambellan nous pria d'attendre un instant. Son service ordinaire, qui se pressait dans la pièce, suffisait à me donner l'impression d'une foule. Le rouge des uniformes des gardes se mêlait au blanc des manteaux des courtisans et à l'or des tuniques des dames d'honneur. Ces dernières portaient toutes une coiffure en forme de tour qui me parut des plus étranges. Personne ne prononçait le moindre mot et le plus profond silence régnait. Le cœur battant, je fixai les immenses rideaux de soie pourpre brodés d'animaux fantastiques en or derrière lesquels se trouvait le salon de l'impératrice. Soudain, ils glissèrent sur leurs tringles d'argent. Mon heure était venue et je m'avançai aux côtés de Justinien. J'entrai dans une vaste pièce circulaire, symphonie d'or, de bleu et de vert. Du coin de l'œil j'aperçus des eunuques glissant silencieusement sur le sol et agitant leurs vastes manches de satin blanc, telles des ailes d'oiseaux.

Mais, en fait, je ne vis que les deux trônes d'ivoire sculptés vers lesquels je marchai le plus lentement possible. Je sentis plus que je ne croisai les regards de la famille impériale dardés sur moi. A distance réglementaire, j'exécutai la proskinisis, c'est-à-dire que je me prosternai bras et jambes écartés devant le trône. Lorsque je baisai le pied de l'empereur Justin, il se pencha vers moi et fit un geste aimable comme pour me relever. Il devait être très grand, et restait beau malgré son âge avancé, avec son nez parfait et ses cheveux gris bouclés. Son teint rose lui gardait un air de jeunesse. Par contre, l'impératrice Euphémia était hideuse, une sorte de mastodonte, large de visage, large de corps, dotée de protubérantes mamelles et d'une moustache assez fournie. Les merveilleux bijoux de la Couronne qui encadraient son visage, depuis le diadème hérissé de cabochons jusqu'au pectoral étincelant de pierreries, rendaient son aspect grotesque. Elle fixa sur moi des petits yeux rusés et méchants et resta de bois pendant que je baisais sa mule brodée.

Justinien me présenta ensuite à une profusion de cousins et de neveux. Seul son cousin germain, Germanus, le célèbre général, me manifesta quelque amabilité. Par contre sa femme, Passara, me dévisagea hautainement et lors de l'aspasmos, l'étreinte de rigueur entre femmes d'un rang semblable, elle me saisit avec autant de dégoût que si elle eût tenu une bête puante. Au bout de la rangée se tenait l'unique neveu de Justinien, le fils de son seul frère, mort plusieurs années auparavant, le petit Justin, un gros garçon blond aux yeux bleus.

Je nous revois comme si c'était hier, Justinien et moi, au centre d'un cercle. Le tour de la famille était fini mais on continuait à me dévisager. Voilà que Justinien me prenait la main. Que se passait-il donc ? Il baissa les yeux vers le sol, il prit un air naïf et têtu à la fois. Sa voix sourde porta loin :

— J'ai décidé d'épouser Théodora. Considérez-la comme ma fiancée.

Ma stupéfaction fut plus forte que celle de tous les autres. Rien ne m'avait laissé prévoir cette décision. Il ne m'avait rien dit, rien demandé. Tout Justinien est là, il a toujours aimé prendre par surprise. C'est sa façon à lui de désarmer les autres. Les assistants ne tentèrent même pas de dissimuler leurs réactions. Je vis l'étonnement de l'empereur, l'horreur de l'impératrice, le mépris de Passara, l'ironie de Germanus. Personne ne prononça le moindre mot, personne ne me félicita.

Nous passâmes dans la pièce voisine qui servait de salle à manger, nous prîmes place sur des chaises curules autour de la longue table de marbre aux pieds sculptés, couverte de vaisselle d'or. Peut-être la famille impériale était-elle glacée par la nouvelle que venait de lui annoncer Justinien. Peut-être était-ce l'habitude, en tout cas le dîner fut sinistre. L'empereur, tout en mangeant vite, ressassait des vieux récits de l'armée et lançait de grosses plaisanteries dont il était le seul à rire. L'impératrice, née aussi bas que moi, n'avait jamais appris à se servir des cuillères d'agate en usage à la Cour et mangeait avec ses doigts. Les autres touchèrent à peine à la succession de plats plus succulents les uns que les autres. Aussi je n'osai satisfaire ma grande faim qui, malgré le trac et les émotions, me torturait. Et j'enviais le petit Justin qui, au bout de la table, était le seul à se bâfrer d'ailleurs d'une façon presque maladive.

La main dans la main, Justinien et moi rentrâmes au palais Hosmidas dans la douce nuit de printemps. Je vis à peine les gardes, les esclaves qui nous accompagnaient, les porteurs de torches qui ouvraient un cortège de feu entre les haies de cyprès et les buissons odoriférants. Justinien me voulait pour épouse et rien ni personne au monde ne m'empêcherait de le devenir.

Chapitre 7

Quelques jours plus tard, Justinien entra chez moi, l'adversité inscrite sur son visage. Nous ne pouvions pas nous marier, m'annonça-t-il. Une loi existait en effet interdisant à tout haut fonctionnaire d'épouser une ancienne comédienne. Pour seul commentaire, je me contentai de lui demander d'où le coup était parti. Il m'avoua que c'était l'impératrice. Je n'en fus pas surprise. J'avais bien senti dès le premier instant, son antipathie.

J'appris qu'elle avait enquêté sur moi et qu'elle avait découvert mon passé... tout au moins scénique. Elle en avait profité pour ressortir ce vieux règlement. Elle n'était pas méchante, elle était fruste. Elle avait oublié qu'elle-même était une ancienne esclave, que l'empereur Justin, du temps où il était simple soldat, l'avait achetée à un de ses camarades pour en faire sa concubine, ce qu'elle était restée longtemps avant de se faire épouser. Son véritable nom était Lupicina, mais elle en avait tellement honte qu'elle l'avait changé. Pour cette paysanne, une ancienne actrice comme moi était un objet de réprobation.

« Ça ne fait rien, je suis heureuse ainsi », eus-je le courage de dire à Justinien... Puis, je me repris. Rien n'était perdu. L'issue était simplement reculée. Le vieil empereur n'avait pas dissimulé sa sympathie pour moi lors de notre rencontre. Malgré la conversation peu fournie de ce dîner de famille, il avait trouvé l'occasion de me demander quels étaient mes goûts, c'est-à-dire qu'il avait énuméré les siens ; il aimait surtout les échecs, or je savais y jouer ; il se plaignait que personne n'en connaissait les finesses tout en coulant un regard dénué d'aménité vers son épouse. En tout cas il m'avait promis de m'inviter à faire une partie avec lui.

En effet, un praepositus ne tarda pas à venir me chercher un après-midi de sa part et bientôt, nous nous retrouvâmes tous les deux autour d'un échiquier en ébène et marbre, aux pièces d'ivoire admirablement sculptées et peintes. L'empereur Justin était, selon l'expression consacrée, un « sans alphabet », c'est-à-dire un parfait illettré, le premier de la longue lignée des souverains de l'empire à ne savoir ni lire, ni écrire. Il avait fait fabriquer un tampon portant sa signature supposée qu'il imprimait au bas des documents d'État.

Rien de surprenant à cette inculture : il avait commencé par être un soldat de fortune ou plutôt d'infortune car sa pauvreté était telle qu'elle l'avait chassé de sa province. Parvenu à Constantinople, engagé dans l'armée, il était rapidement monté de grade en grade jusqu'au sommet. La confusion qui suivit la mort de l'empereur Anastase lui permit de réussir à se faire élire comme son successeur, car son illettrisme ne l'empêchait pas de se montrer d'une prodigieuse habileté...

J'eus une pensée reconnaissante pour Hécébolus qui m'avait appris les échecs à Boreium, et rétrospectivement je bénis nos mortelles soirées en Libye grâce auxquelles j'étais devenue experte à ce jeu.

Le vieux Justin et moi nous nous entendîmes comme de vieux complices. J'éprouvais une réelle sympathie pour lui et ce n'est pas sans mélancolie que j'évoque son souvenir. Nous sortions tous les deux du même milieu populaire. Pas plus que moi il ne s'en cachait, à la différence de l'impératrice Euphémia qui s'essayait à jouer les grandes dames, ce qui faisait ressortir sa vulgarité. Avec moi, l'empereur avait toute liberté d'user du langage de corps de garde qu'il affectionnait et que son épouse désapprouvait. Je lui répondais du tac au tac sur le même ton, et mon vocabulaire ordurier le faisait s'esclaffer. Je lui rappelais les putains qu'il avait collectionnées pendant ses campagnes, et je jouais sans vergogne de cette corde nostalgique.

Il entrait dans des colères épouvantables lorsqu'il lui arrivait de perdre, mais il appréciait que je mette un point d'honneur à ne pas le laisser gagner. Ce rude guerrier était un tendre, que je savais émouvoir en exagérant ma vulnérabilité. Grâce à moi, il retrouvait une ultime jeunesse. S'il n'avait tenu qu'à lui, nous aurions joué tous les après-midi. Cependant j'évitai une trop grande assiduité. L'impératrice, que sa jalousie rendait vindicative, veillait. Je ne demandais rien, simplement j'avançais mes pions et je consolidais mes positions.

Dans cet esprit, je crus bien agir en rendant visite à Germanus et à sa femme Passara. Justinien appréciait beaucoup son cousin, général prestigieux et populaire, dont le public suivait avec enthousiasme les campagnes victorieuses. Je voulais désarmer l'hostilité que j'avais sentie chez Passara, dont la noblesse remontait aux tout premiers temps de la Rome antique et qui jouissait d'une des premières fortunes de l'empire. Enfin, j'étais curieuse de voir leur palais.

Il se trouvait au cœur de la 10e région, au bord de la Corne d'Or, dans ce quartier le plus cher et le plus élégant de la ville. Fait exceptionnel pour une demeure privée, il ne comportait non pas une mais plusieurs cours. Les jardins, protégés par de hauts murs, descendaient en terrasses jusqu'au bras de mer. Le printemps y éclatait en une orgie de fleurs et d'oiseaux au milieu d'une symphonie de fontaines. Germanus et Passara tenaient maison ouverte. Leur hospitalité, leur générosité en avaient fait les rois de Constantinople. Nuit et jour, c'était un défilé de visiteurs.

En mon honneur, ils avaient convoqué ce qu'il y avait de plus huppé dans la capitale. Quand je descendis de ma litière, je dus passer entre deux haies de regards et de murmures, et je n'en menais pas large. L'épreuve était bien pire que la présentation à la famille impériale, car l'empereur comme l'impératrice étaient nés dans le peuple. Tandis qu'ici, j'étais confrontée à l'aristocratie. Je me raidis pourtant et portai ma tête le plus haut que je pus.

Germanus et Passara me reçurent comme s'ils étaient absolument enchantés de m'accueillir et comme si j'étais le personnage le plus important de la soirée, courtoisie qu'ils étendaient d'ailleurs à tout un chacun. Les invités, des aristocrates, mais aussi des écrivains, des prélats et des militaires, déambulaient dans les galeries ouvertes, se promenaient dans les jardins ou se groupaient dans les salles fraîches du rez-de-chaussée car la saison déjà chaude voulait qu'on reçût dans la maison d'été. Des nuées de serviteurs offraient des rafraîchissements, des vins, des hors-d'œuvre, des sucreries, introduisaient ou raccompagnaient les invités.

Passara me pria de m'asseoir au milieu de trente dames, nobles entre les nobles, riches entre les riches. Je les aurais prises pour des bourgeoises nécessiteuses tant elles étaient habillées avec discrétion, alors que j'étais parée de tous mes bijoux et que je m'étais maquillée comme pour un grand banquet. Je sentis instantanément que je jurais parmi elles et qu'elles me détaillaient ironiquement.

Passara semblait beaucoup plus jeune que son mari, alors qu'en vérité seules quelques années les séparaient. Vive et jolie, blonde, les yeux bleus à l'expression faussement innocente, elle fit littéralement tout ce qu'elle put pour m'humilier. Elle commença par s'exprimer en latin, sa langue maternelle, que toutes ces dames parlaient aussi bien que le grec, mais que je maniais fort imparfaitement. Elle évoqua des personnalités que je ne connaissais pas et que, visiblement, j'aurais dû connaître si j'avais appartenu au grand monde. Elle me demanda poliment mon avis sur la mode, sur la décoration des maisons. Mes réponses déclenchaient des regards moqueurs, des sourires s'ébauchaient chaque fois que j'ouvrais la bouche. Les invitées me laissaient entendre subtilement que je n'appartenais pas à leur milieu, que ma place n'était pas parmi elles et que j'avais été bien audacieuse de venir.

Germanus s'approcha, tout affabilité, tout charme dehors, et je crus qu'il allait mettre fin à mon supplice. Il le redoubla. Il se tenait toujours légèrement courbé comme s'il était gêné par sa trop grande taille. Infiniment cultivé, il parla histoire, arts, littérature, domaines avec lesquels son auditoire était presque aussi familiarisé que lui. Il n'eut pas la grossièreté de me faire passer un examen mais il m'expliqua chaque sujet en détail et à moi seule. Je fis mine de ne m'apercevoir de rien et m'en tins à la seule défense possible : des sourires et des amabilités.

Je m'attardai intentionnellement, comme si je prenais plaisir à cette réunion. Je vis bien l'impatience gagner mes hôtes, car ils avaient envie de se retrouver avec leurs invités afin de pouvoir me déchirer à l'aise. Je retardai tant que je pus ce moment de délectation pour eux. Lorsqu'il me fallut traverser à nouveau les salons bondés, je connus un moment de faiblesse. Je me tenais toujours aussi droite mais je me sentis devenir cramoisie.

Revenue au palais Hosmidas, je jurai de ne jamais plus me laisser prendre. J'étais venue offrir la paix, Germanus et Passara voulaient la guerre, ils l'auraient.

Le soir, en attendant Justinien, je divertis Indaro et Comito en imitant les dames du beau monde, avec leurs minauderies, leurs tics, leurs affectations, et j'eus la satisfaction de voir mes spectatrices se tordre de rire. Je n'avais pas été mime pour rien.

Maîtresse déclarée du prince, j'étais désormais la proie des solliciteurs qui assiégeaient ma résidence. Bien que je continue à mener la vie la plus discrète, la ville entière connaissait mon existence et m'attribuait de l'influence sur

111

Justinien. Ma nouvelle situation me valut de recevoir, un après-midi, une femme modestement vêtue. Elle était veuve d'un petit fonctionnaire de province, elle avait plusieurs enfants à élever et me suppliait d'intervenir afin de lui obtenir une pension. Elle m'avoua être profondément gênée, car elle appartenait à une famille pauvre mais ancienne et honorable, et jamais de sa vie auparavant, elle n'avait sollicité. Cependant, elle n'avait pas hésité à venir me trouver parce que j'avais la réputation d'une sainte. Et d'entonner une litanie de flatteries trop fastidieuse pour être répétée ici. Puis elle me contempla longuement et conclut : « Vous êtes encore plus belle qu'on ne le dit. »

Elle croyait me rencontrer pour la première fois. Moi, par contre, je l'avais reconnue et fort bien. Elle était peut-être veuve et mère, mais auparavant elle avait été putain comme moi. C'était Antonina, une des filles des *Anes du Paradis*. Elle ne se teignait plus les cheveux et ne portait plus ses bijoux voyants, mais elle avait toujours ses grands yeux mouillés et innocents que démentait leur expression calculatrice. « Si vous êtes dans le besoin, vous pouvez toujours faire le trottoir », lui assenai-je. Et avant qu'elle ne fût revenue de son saisissement horrifié, je lui remis une bourse équivalant à plusieurs années de pension. Je voulais bien avoir une réputation de générosité mais pas de naïveté.

Désormais, je fis filtrer les solliciteurs par Indaro et Comito qui s'y entendirent à merveille. Devinant mon appréhension, Comito me rassura : « Tu n'as aucune crainte à avoir. Même si la compagne du neveu de l'empereur a les mêmes yeux, le même nez, la même bouche qu'une putain du port, personne n'établira la ressemblance entre l'une et l'autre... ou ne voudra l'établir. Plus tu monteras, moins on te reconnaîtra. »

Je n'en avais pas fini, néanmoins, avec mon passé. Un sénateur vint solliciter l'attribution d'un monopole. Sous sa toge d'apparat blanche à bordure pourpre je retrouvai instantanément Arsénius, l'un des habitués les plus fidèles des *Anes du Paradis*... et de mon lit. Il m'avait, lui aussi, remise, je le compris à la lueur qui traversa son regard et au sourire qu'il ne put se retenir d'ébaucher. Mais déjà il regrettait ses manifestations et il s'inclinait encore plus bas, prenant soin de me donner à tout bout de champ du « despina », titre réservé aux grandes dames. Il me pria d'oublier sa requête. Le monopole qu'il briguait n'avait aucune importance et il me demanda, en témoignage de son admiration, d'accepter la somme qu'il avait apportée. Son seul désir était de me rendre service, et il me suppliait de l'utiliser autant que je voudrais.

Je retrouvais l'Arsénius que j'avais connu, rapide, intelligent, discret et sans scrupules, exactement l'homme dont j'avais besoin.

— Et si je te prenais au mot, sénateur ?

— Ordonnez, Despina.

Je lui demandai s'il connaissait une taverne appelée *les Anes du Paradis*, s'il savait ce qu'était un lenos et s'il se rappelait un certain lenos qui « protégeait » toute les filles de ladite taverne et qui devait toujours être là. Il acquiesça à toutes mes questions, sans manifester ni surprise ni curiosité.

— Ce lenos, poursuivis-je, si lenos il y a toujours, a une trop vive imagination. Il invente, il parle trop et ses contes à dormir debout risquent de porter atteinte à des puissants du jour.

Arsénius m'avait écoutée respectueusement, son esprit comme au garde-à-vous.

— Vos désirs seront exécutés, se contenta-t-il de dire, sans que j'aie d'ailleurs exprimé aucun désir.

Deux jours plus tard, il se présenta de nouveau au palais Hosmidas. Aussitôt introduit, il se jeta à mes pieds et y déposa une bague en or ornée d'une grosse turquoise fendue en son milieu. Si souvent je l'avais vue au doigt de mon lenos. Il y tenait comme à la prunelle de ses yeux, et pour s'en être séparé, il fallait qu'il fût effectivement mort. J'avais

113

enfin pu lui rendre au centuple la somme qu'il m'avait naguère achetée. Il est des humiliations qui ne s'effacent qu'avec la mort, celle de l'humiliateur s'entend.

Malgré les propos rassurants de Comito sur ceux qui avaient pu me connaître dans une autre vie, il était des témoins qu'il valait mieux rendre incapables de se faire entendre. Arsénius ayant brillamment passé l'épreuve, je lui offris de travailler pour moi et de me constituer un réseau d'informateurs. Arsénius me questionna sur le financement de l'opération : illimité, lui répondis-je. Quant aux moyens et aux agents, c'était à lui de les trouver et je ne voulais rien en savoir. Il accepta sans hésiter et je ne fus pas peu fière de constater que ce spéculateur redoutable et prévoyant misait sur moi. Je lui avais donné pour instructions de tendre une oreille attentive aux rumeurs de la société et particulièrement à celles qui circulaient au palais de Germanus et Passara.

Il ne tarda pas à me rapporter une abondante moisson. Chez le cousin de Justinien, j'étais devenue un des sujets de conversation favoris. J'y faisais beaucoup rire, car on me trouvait vraiment insortable avec mes cheveux frisottés sur le front, mon maquillage outrancier, mes robes trop voyantes, ma démarche chaloupée, bref tout ce qui proclamait mes origines. Il transparaissait que j'ignorais les usages non seulement de la Cour mais du monde en général ; à preuve, je lançais des œillades à tout venant, tapais sur le ventre des dignitaires, tutoyais des vieillards, traitais les plus nobles dames de la façon la plus cavalière et, comble, je semblais prendre plaisir à tous ces écarts — ce dernier trait étant jusqu'ici le seul entièrement faux. Je ne prenais pas plaisir, tout simplement je ne savais pas. Enfin, on me critiquait de jeter de l'argent par les fenêtres. Et ces nobles dames de conclure que mes dépenses insensées en robes et bijoux étaient bien la preuve que j'avais connu la plus crapuleuse misère, car, paraît-il, lorsque je caressais mes soieries et mes colliers, je le faisais comme si je n'y croyais pas encore tout à fait...

Je n'avais pas chargé Arsénius d'espionner la société afin d'amasser du ressentiment, mais pour tirer de ces railleries un enseignement. Justinien était le maître qui formait mon esprit, le père qui m'éduquait, cependant il ne pouvait pas m'apprendre ce qu'un homme en général ne détaille pas : la subtilité dans les manières, la contenance et l'apparence, c'est-à-dire tout ce qu'une femme remarque.

J'écrivis à Macédonia pour qu'elle me trouve un professeur de maintien. Elle m'envoya une aristocrate qui avait eu des revers de fortune. Ariane était une femme petite et boulotte, aux yeux de myope constamment plissés, méchante comme une gale, mais excellent professeur. Je lui enjoignis de mettre les bouchées doubles. Elle s'attaqua à tout : la démarche, la diction, la tenue, l'accent, le geste. Elle me convainquit par exemple de renoncer aux faux seins que je continuais à porter depuis l'époque où j'enviais les dodues du théâtre. Elle corrigea jusqu'au plus infime détail de mon apparence. Le plus difficile selon elle fut de gommer ma vulgarité, car celle-ci, au lieu d'être naturelle, avait été le fruit d'une mise en scène rigoureuse pour choquer, amuser, séduire. Elle était devenue une seconde nature plus tenace que la vraie.

Travaillant avec elle chaque jour, je la forçais à persister, à me faire répéter, à recommencer vingt fois. L'élève épuisait le professeur. Grâce à Ariane, une femme du peuple vivace et à l'emporte-pièce, un pitre se transformait en princesse. Cependant, princesse j'étais condamnée à ne jamais l'être par la loi qui s'opposait à mon mariage avec Justinien.

Ce fut l'impératrice Euphémia qui vint à mon aide : elle mourut. Sa forte constitution cachait un organisme affaibli. Sa mort dégageait pour moi la voie. J'imaginais que l'empereur Justin serait allégé par la disparition de cet aigre cétacé contre lequel il n'avait cessé de lancer des pointes. Au contraire, il parut désemparé comme s'il avait reçu le plus terrible des coups.

Par contre, n'ayant plus à craindre la vindicte de la morte, j'acceptai plus souvent de jouer aux échecs avec lui, ce qui le combla. J'étais en effet résolue à occuper le terrain abandonné par son épouse. Je le consolai du mieux que je le pus et couvris même de louanges feu mon ennemie. Il pleurait presque lorsque que je la peignis comme le parangon de toutes les vertus.

Le vieux militaire m'adorait, mais de là à me permettre d'épouser Justinien... Un après-midi, je décidai de jouer le tout pour le tout.

La partie d'échecs durait interminablement car l'empereur prenait un temps infini entre chaque coup. Les ombres du soir envahissaient sa pièce de travail, mais les esclaves n'osaient entrer pour allumer les lampes de crainte de le déranger. Cette pénombre d'ailleurs me servait, car elle était propice à la mélancolie. Ce fut la première et dernière fois où je le laissai sournoisement gagner pour le mettre de bonne humeur.

Brusquement, je repoussai l'échiquier, je cachai mon visage dans mes mains. Le vieux Justin se pencha anxieusement vers moi. Ne pouvais-je lui confier le poids qui pesait sur mon cœur? Pour toute réponse, j'éclatai en sanglots. Enfin je parlai. J'aimais Justinien de toute mon âme mais je ne voulais plus continuer à vivre avec lui dans le péché. Je préférais renoncer à notre amour plutôt que de perdre mon âme. Je quitterais à tout jamais le palais Hosmidas et je disparaîtrais. Il m'en coûterait, conclus-je, de ne plus le voir, lui, l'empereur, qui avait été toujours si bon pour moi et pour lequel j'éprouvais une ardente affection filiale, et je regretterais nos parties d'échecs...

Il en eut les larmes aux yeux. Il leva les bras au ciel, la mine accablée.

— Comment faire? répéta-t-il plusieurs fois.

Je hochai la tête négativement et le laissai se pénétrer de

la situation pendant quelques instants. Puis, je risquai mon avenir sur une seule suggestion :

— Changez le règlement qui empêche notre mariage. Après tout, l'empereur n'est-il pas plus puissant que la loi ?

Allait-il découvrir mon jeu, mesurer mon ambition, soupçonner mes desseins et me renvoyer ? Je n'avais plus à feindre la détresse, mon sort se trouvait entre ses mains.

A nouveau concentré sur notre partie, il ne parut pas avoir entendu et s'absorba dans le coup qu'il échafaudait. Il avança sa reine et m'annonça d'une voix triomphante : « Échec et mat. » Sa victoire ramena un sourire réjoui : « Il faudra que nous rejouions très vite », et sur ces mots il me congédia.

Je revins perplexe au palais Hosmidas. Qu'avait compris le vieil empereur, ou plutôt qu'avait-il voulu ne pas comprendre ? Allait-il agir, et s'il n'agissait pas, devrais-je mettre ma menace à exécution ? Quitter Justinien, il n'en était pas question. Rester pour toujours sa concubine, encore moins. Je maudis tout à la fois l'impasse où je me trouvais, et ma propre hâte à m'y être enfermée.

Le lendemain soir, je rongeais mon frein lorsque Justinien surgit dans mon oratoire, bégayant de bonheur. L'empereur venait, dans son Consistoire, de publier les décrets suivants : toute femme qui avait été actrice ou mime, mais qui depuis s'en était repentie et avait quitté son déshonorant métier, pourrait épouser qui elle voulait, à la seule condition d'en demander l'autorisation au souverain. Néanmoins, pour m'épargner cette pénible démarche, le vieux Justin avait fait du zèle. Le deuxième décret portait que toute actrice, comique ou mime, qui avait été reconnue comme telle par le Conseil d'État, était relevée de toute obligation de demander une autorisation préalable. L'empereur avait pensé à tout, car Justinien me tendit l'acte du Conseil d'État reconnaissant que j'avais été mime. Il était trop heureux pour remarquer que je ne paraissais pas surprise par ces nouvelles.

D'ailleurs, il ne s'attarda pas. Il était pressé de déposer sa reconnaissance et la mienne au pied du trône de son oncle.

La crainte de perdre sa partenaire préférée aux échecs avait eu plus de poids que la perspective de continuer à rendre son neveu malheureux. Arrivés à cet âge, les vieux messieurs ne sont que des égoïstes.

Échec et mat, Majesté.

L'accord de l'empereur à mon mariage ne supprimait pas les embûches qui m'attendaient ni les adversaires qui me guettaient.

Justinien avait un compagnon, ou plutôt un ami qu'il estimait infiniment, un militaire dont il suivait de près la carrière et qu'il promettait à un brillant avenir, un Thrace, fils de grands propriétaires terriens. A l'entendre, ce Bélisaire possédait toutes les qualités, une simplicité confinant à la modestie et imperméable à la vanité, une générosité insurpassable avec ses soldats, une profonde considération pour les petites gens, et en particulier pour les paysans des régions que ses troupes traversaient, un jugement remarquablement perçant qui, dans les situations difficiles, lui permettait de décider au plus vite et au plus juste. Courageux il était, mais sans courir de risques inutiles, audacieux mais sans perdre son sang-froid. Le contraire des têtes brûlées que détestait Justinien. Enfin, il affichait la vertu, refusant les plus belles femmes qui tombaient dans son butin après ses victoires, qualité que le prude Justinien estimait au plus haut degré.

Justement, il revenait du front d'Orient où il était allé se battre contre les Perses, ennemis héréditaires de l'empire, et Justinien souhaitait me le présenter au plus vite. Malgré le panégyrique trop complet qu'il m'en avait dressé et qui aurait pu me braquer contre lui, j'eus un mouvement de sympathie et d'admiration lorsque je vis entrer cet homme très grand, très beau, puissamment musclé, qui respirait la franchise et la droiture. Le parfait officier dont rêvent toutes les jeunes filles. De premier abord, je me sentis instinctivement attirée par lui et je vis dans ses yeux que la réciproque était vraie. Aussi fus-je étonnée lorsqu'il fut pris d'un visible embarras pour me saluer. Je crus à un premier moment de timidité, mais la suite me détrompa.

La conversation s'engagea, banale, laborieuse. Justinien paraissait surpris par l'attitude réticente de Bélisaire. J'en étais irritée parce que je déployais en vain toutes mes grâces et que je me montrais prête à être l'amie de l'ami de Justinien. Pour mettre fin à un embarras de plus en plus palpable et sous le prétexte de ne pas gêner leurs confidences, je me retirai. Mais ma curiosité était trop forte et je n'hésitai pas à utiliser une des commodités que le prince Hosmidas, en bon Oriental, avait fait installer dans sa demeure. La salle de réception, très élevée de plafond, comportait à mi-hauteur d'une de ses parois une étroite galerie recouverte d'une épaisse dentelle de bois précieux d'où l'on passait d'une partie à l'autre du palais, mais surtout d'où l'on pouvait surveiller et écouter ce qui se passait en bas.

Je fus vite édifiée en entendant Bélisaire déclarer :

— Il m'en coûte de te mettre en garde, ami Justinien. Je ne nie pas que Théodora soit infiniment séduisante, mais son origine demeure incertaine et son passé douteux. Il pèse sur elle les plus lourdes présomptions. Songe à ton avenir et sache que tu le compromettrais à tout jamais si tu l'épousais. Au nom de notre vieille amitié, je te supplie de n'en rien faire et d'oublier Théodora.

La première chose que je remarquai fut que Justinien ne parut pas surpris de ce discours et n'exigea pas d'explications. Il connaissait donc mon passé que cependant je ne lui avais jamais révélé et auquel il n'avait pas fait la plus petite allusion, car la dissimulation était effectivement une de ses vertus. Lui, si sévère sur les mœurs, lui que j'entendais sans sourciller condamner des femmes au passé bien plus clair que le mien tenait donc à ce point à moi. La honte se mêla en moi à l'émotion, surtout lorsqu'il annonça :

— J'ai besoin de Théodora, ce sera elle ou personne.

Cet aveu lapidaire compta plus pour moi que toutes les déclarations d'amour. J'en détestais d'autant plus ce jeune prétentieux qui avait eu l'audace de tenter de s'interposer entre nous. Qu'il prenne garde, Bélisaire, car je ne savais ni oublier ni pardonner.

Notre mariage eut lieu dans l'intimité de la chapelle du palais Hosmidas en présence de quelques proches, puis nous allâmes recevoir les félicitations officielles du vieil empereur qui me consacraient dans ma nouvelle position d'épouse. Je garde peu de souvenirs de la cérémonie, peut-être parce qu'il y avait presque trois ans que je vivais avec Justinien et que notre existence commune ne connut aucun changement.

Le mariage ne fut pour moi qu'une formalité indispensable avant d'entrer dans le chapitre suivant que j'étais impatiente d'aborder.

Chapitre 8

A peine mariée, j'appris à m'y reconnaître dans cette ville de vingt mille habitants qu'était le Palais Sacré. Il était non seulement surpeuplé, mais aussi anarchiquement construit. Selon les goûts et les besoins de différentes époques, les empereurs avaient édifié des palais plus ou moins grands, celui de la Magnaure, réservé aux cérémonies officielles, celui de Daphné, résidence impériale, celui de la Chalke, vestibule d'entrée et musée, par exemple. Puis on les avait étendus, augmentés, agrandis par des ailes, des étages, des tours, des excroissances dans toutes les directions. Ensuite, on les avait reliés les uns aux autres par des galeries ouvertes ou fermées, par des portiques et des degrés. Enfin, ici et là, on avait complété avec des communs et des bâtiments fonctionnels. En effet, le Palais Sacré, résidence du maître de l'État, était aussi le siège du gouvernement.

Au hasard de mes explorations, je tombai sur des églises ou des oratoires bâtis un peu partout, des casernes pour les gardes, des salles de concert, des salons de beauté, des salles de trésor, des bains, des terrains de jeux. J'aimais me promener dans les allées sinueuses des jardins touffus ou regarder la mer du haut des terrasses fleuries qui descendaient par degrés jusqu'aux deux ports privés du palais. Je découvrais, entre de noirs cyprès ou à l'ombre de gigantesques platanes, des pavillons de plaisance aux noms ravissants, pavillon de la Perle, pavillon de l'Harmonie, pavillon de l'Amour, demeures d'été ou théâtres de fêtes d'un soir. Témoignage de tant de grands empereurs et conservatoire de chefs-d'œuvre, le Palais Sacré devenait pour moi une constante leçon d'histoire et d'art. La certitude inspirait mon zèle d'exploratrice qu'il serait un jour ma demeure, lorsque Justinien succéderait au vieil empereur. Pendant que je faisais connaissance avec les lieux, lui, Justinien, rêvait.

Un soir que nous étions restés très tard dans l'intimité de l'oratoire du palais d'Hosmidas, il dessina pour moi la carte de l'empire démesuré et familier dont ouvrages et rapports lui avaient fait connaître jusqu'au moindre recoin.

En face de nous, de l'autre côté du Bosphore, s'étendait l'Asie Mineure, dernière avancée d'un continent pointé vers l'Europe. A l'est, beaucoup plus loin que Trébizonde, vivaient les peuples caucasiens, ibériens, géorgiens, lazes, et là-bas, tout au fond du Pont-Euxin soulevé de brusques et terribles tempêtes, s'étirait la frontière du parler grec, langue commune et ciment de l'empire.

En Orient, derrière les hautes chaînes de montagnes de la Cappadoce, s'étendaient les provinces arméniennes, stratégiquement vitales, qui continuaient à être gouvernées par des satrapes locaux. En dessous c'était la Mésopotamie, démarcation traditionnelle entre l'empire et son concurrent le plus acharné, la Perse. A côté, la Syrie brillait des feux de ses métropoles fondées par les descendants d'Alexandre : Antioche, Apamée, Séleucie, Laodicée, que j'avais visitées lorsque le patriarche d'Alexandrie Timothée m'y avait envoyée.

La Palestine voisine était une tour de Babel dominée par la langue du Christ, l'araméen. Trois races — les Juifs, les Samaritains et les Arabes, qui se détestaient entre eux — se la disputaient. En face dormait l'île de Chypre, berceau de ma famille.

Au sud prospérait la province la plus riche et la plus

ancienne de l'empire, l'Égypte, que les Barbares, venus du désert, menaçaient. Puis c'était la Libye, la Numidie et les deux Mauritanies qui atteignaient les colonnes d'Hercule.

Toute cette Afrique de l'Ouest avait connu des temps meilleurs avant que les envahisseurs vandales ne l'arrachent à l'empire, comme l'Espagne qu'ils avaient conquise. Quant à l'Italie, depuis que Rome était tombée et que le centre du monde s'était transporté à Constantinople, elle moisissait dans un état effroyable, écartelée entre l'empire et les occupants goths, au point que Justinien disait qu'elle était devenue plus misérable que la Libye. De l'autre côté de l'Adriatique enfin, les opulentes provinces d'Illyrie, de Thrace, de Grèce, se voyaient convoitées par les Huns, les Bulgares et autres Barbares, pendant que les Slaves commençaient sournoisement à s'y infiltrer.

Et Justinien de poursuivre :

— Héritiers de Rome, nous restons la plus grande puissance du monde, se propageant de l'Atlantique à la Perse et couvrant trois continents. Longtemps, nous avons apporté au monde ordre et progrès avant d'être le pilier d'un ordre supérieur, celui de Dieu. Je compte reconquérir les provinces perdues, refaire l'unité de l'État, restaurer la grandeur et la gloire de l'empire, emblème du christianisme et de la civilisation face aux Barbares et aux païens.

J'aimais l'entendre parler ainsi, car il savait me convaincre. Il peignait l'empire non pas comme sa possession future, mais comme un héritage vivant et sacré qu'il fallait entourer, protéger, vivifier. Je lui répondais que n'étant pas nourrie d'histoire comme lui, je pensais moins à l'idée d'empire qu'aux hommes et aux femmes qui le faisaient, ces êtres de tous les rangs, de toutes les classes, de toutes les fortunes, de tous les métiers, de toutes les races. Je sentais le peuple, parce que je lui appartenais depuis ma naissance. Et ce peuple, j'étais résolue, à travers lui Justinien, à lui apporter prospérité et bonheur :

— Nous fondrons les objectifs, nous additionnerons nos forces et nous réussirons, car à nous deux, nous sommes invincibles.

— Si toutefois, j'accède au trône. L'empereur ne m'a pas désigné comme son successeur.

— Ne s'agit-il pas d'une formalité ?

— Non, Théodora, car il y a d'autres prétendants...

Vitalien, si inopportunément éliminé, n'avait pas été le seul. Proclus, le quaestor du Palais Sacré, la plus haute autorité judiciaire de l'empire, était un personnage tellement considérable que de nombreux conseillers de la couronne voyaient en lui l'héritier du trône. Mais surtout, il fallait tenir compte de Germanus, général prestigieux, grand seigneur généreux, orateur populaire qui avait su s'acquérir un nombre considérable de partisans dans le peuple, dans l'armée, à la Cour. Bien plus étroitement lié par ses affinités avec l'empereur, il avait incomparablement plus de chances que Justinien... d'autant plus que mon passé constituait un obstacle formidable.

Passara, ainsi que devait me l'apprendre Arsénius, répétait assez haut que jamais l'empereur Justin ne désignerait pour lui succéder le mari d'une putain. Ces révélations m'atterrèrent tout autant que mon aveuglement. Je me reprochai extrêmement d'avoir laissé échapper le problème vital de la succession au trône. Pour ma défense, je voyais le vieil empereur déléguer de plus en plus ses pouvoirs à Justinien, devenu le second personnage de l'empire, et j'avais négligé de chercher plus loin. Si je ne m'étais pas posé de questions, peut-être avais-je considéré comme certaine la succession du trône de Justinien, tout simplement parce que je la souhaitais ardemment.

Justinien se refusait à circonvenir l'empereur :

— Je veux lui laisser l'entière liberté de sa décision. Je le respecte, je lui suis reconnaissant de ses bontés et je continuerai à le servir lui et l'empire sans rien demander.

En fait, retenu par une timidité étrange, il ne savait

comment aborder son oncle. C'était donc à moi seule d'entreprendre. Ce qui d'ailleurs n'était que justice : j'étais le scandale, l'obstacle, je devais donc effacer l'un et supprimer l'autre, mais d'abord il me fallait donner du courage à Justinien :

— Désormais, tes ennemis sont les miens et je les pourchasserai bien plus implacablement que toi ; désormais tes amis sont les miens et je saurai les utiliser mieux que toi.

En cette année 526, Justinien avait été élu consul. Ce poste honorifique attribué annuellement n'était qu'une survivance désuète de la Rome antique. Le titulaire n'avait aucune influence, aucun rôle dans la conduite de l'État : « Profitons-en tout de même », conseillai-je à Justinien. En effet, la seule attribution du consul est d'organiser les jeux de l'hippodrome et de distribuer les largesses. Justinien dépensa deux cent quatre-vingt mille solidi d'or pour offrir au peuple les grands spectacles jamais vus. Un seul spectacle compte vingt lions et trente léopards tués. Le peuple, qui n'avait jamais vu un tel faste, encensa son consul. C'était peu, mais c'était un bon début.

Un matin, Indaro surgit écumante de rage dans ma chambre. Contrairement à moi, elle aimait se coucher tard. Elle rejoignait chaque soir son amant, un riche marchand avec des accointances, qui ne la ramenait qu'à l'aube, juste après l'ouverture des portes du palais. Donc la veille, ils avaient été dans une des maisons de jeux les mieux fréquentées de la capitale, où les fortunes changeaient de mains en un rien de temps. Au milieu de la nuit, une bande de bruyants jeunes gens avait fait irruption. Leurs longues queues de cheval, leurs vastes manches flottantes serrées aux poignets, leurs chaussures copiées sur celles des Huns les désignaient comme appartenant à la jeunesse dorée. Ils s'en étaient pris à Indaro et lui avaient fait les invites les plus grossières tout en repoussant brutalement l'amant. Visiblement, ils cherchaient la bagarre. D'insultes en

125

menaces, ils avaient tiré de courtes épées à deux tranchants qu'ils avaient dissimulées sous leur tunique bien que le port d'arme fût interdit. Indaro et son amant n'avaient dû leur salut qu'à la fuite. Je compatis et m'indignai avec mon amie qui, sa verve lancée, me raconta la suite.

Dans la rue, ils étaient tombés sur une des patrouilles chargées d'assurer la sécurité nocturne. Le sous-officier qui commandait avait bien vu entrer les voyous dans la maison de jeux et à leurs costumes avait reconnu des Bleus. Il s'excusa : il était impossible de toucher aux Bleus. Du coup, je fus tout attention et m'enquis de l'épilogue. Je n'eus pas besoin d'encourager Indaro. Elle brûlait de parler.

L'amant, qui avait de la suite dans les idées et se croyait le bras long, entraîna Indaro jusqu'à la préfecture et se fit introduire chez le nikteparkhos, le préfet de nuit, qu'il connaissait et auquel il se plaignit bruyamment. Cette haute autorité eut la même réaction que le sous-officier, il regretta : il ne pouvait rien contre les Bleus.

— Je vois que les instructions sont exécutées à la lettre, commentai-je.

La fureur d'Indaro se transforma en profonde stupéfaction. Je dus l'éclairer :

— Nous avons besoin d'un parti pour soutenir Justinien. Les Bleus, par leurs associations d'adhérents implantées dans tout l'empire, par leur pouvoir de faire crier tout l'hippodrome en faveur de ceux qu'ils veulent, sont naturellement désignés pour assurer sa propagande et intimider ses adversaires...

— Alors, tu leur as donné carte blanche pour brutaliser, vandaliser, voler, violer tout leur saoul ! s'indigna Indaro.

— Qu'ils s'amusent donc, pourvu qu'ils nous portent au pouvoir... Je déplore leurs excès, mais l'impunité est le prix de cet appui.

Divertir le peuple par des spectacles, enrégimenter les Bleus, c'était le travail de Justinien. Mon travail, c'était l'empereur Justin. Sa santé déclinante l'obligeait à consacrer moins d'heures au Conseil des ministres et aux cérémonies officielles. Aussi, tous ses loisirs je les remplissais. Le temps de nos parties d'échecs était dépassé. Je l'aidais accessoirement dans son travail, lisais, digérais pour lui des documents d'État dont il n'avait plus l'énergie de prendre connaissance, utilisais à sa place son fameux tampon-signature.

Les vieux messieurs étant toujours préoccupés de leur santé, je l'empêchais de manger des sauces trop lourdes, des épices trop fortes qui lui donnaient des humeurs et des étourdissements. Je soignais son affection à la jambe, résultat d'une vieille blessure qui le faisait boiter. J'avais trouvé un onguent plus efficace que ceux recommandés par ses médecins et je l'étalais moi-même sur la plaie.

Mais surtout il aimait parler, se raconter, et je manifestais le plus grand intérêt à ses récits. Certains, d'ailleurs, m'avaient captivée. L'empereur ne cachait pas la modestie de ses débuts. Simple paysan en Illyrie, il parvenait si mal à joindre les deux bouts qu'avec deux compagnons, eux aussi dans la gêne, ils avaient décidé d'abandonner leurs terres et de s'engager dans l'armée. Ils voyagèrent à pied, marchant depuis leur province jusqu'à Constantinople où ils étaient arrivés avec pour seule fortune une tranche de pain dans leur besace.

Justin d'ailleurs se considérait comme élu par la providence. Il me racontait comment une intervention — probablement divine — lui avait sauvé la vie. Du temps où il était soldat, il avait commis une faute si grave qu'il avait été emprisonné et condamné à être exécuté. Or, la nuit même, une créature de proportions monstrueuses était apparue au commandant qui l'avait jugé et lui avait ordonné de libérer le prisonnier. Évidemment, le commandant n'en fit rien. La nuit suivante, même rêve. Le surlendemain, le commandant, bien entendu, n'obtempéra pas. La troisième nuit, l'apparition menaça le commandant d'un sort si effroyable que celui-ci, dûment chapitré, relâcha le prisonnier, lui sauvant ainsi la vie. L'apparition avait d'ailleurs ajouté qu'un jour le commandant aurait bien besoin du simple soldat qu'il s'apprêtait à exécuter...

Mais l'anecdote préférée de Justin était son avènement au trône, qu'il racontait comme s'il s'était agi d'une bonne farce. Le vieil empereur Anastase à peine mort, le Sénat s'était réuni pour lui choisir un successeur ; le peuple avait envahi l'hippodrome afin de connaître son nouveau souverain. Un candidat au trône tenta de corrompre Justin en sa faveur et lui confia une somme considérable que Justin s'empressa de détourner à son profit pour acheter ses propres soldats. Ceux-ci apparurent dans l'hippodrome et, selon ses instructions, commencèrent à hurler divers noms. Le peuple, chaque fois, les rejeta avec des cris frénétiques. Une bagarre éclata entre les partisans des divers candidats. La violence, attisée par les soldats de Justin, s'intensifia. Il y eut des morts. Justin, lui-même, apparut dans l'hippodrome soi-disant pour ramener l'ordre. Comme par hasard, ses soldats se mirent à l'acclamer et le réclamèrent comme empereur. Il déclina pudiquement l'honneur, la foule se précipita vers le Sénat pour savoir qui avait été choisi et, voyant qu'aucun empereur n'avait été désigné, menaça d'enfoncer les portes. Les sénateurs affolés offrirent le trône à Justin qui, de nouveau, refusa. Le désordre ne fit que grandir, savamment orchesté par les partisans de Justin, jusqu'à ce que tous, soldats, sénateurs et peuple, supplient Justin d'accepter la couronne. Il acquiesça enfin, comme s'il se soumettait à la volonté populaire.

Mais Justin devenait carrément ennuyeux lorsqu'il se lançait dans ses souvenirs de guerre. Un jour où il me racontait pour la vingtième fois la compagne d'Isaurie, j'étouffai un bâillement et à cet instant précis, mon regard croisa celui d'un des deux gardes qui se tenaient aux portes, immobiles comme des statues et censés ne rien voir, ne rien entendre, ne rien manifester. Je distinguai une lueur amusée au fond de ses yeux bleus. Il paraissait très jeune, dix-huit ans à peine, mais précocement grand et fort. Il était très beau. Sa blondeur trahissait son origine barbare... Le lendemain, il n'était pas là et je fus étonnée moi-même d'en être déçue. Trois jours se passèrent avant que je ne le retrouve montant la garde. Nous n'échangeâmes aucun signe de reconnaissance mais je le sentais me jeter à la dérobée des coups d'œil.

J'appris qu'il était le fils d'un chef goth envoyé selon l'usage en otage à la Cour pour y être élevé. Il s'appelait Ruderic. Comme il paraissait être dégourdi et avoir du caractère, je me promis de m'occuper de sa carrière et de lui obtenir de l'avancement. J'avoue que les jours où il était de service, il me paraissait plus facile d'écouter le vieux Justin radoter.

Par contre, l'empereur m'intéressa prodigieusement, lorsqu'il me révéla le passé de Justinien, jusqu'alors recouvert d'un voile de mystère. Il le connaissait d'autant mieux qu'il était né dans le même village d'Illyrie, dans la même chaumière. Justinien avait été un enfant de paysan et son oncle l'avait fait venir à Constantinople à la mort prématurée de ses parents. Comme il ne voulait pas que son neveu souffrît de la même carence que lui, il lui avait fait donner la meilleure éducation. Puis, selon son vœu, Justinien avait commencé cette carrière militaire qui convenait si peu à son tempérament pacifique. Il était parvenu au rang d'officier dans le prestigieux régiment des Scholares. Ce fut alors qu'il changea de nom. A ma grande surprise, j'appris qu'il s'était jusqu'alors appelé Petrus Sabatus, du nom de son père, mais que probablement n'en trouvant pas la consonance assez noble, il avait choisi celui sous lequel je le connaissais. Ce détail me confirma combien mon mari pouvait avoir honte d'un humble passé.

Justin se préoccupait de laisser l'empire en de bonnes mains, mais je savais aussi qu'il craignait quelque part que son successeur ne portât ombrage à son règne et ne le rejetât dans l'obscurité. Chaque fois que son oncle me parlait de lui, j'en profitais pour lui rappeler les vertus de Justinien. Sérieux, appliqué, travailleur, bon administrateur, il n'avait d'autre souci que le bien de l'État, et j'insinuais que si Germanus devenait un jour empereur, ce brillant seigneur, sa noblissime épouse et la Cour éblouissante qu'ils tiendraient effaceraient jusqu'au nom d'un empereur paysan comme Justin. Tandis que si Justinien avait la possibilité de régner, sa modestie naturelle ferait que l'empire garderait éternellement le souvenir de son oncle...

Ce dernier argument dut trotter dans l'esprit embrumé par l'âge de l'empereur Justin, car il se décida enfin.

Trois jours avant Pâques de l'an 527, nous fûmes, Justinien et moi, tous deux couronnés. En tant que souverains associés puisque Justin était toujours vivant. Ce fut, je pense, la seule fois de ma vie où je me réveillai très tôt. L'appréhension, l'angoisse et en même temps l'impatience m'empêchèrent de dormir. Justinien, lui, gardait son calme habituel, toute sa personne traduisait un profond recueillement.

Dès l'aube, j'avais commencé à me préparer. La longue tunique de velours pourpre ornée de larges bandes de lamé or scintillait à chacun de mes pas. J'entremêlai mes cheveux avec des chaînes de perles et de pierreries qui cascadaient sur mes épaules. Je serrai autour de mon cou une sorte de carcan d'or enchâssé d'émeraudes et de saphirs et j'attachai à mes oreilles des boucles si lourdes qu'elles les étiraient.

Je voulais faire honneur à mon mari par mon apparence, et je me contemplai d'un œil impitoyable dans le miroir. Mes ennemis et les familiers du palais de Germanus affirmaient que j'étais une naine. Je compensai ma taille minuscule en me tenant si droite et en portant si haut ma tête que je semblais taillée dans le marbre. Menue, j'avais un aspect fragile qu'il me plaisait de souligner en portant d'énormes bijoux. J'avais les traits fins et le nez droit mais mes yeux constituaient à eux seuls ma principale parure. Immenses, légèrement étirés, ils semblaient des lacs sombres traversés d'éclairs. Mon teint restait trop foncé pour une mode qui continuait à préférer les blondes. Mon visage portait des traces presque imperceptibles d'une petite vérole attrapée dans mon enfance, que j'étais peut-être la seule à remarquer mais qui ne m'en déplaisaient pas moins considérablement. Ariane m'avait aidée à corriger une démarche trop rapide et trop raide. Cependant, malgré ces défauts, ce que je vis dans mon miroir me satisfit. Je plairais à Justinien.

Devant pour la première fois apparaître en pleine lumière devant la foule, je n'hésitai pas à exagérer mon maquillage et à entourer mes yeux de traits de khôl plus appuyés que d'habitude. Pour plaire aux fêtards qui fréquentaient *les Anes du Paradis* ou pour séduire un peuple, les mêmes artifices sont bons. Les nobles dames de l'aristocratie pouvaient me critiquer, au moins me verrait-on de loin.

Enfin, Justinien parut pour me chercher. Nous prîmes place dans le cortège de courtisans. Par les galeries et les cours du Palais Sacré, nous nous avançâmes entre deux haies de gardes en uniforme blanc, rouge et or, vers la basilique Sainte-Sophie.

Lorsque nous y entrâmes, il me sembla pénétrer un nuage d'or. D'or étaient les mosaïques des murs et des coupoles, les ornements des prélats, les tenues des dignitaires, d'or tamisée pas les brouillards d'encens était la lumière des myriades de cierges et de torches. Justinien me dit plus tard que j'avais pâli au point qu'il crut que j'allais tomber. Il me regarda, me sourit et ainsi me rendit mes forces. Pour pouvoir continuer, je ne le quittai plus des yeux. Jamais il ne m'avait semblé plus majestueux, avec sa tunique d'or, sa ceinture scintillante de pierreries et d'émaux. C'était la première fois qu'il portait les chaussons rouges à aigles impériales.

Nous montâmes sur l'ambon, situé au milieu de la basilique, des milliers et des milliers de regards convergèrent sur nous. Le patriarche s'approcha, il mit sur les épaules de

Justinien le grand manteau de pourpre. Il saisit sur un autel portatif la grande couronne à pendeloques et l'en coiffa. Le nouvel empereur, croix en main, assista à l'office divin.

Au moment où les saintes espèces furent portées en procession, les diacres s'agenouillèrent devant lui et lorsqu'il prit la tête de la procession et salua le patriarche, pour la première fois, celui-ci lui rendit son salut. Car il était devenu l'Élu de Dieu, le Champion de Dieu, le Vicaire de Dieu sur terre, roi et prêtre, et il recevait le titre d'Isapostolos, l'égal d'un apôtre. « Ce n'est pas dans mes armes, ni dans mes soldats, ni dans mes généraux, ni dans mon propre génie que j'ai confiance, déclara-t-il, c'est dans la providence de la Sainte-Trinité que je mets tout mon espoir. »

La communion s'acheva. Le moment, mon moment approchait. J'eus une soudaine vision des difficultés, des épreuves, des efforts qui m'attendaient, et néanmoins ce fut d'un pas assuré que je pénétrai dans ma nouvelle vie car j'étais consciente de beaucoup vouloir et de beaucoup pouvoir, et habitée par la certitude d'être soutenue par Dieu et par Justinien. Je m'avançai indifférente au poids inhumain de mes joyaux et de mes brocarts et je m'agenouillai devant lui. Il s'empara sur l'autel d'une seconde couronne, plus petite que la sienne, mais étincelante de pierreries, et la déposa sur ma tête. Il le fit si légèrement que je ne la sentis pas d'abord peser. J'avais envie de pleurer, de rire. Je tremblais, je rayonnais, tout cela intérieurement, car extérieurement je restais figée, incapable de me relever, comme si une chape de plomb me maintenait au sol. Alors je vis une main qui se tendait, celle de Justinien, je mis la mienne dans la sienne, et aussitôt je me relevai. Couronnes en tête, manteaux de pourpre sur les épaules, nous nous fîmes face et nous restâmes un long moment à nous regarder.

Après Dieu, le peuple. Au sortir de Sainte-Sophie, nous nous rendîmes, selon l'usage, directement à l'hippodrome, pour nous présenter aux habitants de Constantinople.

Pendant que les acclamations montaient vers nous, je me rappelais la pauvresse maigrichonne et insultée qui s'était tenue, tremblante, devant ce kathisma où je trônais désormais. J'avais eu le loisir de réfléchir au chemin parcouru et à ceux qui l'avaient balisé pour moi. Je m'étais souvent interrogée sur l'itinéraire rude et sinueux qui, quelques années plus tôt, m'avait ramenée à Constantinople. Je doutais que la mission dont m'avait chargée le patriarche Timothée eût été réellement si importante ni que ma rencontre avec Macédonia eût été vraiment fortuite. Malgré la sincérité et la spontanéité de l'amitié qui nous avait unies, elle ne s'était pas approchée de moi sans arrière-pensée, et c'était délibérément qu'elle m'avait entraînée dans le monde où j'avais oublié ma vocation. Encore avait-il fallu que mes supérieurs se fussent montrés bien indulgents à mon égard.

J'avais l'impression que depuis mon départ d'Alexandrie jusqu'à ma première rencontre avec Justinien, j'avais subi les yeux bandés des épreuves initiatiques. J'avais longtemps cherché à savoir qui avait renseigné Macédonia sur l'ancienne appartenance des miens au parti des Verts. Un seul homme aurait pu le faire qui avait connu tout de mon passé, le patriarche, Timothée. A la réflexion, le fait que le saint prélat et la danseuse à réputation douteuse eussent quoi que ce soit en commun n'était pas tellement invraisemblable. Le chef d'une minorité religieuse menacée voulait empêcher le déchaînement des persécutions contre ses ouailles et pour cela était prêt à faire feu de tout bois. Et ce bois n'avait été autre que la ravissante idole du public antiochien, en réalité une tête politique qui n'avait songé qu'à étendre la puissance des Bleus — son parti — et la sienne propre. Tous deux s'étaient entendus pour me manipuler.

Or, malgré les apparences et les pressions, je n'avais pas été un instrument. Je m'étais trouvée là où il fallait au bon moment, et si j'avais bénéficié de la chance, c'était que j'avais su la provoquer. Ce n'était ni les cabaleurs ni le hasard qui asseyaient une ancienne courtisane sur le trône impérial. Je l'avais gagné de haute lutte en pliant les hommes, les événements et même le destin à ma volonté.

Quelques jours plus tard, la nouvelle impératrice fit l'honneur inédit de rendre une visite d'adieu au plus jeune général de l'empire, à Bélisaire, qui repartait se battre en Arabie, contre les tribus révoltées. Il habitait la 11e région, un quartier s'étendant le long du petit fleuve, le Lycus, où poussaient les nouveaux palais, et presque aussi élégant que la 10e région. Tout le voisinage était aux fenêtres lorsque le cortège s'arrêta devant la demeure de Bélisaire. Elle était petite mais exquise, avec sa cour bordée de colonnettes en marbre et ornée en son centre d'une fontaine délicatement sculptée dans le porphyre.

Bélisaire, comme c'était l'usage, avait convoqué parents et amis pour m'accueillir. Je ne pus refréner un mouvement d'humeur en reconnaissant parmi eux Antonina. Elle avait donc fait son chemin depuis que je l'avais chassée de ma présence. Elle ne parut pas m'en tenir rigueur et se courba devant moi plus profondément, plus gracieusement que toutes les autres. Bélisaire me mena au premier étage dans la salle de réception de la maison d'hiver.

Pendant qu'il me faisait les honneurs de sa demeure, je me laissai une seconde fois émouvoir par cette beauté drue et franche, cette virilité sans cesse exposée. L'image qu'il m'avait laissée depuis notre première rencontre avait chassé mon ressentiment contre lui et j'étais venue, poussée par l'impulsion, si dangereuse dans ma position.

Une fois les sucreries et les rafraîchissements offerts, nous restâmes en tête à tête, et je formulai ce que j'étais venue lui dire. Je n'ignorais pas qu'au début il m'avait manifesté une certaine hostilité. Je lui offrais de l'oublier comme moi-même je l'oublierais. Ma porte lui resterait toujours ouverte et je serais heureuse de l'assister en toutes circonstances. J'utilisai toutes les séductions pour plaider non plus ma cause mais la sienne. Je ne voulais pas, en effet, être contrainte de devenir l'adversaire de l'ami de l'empereur, du défenseur de l'empire, car c'était lui qui en aurait pâti. Pendant que je parlais, il me dévorait des yeux, mais, derrière l'admiration de l'homme pour la femme, il y avait dans son regard un mépris qui me désarçonna. Je ne lui demandai pas moins de me servir fidèlement, ce qui équivaudrait à servir l'empereur auquel il professait d'être dévoué jusqu'à la mort. Bélisaire se raidit :

— Je suis au service de l'empire et non pas de l'impératrice.

Décidément, il était peut-être un bon militaire mais il se montrait par trop obtus. Je cachai mon irritation sous des gracieusetés, mais je ne m'attardai pas et en partant je lui glissai :

— Un conseil, général, méfiez-vous de cette Antonina qui vous couve des yeux. Si vous vous frottiez par trop à elle, vous pourriez un jour le regretter.

Là aussi, il ne parut pas comprendre.

Plusieurs jours durant, le visage de Bélisaire me hanta et ce souvenir me rendit d'humeur exécrable.

La plaie à la jambe de l'empereur Justin s'envenima. La gangrène gagna tout le corps et il en arriva en quelques semaines à la dernière extrémité. Justinien et moi assistâmes à son agonie. La pièce était remplie de courtisans immobiles attendant l'inévitable, de médecins accablés par leur impuissance et de prêtres marmonnant des extrêmes-onctions. L'encens qui s'élevait de brûle-parfum couvrait à peine la puanteur de la pourriture des chairs. Nous nous tenions tous deux au pied du grand lit aux couvertures de pourpre. Le corps plein de vigueur s'était décharné, le visage jeune et rose, devenu gris, s'était creusé. L'opium qu'on lui avait donné pour calmer ses intolérables douleurs l'avait plongé dans une sorte de stupeur. Son pouls baissait. Je savais que je regretterais le vieux militaire qui trichait aux échecs et qui avait contribué à mon envol.

Pourtant je regardais le décor féerique de la chambre impériale qui bientôt serait la nôtre : l'immense croix verte sur fond or occupait le centre de la coupole du plafond, le paon déployait ses plumes sur la mosaïque du sol, d'autres mosaïques figurant de grands bouquets de fleurs égayaient les parois, puis, tout en haut, s'alignaient les portraits des défunts occupants, empereurs et impératrices depuis longtemps oubliés. Alors, je compris que cette somptuosité inégale ne m'appartiendrait jamais et que je n'en serais que la dépositaire, comme je ne serais que l'occupante éphémère de cette pièce à laquelle je me promis néanmoins d'ajouter nos effigies.

Dans quelques instants, dans quelques heures, ma vie et celle de Justinien allaient basculer. Il s'était préparé à la tâche précise qui l'attendait en apprenant tout, moi je m'étais préparée à tout sans rien connaître. Lui avait sa culture, sa formation, moi j'avais mon instinct. Lui était sûr de lui-même et moi j'étais sûre seulement de lui. Je savais qu'il continuerait à être comme par le passé sobre et doux, insatiable dans sa soif de justice, simple et modeste. Je ne doutais pas qu'il serait un très grand empereur.

Il dut deviner le cours de mes pensées, peut-être parce qu'elles rejoignaient les siennes, car il se pencha vers moi et me glissa :

— Lorsque bientôt je me trouverai en face de mon peuple, ce sera non seulement par décret du destin mais parce que, sans l'admettre vraiment, j'ai toujours su qu'un jour cette tâche m'écherrait. J'ignorais seulement qu'il se trouverait à mes côtés un être, une femme pour m'aider à en porter le poids. Grâce à toi, ma responsabilité deviendra un privilège.

Les lourds rideaux de velours brodé, tirés comme toujours par précaution en cas de maladie, rendaient l'atmosphère irrespirable. J'ordonnai de les ouvrir, et pas un courtisan, pas un médecin n'osa protester. Alors un jour radieux entra, inonda la pièce et fit briller l'or des mosaïques. Au fond notre mariage avait été l'union de deux volontés, de deux complicités politiques, de deux passions du pouvoir. Le lien le plus fort qui nous unissait, un lien d'ailleurs peut-être inconscient, était la similarité de nos origines. Nous n'avions pas à nous expliquer l'un à l'autre nos motifs ou à les excuser. Nous pouvions nous sentir à l'aise ensemble car nous étions tous deux de la même étoffe. Alliés dans l'aventure, nous nous étions lancés avec jubilation sur la même voie. Nos attaches étaient plus puissantes que la passion ou l'amour, car elles s'étaient tissées de camaraderie, d'une communauté d'intérêts, de complicité intellectuelle et de méfiance envers tous les autres...

A midi, l'empereur Justin cessa de respirer. Justinien et moi étions devenus les souverains du plus grand, du plus puissant, du plus bel empire du monde.

Deuxième partie

Chapitre 9

J'étais devenue « la Gloire de la Pourpre, la Joie du Monde, la très pieuse et très heureuse Augusta, la Vassilissa aimée de Dieu ». Je logeais désormais au gynécée, l'aile réservée à l'impératrice, dont l'empereur d'ailleurs partageait l'appartement privé, mais il travaillait dans une autre aile du palais de Daphné.

L'empereur avait désigné ma Maison, contrepartie de la sienne. Mon praepositus ou grand chambellan commandait à une foule de chambellans, de référendaires, d'huissiers et de silentiaires, ces derniers étant chargés d'imposer silence en ma présence en signe de respect. J'avais mes propres gardes, chacun choisi soigneusement parmi les eunuques du palais. Mon grand maître et mon chef goûteur s'occupaient de ma table. Ariane, que j'avais fait nommer ma grande maîtresse, se voyait gratifiée du titre charmant de patricienne de la guirlande. Avec mon protovestiaire, elle gouvernait des régiments de dames et de demoiselles d'honneur choisies pour leur irréprochable vertu. Toutes portaient robes d'or, manteaux blancs et longs voiles sur une coiffe en forme de tour. Je tenais à cet imposant service d'honneur, fort encombrant et même inutile, pour garder le prestige de ma position. Ainsi n'hésitai-je à doubler le nombre de mes femmes.

A être constamment entourée, j'eus désormais l'impression

de vivre en public. Mais dans mon enfance, la misère ne nous forçait-elle pas à être les uns sur les autres ? Désormais, les courtisans remplaçaient les voisines, et la promiscuité n'avait guère changé. J'assistais à certaines cérémonies de la Cour. Je sortais aussi parfois du Palais Sacré pour aller, entourée d'un nombreux cortège, visiter quelque église ou couvent. Mais la plupart du temps l'usage voulait que l'impératrice demeurât dans le gynécée. Ses occupations dépendaient de son initiative et son pouvoir de sa personnalité. Je regrettais la liberté de la rue à laquelle j'avais été accoutumée, cependant c'était là le prix que je devais payer pour avoir été couronnée.

Je commençai par égaliser le terrain autour de moi. Je supprimai les dîners de famille, comme celui auquel j'avais assisté lors de ma présentation au palais. Je n'avais aucune envie de recevoir Germanus, Passara et leur clan pour que, derrière moi, ils me critiquent encore plus. Le moins ils viendraient au Palais Sacré, le mieux ce serait. Je demandais comme faveur à Justinien de relever son cousin de son poste de maître des soldats de Thrace. Dépouillé de son autorité, ses intrigues seraient moins dangereuses.

En don de joyeux avènement, j'offris un mari à Comito, un militaire d'avenir nommé Sitas... concurrent direct de Bélisaire, que je plaçai au poste clé de maître des soldats d'Arménie. Je décidai aussi de marier ma fille Irène, opération qu'Indaro négocia pour moi. Elle trouva un jeune homme de bonne famille, agréable à regarder, aimable de caractère, qui accepta d'épouser une orpheline à l'origine inconnue à cause de sa dot fabuleuse. Je lui donnai de très vastes terres en Carie, une des provinces les plus belles de l'empire, aux terres fertiles, agrémentées par la proximité de la mer, où elle et son mari mèneraient la vie la plus agréable... loin de Constantinople, loin de moi.

J'avais souvent pensé à Macédonia avec qui j'entretenais une correspondance qui s'était espacée depuis mon mariage. Elle avait été mon amie, mais une impératrice n'a pas le droit d'en avoir. Elle aurait pu se croire mon démiurge mais Théodora n'en avait aucun, sinon elle-même. Ce fut Arsénius lui-même que j'envoyai à Antioche, car je n'aurais confié à personne d'autre la mission dont il était chargé. Il offrit à Macédonia de ma part une somme colossale et d'immenses propriétés en Cilicie contre son silence et une vie d'obscurité. Arsénius, lorsqu'il fut de retour, me raconta la réaction de la danseuse. Si elle avait été étonnée, elle n'en avait rien laissé paraître. Elle eut son sourire le plus charmant avant de lui déclarer : « La vie mondaine de la métropole m'ennuie. J'ai soif d'une existence campagnarde. Tu diras à l'impératrice que mon seul désir sera de toujours la satisfaire, et tu ajouteras que je ne cesserai de prier pour son bonheur. »

Le lendemain même, elle avait fait ses paquets et sa disparition fut si rapide qu'elle engendra les plus extravagantes spéculations. La présence d'un amant chéri adoucit son exil doré mais n'expliqua pas son départ. En fait, la sagesse l'avait inspirée et elle me connaissait trop bien pour ne pas me craindre.

Nous étions montés sur le trône pleins de bonne volonté, prêts à nous mettre au travail avec ardeur pour le bien de l'empire. Or tout de suite nous fûmes assaillis, battus, giflés par une série de conflits et de catastrophes comme par une de ces brusques et terribles tempêtes qui soulèvent le Pont-Euxin. En Italie, nous avions cru que la paix avec les Goths, nos tenaces adversaires, se profilait enfin à l'horizon, car leur nouvelle reine, Amalasunthe, cherchait un rapprochement lorsqu'un coup d'État l'écarta soudain du pouvoir. A partir de l'Afrique, les Vandales dominaient toute la Méditerranée occidentale et constituaient pour nous une menace directe. A l'autre bout de l'empire, les Perses, nos ennemis séculaires, multipliaient des sourires engageants qui cachaient autant de dangereuses machinations. Leur grand roi, pour assurer sa couronne à son troisième fils, le favori, Chosroes, offrait à Justinien de l'adopter, cette anomalie s'étant déjà rencontrée dans le passé. Mon mari y vit l'occasion de restaurer l'autorité de l'empire dans cette partie du monde et ce fut moi qui dus l'arrêter au dernier moment : « César, lui demandai-je, ce fils adoptif ne pourrait-il pas un jour réclamer l'héritage de son père, c'est-à-dire l'empire ? » Justinien vit le piège dans lequel il avait manqué tomber. Pour calmer le grand roi, il lui envoya une pompeuse ambassade, surchargée de splendides cadeaux, et désigna pour la conduire Hypatius, neveu de l'empereur Anastase et vieille baderne. Il ne réussit pas à convaincre le grand roi qui, furieux, commença une série d'incursions meurtrières dans l'empire. Il fallut envoyer à nouveau Hypatius, non plus en ambassadeur, mais en général. Il se fit piteusement battre, échouant tout autant dans la guerre que dans la paix.

Comme si la politique ne suffisait pas, voilà que la nature nous agressait. Antioche subit le plus terrible séisme depuis des siècles qui fit deux cent cinquante mille morts. L'atroce nouvelle remua chez moi de vieux souvenirs et j'en pleurai. Laodicée, Amasée furent aussi détruites par des séismes auxquels s'ajouta bientôt une sécheresse, la plus dramatique depuis des décennies, qui répandit aussitôt dans tout l'Orient la menace d'une famine.

Les Samaritains, ces Juifs dissidents, se révoltèrent, massacrèrent nos garnisons et proclamèrent un usurpateur qui eut l'audace de nous singer. En un instant, la Palestine fut à feu et à sang. Les hérésies posaient d'insolubles problèmes à Justinien qui, vicaire de Dieu sur terre, se voulait strict catholique : « Il est juste, répétait-il, que ceux qui n'adorent pas Dieu de la façon correcte soient privés d'avantages terrestres. » Pouvait-on pour autant pourchasser les Aryens, alors que tant de mercenaires goths de nos armées suivaient ce dogme ? Pouvait-on condamner les païens, alors que tous les professeurs de l'université d'Athènes, la plus prestigieuse, la plus vénérable, la plus ancienne de l'empire, l'étaient restés ? Pouvait-on brûler des manichéens, alors que tant d'hommes et de femmes de la plus haute société, l'élite de l'empire, avaient adopté cette déviation ? Enfin, l'Église catholique et l'Église monophysite échangeaient des encycliques meurtrières et malgré tous les efforts de l'empereur aucun terrain d'entente ne pouvait être trouvé.

Nous n'avions pas eu le temps de commencer à gouverner que nous risquions déjà d'être déracinés. Justinien, lui, gardait intact son sang-froid. Il ne songeait qu'à réaliser son vieux rêve et à entreprendre sa grande œuvre : la réforme législative.

Malgré la gravité des événements, je garde le souvenir heureux de l'époque où il travaillait avec enthousiasme et acharnement à la refonte des lois avec la Commission qu'il avait nommée à cet effet. « Le peuple, m'expliqua-t-il, ne peut plus s'y retrouver au milieu de cette profusion de dispositions entassées siècle après siècle. Je veux leur rendre la loi simple, claire, accessible. Je veux tailler un chemin à travers cette jungle d'erreurs et de contradictions, et sortir de cet inextricable écheveau. » Plus il y avait d'ouvrage à abattre, plus il était content. Et c'était presque avec bonheur qu'il évoquait les deux mille ouvrages qu'il fallait compiler, les trois millions de lignes qu'il était nécessaire de réduire. Il n'avait que la législation en tête, il y pensait nuit et jour, et même dans nos moments d'intimité il m'en parlait. Je le comparais en plaisantant à un bûcheron de la casuistique. En riant, il me reprochait de ne rien comprendre aux lois parce que je n'étais pas habituée à les respecter. Et pourtant, son enthousiasme était communicatif. Il savait donner de la vie à ce corps inerte d'édits, traduire en langage transparent ce charabia et transformer ce sujet ennuyeux en passionnante aventure. Je réalisai qu'il bâtissait une œuvre immortelle, et il me donna l'ambition d'y contribuer, et de laisser mon propre nom dans l'histoire afin que la postérité répète qu'à côté de Justinien, il y avait eu une femme.

Pour ajouter une pierre à l'édifice sans prendre de son précieux temps, j'imaginai de convoquer le responsable de ce mouvement, le maître d'œuvre de cette refonte. Il s'appelait Jean de Cappadoce. Ce petit fonctionnaire avait su, par ses extraordinaires capacités, attirer l'attention de Justinien qui lui avait fait rapidement gravir les échelons jusqu'à le nommer préfet de la ville, c'est-à-dire en fait chef du gouvernement. Il était d'humble extraction, et n'avait aucune culture. Justinien se moquait des fautes qu'il accumulait en latin, et il écrivait le grec beaucoup plus mal que moi. Autant de titres à ma sympathie.

Il commença par arriver en retard. Je vis entrer un gros homme blafard, au nez épais et crochu, aux doigts boudinés et couverts de bagues voyantes, à la tunique de soie maculée de taches. J'accueillis gracieusement le conseiller favori de l'empereur. Il exécuta ses trois prosternations, comme s'il s'agissait d'un effort insupportable, en soufflant bruyamment, et même en se relevant, il éructa. Je me demandai s'il était ivre, car on disait qu'il buvait beaucoup.

Dominant ma répugnance, j'abordai le sujet qui me tenait à cœur et je lui fis part de mes réflexions sur certaines dispositions envisagées dans le Nouveau Code.

— La loi, c'est pour les hommes, pas pour les femmes, me coupa-t-il avec rudesse.

M'exhortant à la patience, j'évoquai la protection des courtisanes et la suppression des lenos. Jean de Cappadoce éclata de rire.

— Les lenos sont aussi utiles au fisc qu'à la société. Sans eux, pas de courtisanes. Sans elles, ce serait la fin de la civilisation.

Là encore, je ne perdis pas mon calme et je réclamai son aide pour le couvent que je voulais fonder, destiné à recueillir les courtisanes repenties. Il continua à ironiser :

— Les pauvres filles, elles se sentiront en prison là-bas, et elles chercheront à s'échapper par tous les moyens. Elles sont bien plus heureuses en liberté.

Puis il prétexta que l'empereur l'attendait et se retira sans attendre que je lui aie signifié son congé.

J'en fus donc réduite à faire avancer mes projets sans le soutien de personne. Un coup d'audace suffirait pour frapper les imaginations. Sur mes ordres, la garde ramassa autant de courtisanes et de lenos que pouvait en contenir la grande salle du gynécée. Entourée de ma Maison au grand complet, je me voulus plus majestueuse que d'habitude, arborant mes plus riches bijoux, et drapant soigneusement les plis de mes brocarts sur les marches du trône. Courtisans et spécimens des bas-fonds se dévisageaient, médusés de se retrouver face à face. Les mines patibulaires des lenos ne m'impressionnaient pas, j'y étais habituée. Mais je regardais le cœur saignant les filles, trop maquillées, avec leurs haillons voyants, qui prenaient des poses insolentes et prétendaient ne pas être intimidées.

— L'État a nommé des magistrats pour punir les voleurs et les pilleurs. N'est-il donc pas raisonnable de poursuivre ceux qui ont volé l'honneur et dépouillé la chasteté ?

Ainsi commençai-je mon exhortation pour finir par demander aux lenos combien ils avaient acheté les malheureuses. Pas un n'osa ouvrir la bouche.

— Combien ? hurlai-je, et je leur lançai une grêle d'injures dont la grossièreté délia leur langue même si elle offusqua mes courtisans.

— Cinq solidi d'or, c'est le cours actuel, avoua l'un d'entre eux.

Plus cher qu'autrefois, pensai-je. Mon lenos ne m'avait payée que deux solidi. Je rachetai toutes les filles présentes, puis chassai les lenos, leur enjoignant de trouver un autre métier. Je fis distribuer à chacune des filles un solidi d'or, une nouvelle tunique et je les renvoyai chez leurs parents.

Justinien, informé de cette scène, m'admonesta :

— Le Palais Sacré n'est pas la taverne des *Anes du Paradis*, l'ironie teintée de bienveillance étant sa marque.

— Il fallait bien que je prenne les choses en main. Lorsque je parle à ton préfet de la ville, il ne m'écoute pas.

J'en profitai pour lui soutirer une loi expulsant les lenos de la capitale, un décret m'accordant un terrain sur la rive asiatique du Bosphore afin d'y construire un établissement destiné à recevoir les courtisanes repenties. Je fis même ajouter au Code une disposition législative mettant fin à la condition inférieure des actrices et leur donnant égalité avec les autres citoyennes. On aurait pu soutenir que mon passé défilait à travers ces mesures. Qu'importe ! Je ne parlais que de ce que je savais et je n'intervenais que sur un terrain connu. L'empereur applaudissait, encourageait mes initiatives sans me le dire mais en m'accordant tout ce que je lui demandais.

Depuis dix-huit mois, lui-même fouettait le zèle de ses législateurs, les stimulait par la pertinence et la profondeur de ses commentaires. Grâce à cette vigilance, le prodige se réalisa en un temps record.

Bientôt fut publié le nouveau Code qui devait légitimement porter le nom de Justinien, une œuvre législative phénoménale, qui n'avait jamais eu son pareil depuis les origines de l'histoire. Il m'accordait l'honneur de me nommer dans le préambule et d'y affirmer, face à la postérité, qu'avant de prendre ses décisions il s'entourait des conseils de « la très vénérée épouse » que Dieu lui avait fait la grâce de lui donner.

Cette reconnaissance officielle de l'aide modeste que j'avais pu lui apporter, cette caresse à ma vanité ne me permirent pourtant pas d'oublier le camouflet infligé par Jean de Cappadoce. Je ne m'abaissais pas à me plaindre à l'empereur de son favori, d'autant que le Code à peine publié, une véritable boulimie de travail l'anima. Sobre et frugal par nature, il dormait et mangeait à peine. Lorsque je me couchais, épuisée de l'attendre, c'était l'heure où, ses collaborateurs repartis, il se plongeait dans ses dossiers. Il travaillait pratiquement seul, la nuit, car par considération il forçait ses secrétaires à rentrer chez eux.

Le matin, lorsque j'ouvrais les yeux, je le trouvais souvent qui m'avait rejointe dans notre chambre aux petites heures, en prenant toutes les précautions pour ne pas me réveiller. Il était déjà levé, assis en tenue de nuit devant une table volante, il rédigeait des instructions, annotait des décrets de sa grande écriture dont l'encre rouge réservée à l'empereur relevait l'élégance.

Comme il avait à peine le temps de m'informer des réformes dans lesquelles il s'était jeté et qui portaient sur tous les sujets, à nouveau je convoquai Jean de Cappadoce pour me tenir au courant. Il ne vint pas, sans même prendre la peine de s'excuser. Cette nuit-là, j'avalai force tisanes de Saint-Chrysostome car je tenais à rester éveillée jusqu'à l'arrivée de Justinien. Lorsqu'il fut couché à mes côtés, je lui demandai innocemment si le ministre l'avait bien secondé ce soir-là. Il me répondit que Jean de Cappadoce, épuisé, était depuis longtemps parti se coucher.

— Avec une fille ou un gitan, répliquai-je. Tu devrais savoir qu'il ne dort jamais. Je m'étonne qu'il ne soit pas resté pour t'aider, César.

Et je lançai mon attaque contre le favori. Pour ce premier assaut, je n'utilisai que des armes légères. Je dénonçai sa grossièreté, son ivrognerie, sa gloutonnerie, sa débauche et sa corruption. Justinien se releva à demi et, le coude appuyé sur un coussin de pourpre, me dit presque avec sécheresse :

— N'apprécies-tu donc pas l'œuvre de Jean ? Il a plongé dans le guêpier de l'administration, il en a réduit les effectifs gonflés par des siècles de favoritisme, il a osé monter à l'assaut des forteresses que sont la corruption et la vénalité des offices. Si je veux poursuivre ma politique et ne pas être une marionnette couronnée, il fallait donner un coup de balai dans cette armée de scribes, de notaires, de sous-secrétaires, de cartulaires et autres fonctionnaires. Par ailleurs, il remplit les caisses de l'État en faisant rentrer les arriérés, en diminuant les dépenses. Il a eu l'audace inconcevable de répartir plus justement les taxes et d'en faire porter principalement le poids aux riches. Il a mis fin à leurs privilèges, à leur immunité, à leurs abus. Bien sûr il y a des protestations, des criailleries, bien sûr Jean s'est fait des ennemis, mais qui sont-ils ? Les aristocrates. Prendrais-tu leur parti ? Les défendrais-tu ?

Jamais je n'avais vu Justinien si véhément. La discussion était inutile.

— J'espère, César, me contentai-je de lui dire, que jamais Jean ni aucun autre ministre ne s'interposeront entre toi et moi.

Comme l'avait prévu l'empereur, la tempête qui nous avait secoués au début de notre règne se calma aussi soudainement qu'elle s'était déchaînée. En Afrique, un nouveau roi des Vandales monta sur le trône, dont la mère avait été une princesse byzantine. Aussi se proclama-t-il citoyen de l'empire et les provinces africaines revinrent d'elles-mêmes dans notre giron. La révolte des Samaritains put être matée au prix fort de sang et de ruines, mais le calme se rétablit en Palestine. L'empereur, après d'innombrables tentatives, réussit enfin à réunir autour de la même table des représentants de l'Église catholique et du monophysisme. Il présida lui-même la séance inaugurale. Enfin, un messager haletant apporta la nouvelle que nous attendions depuis si longtemps ; la mort du grand roi des Perses. Son successeur désigné, son troisième fils, Chosroes, se trouvant aux prises avec d'autres prétendants, ne pouvait mener simultanément la guerre contre nous et demanda à négocier. L'empereur s'empressa de lui envoyer une ambassade, et bientôt fut signé avec lui un traité qui, selon la propre expression du Perse, devait être celui de la Paix Éternelle.

La fin de la guerre mit en disponibilité Bélisaire qui revint à Constantinople. Je ne tardai pas à apprendre, par les bruits de la Cour, qu'il s'était épris à la folie d'Antonina et qu'il l'aurait bien épousée s'il n'avait craint ma réaction. Je les reçus tous les deux en audience privée. Ils entrèrent comme si j'allais les dévorer incontinent. Antonina s'accrochait au bras de sa proie et s'était composé un personnage de vierge tremblante. Je crus qu'elle irait jusqu'à feindre l'évanouissement et qu'elle ne se relèverait pas de sa prosternation. Au moins n'avait-elle pas hésité à viser haut et grand. Massif, superbe, ses yeux plantés dans les miens, Bélisaire semblait vouloir faire un rempart de son corps pour protéger Antonina, mais je sentais qu'il n'en menait pas large. Le benêt n'avait probablement pas résisté au numéro de la veuve noble et sans défense, sans se rendre compte qu'une dame respectable ne connaîtrait certainement pas les méthodes intimes qui l'envoyaient au septième ciel. Je laissai passer quelques instants de silence pour faire monter leur anxiété, puis je leur annonçai que je voulais leur bonheur. J'aurais été navrée d'être un obstacle à leur hyménée. Non seulement je l'autorisais, mais je l'appelais de tous mes vœux. La gratitude les jeta à mes pieds et ce fut un couple radieux qui se retira.

A Indaro, qui dans l'intimité du gynécée se gaussait de ce mariage ridicule, je tus mes sentiments, mais je souris intérieurement, car elle disait exactement ce que je souhaitais entendre.

Chapitre 10

Fin 531, un étrange phénomène se produisit. Pendant plusieurs jours le soleil pâlit, puis une nuit, la comète apparut. Comme toute la ville, nous montâmes, Justinien et moi, sur notre terrasse pour l'admirer. Une boule de feu traversait lentement le ciel, laissant derrière elle des traînées scintillantes et nous demeurâmes longtemps, emportés par la beauté du prodige. Il se reproduisit le lendemain et les jours suivants. Nos astronomes le connaissaient. Ils avaient en effet calculé que la comète avait déjà visité la Terre quatre fois lors de ses révolutions qui duraient chacune cinq cent soixante-quinze ans. Nos astrologues, eux, y virent le prélude de grands bouleversements d'où naîtrait un nouvel âge d'or, mais leur mine, en m'annonçant cela, ne me convainquit pas. Je fis alors venir Photini, la voyante de mon adolescence. Elle ne s'était pas trompée en prévoyant mon avenir, dont la vision l'avait jetée à mes pieds et fait baiser mes guenilles. Elle m'avait alors demandé une seule faveur : me rappeler d'elle plus tard, et je tenais ma promesse. Les membres de ma Maison commençaient à s'habituer aux visiteurs inhabituels du gynécée.

Photini arriva, couverte d'oripeaux bariolés d'une saleté repoussante, se dandinant sur ses courtes et grasses jambes. Elle ne parut pas étonnée de se retrouver devant l'impératrice. Elle l'avait prévu. Je l'interrogeai sur la comète. Elle me répondit qu'elle n'arrivait rien à voir. Peut-être ne le voulait-elle pas. Mais elle ajouta que le peuple s'attendait à d'effroyables calamités... « Le peuple est mécontent, le peuple gronde », ajouta-t-elle. Bien que je refuse de m'alarmer, mon malaise persista plusieurs jours.

Un dimanche du début 532, malgré le froid et l'humidité, l'hippodrome se retrouva comble. J'avais pris place derrière les fenêtres grillagées de l'église contiguë de Saint-Étienne. Le peuple, en effet, ne souhaite pas voir souvent l'impératrice en public. Femme, elle doit rester au foyer, c'est-à-dire au gynécée. Je percevais dans l'atmosphère une tension, une hostilité presque palpable qui m'inquiétait. La veille, la ville avait été de nouveau ensanglantée par un de ces incidents désormais coutumiers mais qui, cette fois-ci, avait pris des proportions inattendues puisqu'il avait provoqué la mort de plusieurs dizaines de personnes. La population entière, et les Verts plus fort que tout le monde, accusaient les Bleus. Depuis notre accession au trône, ces derniers avaient tendance à croire qu'ils avaient fait un empereur, et leur insolence avait peu à peu échappé à tout contrôle. C'était désormais des bandes de brigands qui terrorisaient les habitants... et surtout leurs vieux ennemis, les Verts. Or ceux-ci commençaient à en avoir plus qu'assez d'être malmenés, pillés, trucidés...

Annoncé par les sonneries des trompettes et précédé par les gardes à panache rouge, l'empereur parut dans le kathisma, la grande loge impériale.

Aussitôt, depuis les gradins qui leur étaient réservés, les Verts se mirent à siffler, malgré le silence total que respect et protocole imposent en présence de la personne sacrée du souverain, ce qui me fit tout de suite augurer du pire. Ils ne cessaient de huer, de hurler, de protester. Ils s'en prenaient, Dieu sait pourquoi, au grand chambellan, Calopodius, qu'ils accusaient d'être le plus fanatique des Bleus et le responsable de leurs malheurs.

L'apparition des chars en bout de piste calma un tant soit

peu l'agitation. Les cochers se rangèrent sur la ligne de départ. Le signal fut donné. Les chevaux s'élancèrent. La foule s'emballa.

La première course de déroula tant bien que mal. Pendant l'entracte, les clameurs reprirent et même redoublèrent, à tel point que je vis l'empereur, d'un geste, ordonner aux danseurs et aux jongleurs de s'arrêter. Il envoya un des hérauts qui se tenaient à côté de lui s'enquérir de ce que voulaient les Verts. Ils commencèrent à protester contre les injustices dont ils étaient victimes. Au début, respectueux de l'empereur, ils procédaient par d'obscures allusions. Puis ils s'échauffèrent de plus en plus, et commencèrent à menacer quiconque s'en prendrait à eux du châtiment divin. L'empereur, outré de cette insolence, voulut faire acte d'autorité, et, du haut de son trône, cria aux Verts massés de l'autre côté de l'hippodrome :

— Vous êtes venus ici pour assister aux courses et non pas pour insulter le gouvernement !

Un concert de vociférations lui répondit. Le héraut eut alors le malheur d'insulter les Verts :

— Silence ! hurla-t-il, hérétiques, blasphémateurs ! Silence, ou vos têtes tomberont !

Pour toute réaction, les Verts déversèrent un torrent d'injures sur l'empereur.

— Judas ! bourreau ! assassin ! Plût au ciel que ton père n'ait pas vu le jour et n'ait pas engendré un tel assassin !

Avec le déclin du jour, le froid augmentait mais personne ne le ressentait. Au contraire, les spectateurs échauffés se dépouillaient à l'unisson, avec des gestes spasmodiques, de leurs vêtements d'hiver. La lumière gris fer qui tombait sur les marbres blancs de l'hippodrome leur donnait un aspect funèbre.

Les Verts continuaient à crier en se plaignant à qui mieux mieux d'être tenus à l'écart du palais et du gouvernement, d'avoir perdu leur liberté et d'être constamment les victimes d'autorités corrompues.

Enfin, l'accusation suprême que je pressentais arriva :

— Vous laissez les Bleus nous assassiner, et, pire, c'est nous que vous faites châtier !...

Du coup, les Bleus entrèrent dans la danse et joignirent leurs insultes à celles du héraut impérial :

— Gibiers de potence, ennemis de Dieu. Ne vous tairez-vous donc jamais ?

Les Verts, de toute évidence, avaient prémédité leur action. Ils s'inventèrent un héraut qui lança l'apostrophe fameuse :

— Nous respecterons l'empereur malgré son indifférence à notre égard. Nous savons tout de ce qu'il fait, tout ce qu'il trame. Bonne nuit, Justice. Tu es morte. Bonne nuit, vous tous. Nous partons. Nous deviendrons plus vite des païens que des Bleus.

Les Verts se levèrent comme un seul homme et quittèrent l'hippodrome. Les courses durent être annulées, l'empereur se retira avec toute la pompe habituelle, comme si de rien n'était, et les Bleus à leur tour se dispersèrent, fumant de rage.

Revenus au palais, j'épiloguai avec Justinien sur l'incident. Nous le ramenâmes à de justes proportions, car ce n'était pas le premier du genre. Depuis des temps immémoriaux, les courses de l'hippodrome donnaient au peuple l'occasion de manifester leurs sentiments. Les Verts s'étaient dressés avec une effronterie inexcusable contre la Personne Sacrée, mais après tout, ils étaient plutôt coutumiers du fait. De toute façon, ils ne pouvaient être que dans l'opposition puisque nous protégions leurs éternels adversaires, sur l'appui vigoureux et inconditionnel desquels nous pouvions d'ailleurs compter. En ce soir de janvier, l'empereur demeurait confiant et je regagnai le gynécée sans aucune inquiétude. L'incident était clos.

Le surlendemain, en fin de matinée, je donnais audience à des femmes de sénateurs, rayonnantes de bonheur d'être reçues par l'impératrice. Les compliments d'usage s'échangeaient et je m'ennuyais mortellement. Soudain, une rumeur lointaine entra par la fenêtre ouverte et vint me distraire. Je tendis l'oreille, je percevais une confusion de cris sans distinguer leur sens. J'envoyai un de mes eunuques à la fenêtre. Je vis son expression passer de l'ébahissement à l'incrédulité puis à la terreur. Il revint me chuchoter à l'oreille qu'il avait distinctement entendu le cri : « Vive les Verts et les Bleus unis. » Je refusai de le croire. Au diable protocole, audience et femmes de sénateurs, je me levai brusquement du trône et je courus à la fenêtre. Ce manquement étonna plus mes dames et mes eunuques que si le plafond leur était tombé sur la tête. Alors, j'entendis, distinctement : « Vive les Verts et les Bleus unis dans la miséricorde ! » Les Verts et les Bleus unis, je n'en crus pas mes oreilles. De mémoire de Constantinopolitain, ce n'était jamais arrivé. C'était inimaginable, impossible, effroyable. Je dépêchai aussitôt mon grand chambellan aux nouvelles et je renvoyai hâtivement les femmes de sénateurs qui ne savaient toujours pas ce qui leur arrivait. Ce fut l'empereur lui-même qui vint m'annoncer, qu'il y avait des troubles en ville.

Le feu avait été mis aux poudres la veille par une inconcevable aberration du stupide préfet Eudémon. Dans un excès de zèle, il avait arrêté les plus bruyants parmi ceux qui s'étaient égosillés à l'hippodrome et en avait condamné plusieurs à mort dont deux à la pendaison. Le bourreau se révéla si maladroit que la corde cassa trois fois de suite sous le poids des victimes. Alors la foule, qui jusqu'alors n'était venue que par curiosité morbide, prise de pitié réclama bruyamment leur grâce. Le bourreau voulut les pendre une quatrième fois. La foule s'empara des condamnés, et hurlant « à l'église, à l'église », força les moines du monastère voisin de Saint-Cosme à leur donner asile. Il se trouva que l'un des morts vivants était Bleu et l'autre Vert. Les deux factions soudées réclamèrent la grâce des condamnés à l'empereur que, bien entendu, personne ne songea à mettre au courant.

Bleus et Verts confondus se répandirent dans la Mésé aux

cris de « nika », c'est-à-dire victoire. Le nom de la révolte était trouvé avant même qu'elle n'éclatât.

L'empereur fut informé seulement lorsque la multitude prit d'assaut et pilla la demeure du préfet rendu responsable du triste sort des condamnés. Toute la nuit, les manifestants parcoururent les rues en hurlant. Toute la nuit, Constantinople retentit du terrible slogan : « Les Verts et les Bleus unis. Nika. Nika. »

Le lendemain, à mon réveil, la grande maîtresse Ariane m'annonça que la foule assiégait le Palais Sacré. Le concierge qui, selon la coutume, avait ouvert à six heures du matin les grandes portes de bronze de la Chalke n'avait eu que le temps de les refermer. Les manifestants réclamaient impérieusement le renvoi immédiat du préfet Eudémon ainsi que du grand chambellan Calopodius. Mais surtout, ils exigeaient le départ de Jean de Cappadoce. En une nuit, un mouvement d'humeur s'était transformé en pression politique. L'empereur mesura aussitôt le danger et me fit l'honneur de venir me consulter sur la décision à prendre. Il penchait pour obéir aux injonctions de la populace. Dieu sait que j'aurais voulu voir Jean de Cappadoce renvoyé brutalement et même honteusement, mais je déconseillai à l'empereur de céder à la foule. « Que faire alors ? », me demanda-t-il. Endormir le peuple par des promesses, et si cela ne suffisait pas, lui lâcher des concessions, mais autres que celles qu'il réclamait. L'empereur se retira pour s'en remettre à l'avis de ses conseillers hâtivement réunis, et je regrettai amèrement que mon sexe m'interdît de participer à cette délibération. Bientôt, les cris de « Vive Justinien » poussés par la foule me permirent de comprendre qu'il avait cédé.

Un officier de ma garde vint me prévenir que les manifestants se dispersaient dans le calme. Pour la seconde fois, l'incident était clos, mais non sans dommage. Le comble fut que je déplorais le départ de Jean de Cappadoce, car, en acceptant de s'en séparer, l'empereur avait donné la preuve de sa faiblesse.

Le lendemain, la foule était revenue devant le palais. Cette fois-là, je refusai d'obéir aux injonctions de mon entourage. Je voulais voir et je grimpai accompagnée des moins peureux de mes eunuques sur la terrasse crénelée du palais de la Chalke d'où j'avais une excellente vue sur l'Augusteum et ses occupants. Ce n'était plus le bon peuple de Constantinople, mais plutôt la lie des bas quartiers, parmi laquelle je distinguais beaucoup de mines patibulaires. Sans témoigner d'aucune agression, ils se tenaient groupés dans un coin de la vaste place, chuchotant entre eux et semblant attendre je ne sais quoi. Nombre d'habitants étaient venus en badauds et les entouraient par curiosité. Derrière moi, dans les cours du palais, les régiments de Barbares équipés pour la bataille se rassemblaient.

Je vis juste en dessous de mon poste le grand porche du Palais Sacré cracher ces milliers d'hommes armés, casqués, cuirassés, dont les lourdes épées luisaient au soleil. Ils s'avancèrent en ordre de bataille sur les manifestants qui reculèrent lorsque les prêtres de la basilique voisine de Sainte-Sophie apparurent aux portiques et sortirent croix et bannières en tête. Ils voulaient éviter le massacre et tentèrent de s'interposer entre la foule et les soldats, des Barbares qui ignoraient le respect dû à notre clergé. Je pressentis l'inévitable. Dans la rage de mon désespoir, je leur hurlai d'arrêter comme si ma voix avait pu les atteindre. Ils bousculèrent les prélats, en renversèrent et en blessèrent plusieurs légèrement. Aussitôt, les badauds, jusqu'alors neutres, basculèrent. Ils se mirent à jeter sur les Barbares tout ce qui leur tombait sous la main. La bataille se déplaça vers les grandes artères, et l'Augusteum se vida en un instant.

Ce fut à ce moment qu'apparut sur la terrasse de la Chalke le commandant des spatharo-cubiculaires, les gardes eunuques du palais, venus me supplier de me mettre à l'abri. Je toisai le petit homme d'apparence grêle et d'allure délicate. Il s'appelait Narsès et je n'avais fait jusqu'alors que l'apercevoir. Me retirer alors que l'Augusteum était désert !

Il m'assura que très bientôt l'émeute battrait les murs du palais. Je rétorquai que les épais remparts me protégeraient du danger. Il insista, respectueusement mais fermement. Les esprits, selon lui, étaient si échauffés que nous risquions le pire. Le pessimisme de Narsès m'impressionna moins que son air calme et déterminé. Je lui obéis et regagnai le gynécée.

J'appris bientôt que les régiments de Barbares avaient dû battre en retraite devant la foule en colère et se replier rapidement à l'intérieur du palais. Les habitants des quartiers voisins de l'Augusteum, les femmes surtout, avaient fait pleuvoir pierres et tuiles sur les soldats « assassins de nos prêtres », qui avaient été surpris par cette agression inattendue. Constantinople était passée du côté de la révolte.

Le silence qui régnait dans le gynécée semblait s'être répandu sur toute la ville. J'attendis une heure, peut-être deux, entourée de mes eunuques et de mes femmes défaillantes de peur. Ce fut l'odeur, qui tout d'abord nous alerta. Nous courûmes aux fenêtres. D'immenses panaches de fumée noire s'élevaient de la ville et rapidement obscurcirent le pâle soleil d'hiver. Les principaux bâtiments entourant l'Augusteum, le Sénat, les bains de Zuxippus, et même la basilique Sainte-Sophie étaient la proie des flammes. Bientôt, au grondement lointain des incendies que nous perçûmes parfaitement, se joignirent les rumeurs d'une bataille qui se déroulait non loin du palais de Daphné où nous nous trouvions. L'odeur âcre de brûlé se renforça et les nuages noirs qui, jusqu'alors, paraissaient émerger de notre horizon, semblèrent s'élever juste derrière l'aile des communs. Le Palais Sacré serait-il envahi ? Que faisait donc la garde ? Allions-nous tous être massacrés sur place ? Personne ne venait et je n'osais quitter le gynécée. Nous demeurions là, figés comme des statues, tendant l'oreille, conscients de notre impuissance.

Finalement, un messager de l'empereur se présenta. Je reconnus aussitôt les yeux bleus rieurs et sous la barbe blonde le visage juvénile de Ruderic, le jeune otage goth qui

160

s'amusait tellement lorsque je bâillais aux récits militaires de feu l'empereur Justin. Comme je me l'étais promis, je l'avais fait verser aux excubitors ; sa très haute taille en effet lui permettait d'entrer dans ce corps d'élite des gardes, tous des géants. Je lui avais obtenu un avancement rapide, prétextant à l'empereur que cette promotion ne pourrait que flatter les tribus goths que son père commandait. Il venait m'offrir de la part de Justinien de me réfugier auprès de lui.

— Crois-tu donc que j'y serai mieux protégée de la multitude ? lui demandai-je.

— Au moins la compagnie des hommes est-elle plus rassurante, rétorqua-t-il avec cette ironie rieuse que les circonstances ne lui avaient pas fait perdre.

— Et tu imagines que ces hommes seront capables de nous défendre contre la populace déchaînée et ivre de carnage.

Il eut un geste comique de doute :

— Du moins, moi, je serai là pour vous protéger.

L'enthousiasme sans forfanterie de sa jeunesse me réchauffa.

— Dis à l'empereur que je me trouve fort bien au gynécée, que je ne compte pas en bouger. Puis va voir ce qui se passe et reviens me le conter.

Il réapparut au bout d'une heure, noir de fumée, son manteau blanc déchiré, sa fibule d'or au monogramme du Christ arrachée, les plumes rouges de son casque d'or pendant lamentablement. Il saignait de plusieurs blessures apparemment légères. « Des riens », affirma-t-il en repoussant avec agacement la sollicitude de mes femmes. Il me fit son rapport. La foule avait réussi à envahir le palais de la Chalke, y avait mis le feu ainsi qu'aux casernes voisines de la garde, mais elle avait pu finalement être repoussée au prix d'une bataille acharnée. La situation n'en était pas plus brillante.

Les jours suivants, le palais vécut en ville assiégée. Impossible pour quiconque de mettre le nez dehors. La nuit, les courtisans dormaient n'importe où, dans les galeries, les salles de réception, sur des coussins jetés à même le sol. Dès le premier jour, Justinien avait renvoyé chez eux, alors que c'était encore possible, les sénateurs venus lui offrir leurs services et parmi eux Hypatius, le neveu de l'empereur Anastase, le général malheureux naguère vaincu par les Perses, dont il se méfiait.

Dehors, l'incendie s'était propagé. L'église de Sainte-Irène, les bains d'Alexandre, le grand hôpital de Samson n'étaient plus que débris calcinés. Le bazar, les palais privés, tout le superbe quartier qui s'étend entre l'Augusteum et le forum de Constantin étaient en flammes. Le plus beau quart de Constantinople était anéanti par ce cataclysme. A demi asphyxiés et aveuglés par la fumée, marchant sur les braises, errant entre les ruines noircies, les hommes, telles des bêtes sauvages, se battaient entre eux, pillaient, tuaient et, surtout, continuaient à mettre le feu là où ils pouvaient. Au palais même, l'odeur de brûlé nous prenait à la gorge et les cendres poussées par le vent pénétraient par toutes les ouvertures, recouvrant meubles, tapis et sols de marbre. La confusion régnait, ou plutôt la peur. Qui nous défendrait si nous étions de nouveau assaillis ? Les gardes impériaux, les spatharo-cubiculaires ? Leur commandant, le petit Narsès, avait eu le courage d'affirmer que ses beaux soldats de parade étaient de médiocres combattants sur la loyauté desquels mieux valait ne pas compter. Les quelques régiments de mercenaires récemment revenus du front perse sous le commandement de Bélisaire, les trois mille Barbares dont le hasard fit qu'ils passaient par Constantinople à ce moment et qui, en tapant sur nos prélats, avaient été l'origine de la révolte, que pourraient ces maigres secours contre une foule innombrable, consciente de sa force, victorieuse ?

Trois jours s'écoulèrent, trois jours de feu et de sang au-dehors, trois jours d'angoisse et d'incertitude au palais, trois nuits sans sommeil. Ce n'était pas tant la menace que l'inaction qui mettait mes nerfs à vif. Personne autour de moi

162

ne réagissait. Nous attendions que notre bon peuple voulût bien venir nous égorger dans nos lits. J'avais la sensation, torturante pour moi, de subir. Je cuisais à petit feu et sentais mes forces vives fondre. Quelques jours plus tôt, j'avais pu renvoyer chez eux la plupart de mes courtisans. Seules étaient restées auprès de moi quelques dames apeurées et quelques eunuques sursautant au moindre bruit. Tantôt ils s'affalaient accablés, tantôt ils se perdaient dans des occupations futiles et je crains de leur avoir fait durement supporter mon humeur. Il fallait tout de même agir. A l'empereur qui venait plusieurs fois par jour me tenir au courant et demander mes avis, je conseillais de tenter un suprême effort, de se présenter à l'hippodrome et de s'y adresser au peuple. Je m'inspirais de l'empereur Anastase, qui m'avait tant frappée dans mon adolescence en retournant la foule par ses belles paroles. Justinien qui ignorait la peur physique accepta.

Je ne sais comment les hérauts réussirent à annoncer au peuple que son souverain les convoquait à l'Hippodrome. A onze heures, les portes de bronze de la loge impériale s'ouvrirent à deux battants et l'empereur parut, bible en main. Je me tenais à ses côtés. Malgré ses supplications et celles de notre entourage, j'avais exigé de l'accompagner. Je n'allais tout de même pas le laisser affronter seul le danger auquel je l'envoyais, mais j'interdis à toutes mes femmes de me suivre. Pour cette apparition, qui menaçait d'être la dernière de notre règne, j'avais plus que jamais élaboré ma mise. Ce fut soigneusement coiffée et maquillée, couverte de bijoux de la Couronne que je parus face au peuple. L'empereur, assis à mes côtés sur le trône, prit la parole :

— Je suis l'unique responsable de tout ceci. C'est à cause de mes péchés que j'ai refusé ce que vous m'avez demandé le premier jour à l'hippodrome.

Il laissa passer quelques secondes pour que chacun s'imprègne de cet acte inouï d'humilité impériale.

— Menteur, âne, parjure, cochon ! hurla de tous côtés la

foule, Bleus et Verts confondus. Et les pierres de pleuvoir sur la loge impériale, sans nous atteindre heureusement.

— Voleuse, débauchée, putain !

La foule s'en prenait aussi à moi. Sous les insultes je ne bougeai pas. Mes mains ne se crispaient pas, mes lèvres ne tremblaient pas, pas un de mes cils ne battait. Je m'efforçais de rester bien droite sur le trône, scintillante de pierreries, telle une idole impassible au-dessus de la mêlée. Ce que je ressentais intérieurement, je préfère ne pas l'avouer.

Le tumulte grandissant de minute en minute, les projectiles se multipliaient, le tir se précisait et déjà plusieurs gardes, malgré leurs cuirasses et leurs casques dorés, s'étaient affaissés. Il ne nous restait qu'une solution, la retraite. Et une retraite honteuse. Nous n'empruntâmes même pas la grande galerie. Nous nous précipitâmes par l'escalier et les passages secrets qui aboutissent au cœur de la résidence impériale.

J'étais la seule à ne pas me presser. Soudain, je sentis quelqu'un derrière moi rouler mon grand manteau et me pousser doucement. C'était mon ami blond et barbu, Ruderic. Je le clouai d'un regard furieux :

— Je ne veux pas fuir.

— Vous ne fuyez pas, vous opérez un repli nécessaire et stratégique, eut-il l'audace de me répliquer.

Ses bras m'enserraient, il m'entraînait du plus vite qu'il pouvait. Je me dégageai brusquement :

— Quel repli stratégique ? Ils croient tous que tout est perdu.

— Donnez-leur du courage.

— Moi, une femme !

— Vous êtes la seule ici à ne pas avoir peur.

Et en disant cela, il souriait. Et j'aurais pu le gifler pour son sourire.

— Lâche-moi, lui intimai-je.

Il n'en fit rien. Allais-je me débattre, appeler à l'aide ? Allais-je ajouter aux heures terribles que nous vivions un détail grotesque ? Le respect humain eut raison de ma résistance. Mes pieds ne touchaient plus terre. Ruderic m'emportait toujours en souriant et, au fond de ses yeux bleus, scintillaient des paillettes d'or. C'est ainsi que je regagnai le gynécée.

En début d'après-midi, le peuple choisit un nouveau souverain. C'était Hypatius, le neveu de l'empereur Anastase, cette vieille baderne que j'avais toujours jugée un incapable. Les rebelles étaient venus le tirer de ses foyers où l'avait renvoyé l'empereur et lui avaient offert le trône. Sa femme s'était accrochée à ses basques pour l'empêcher de se joindre à eux. Finalement, mené au forum de Constantin, hissé sur un bouclier, coiffé en guise de couronne d'un collier d'or, il avait été proclamé empereur. On le couvrit d'un manteau de cérémonie pourpre brodé d'or qui, pillé lors de l'incendie du palais de la Chalke, venait de réapparaître mystérieusement, et la foule le conduisit à l'hippodrome où elle le hissa dans la loge impériale. Les rebelles ramassèrent tout ce qu'ils trouvèrent de misérables, de mécontents et de prisonniers libérés pour l'acclamer. Il se trouva même plusieurs sénateurs et nombre de nobles assez vils pour venir lui rendre hommage. Alors, Hypatius, rassuré et réchauffé par les applaudissements, crut vraiment que son règne commençait. Cette parodie d'avènement rendit notre situation encore plus précaire.

Le palais pratiquement sans défense, la ville en flammes, l'hippodrome aux mains des rebelles, et maintenant le peuple acclamant un usurpateur, l'empire me semblait au bord du gouffre. « Donnez-leur du courage car vous, vous n'avez pas peur », m'avait dit Ruderic. Pas peur ! il fallait encore le prouver. J'allai à la fenêtre et dehors je découvris un spectacle qui me donna un coup au cœur. Dans les jardins, une théorie de fourmis allait et venait entre le palais et l'un des ports privés. C'étaient les esclaves qui transportaient le Trésor de la Couronne à bord du navire qui venait d'y ancrer. Je compris que l'empereur décampait, qu'il faussait compagnie à sa capitale, à son peuple, à l'empire.

Alors, quelque chose se déclencha en moi, comme un mécanisme que rien ne pouvait enrayer. Je sortis de ma chambre en claquant la porte. Les gens de ma Maison étaient trop abattus pour me suivre. Les galeries, les salles de réception que je traversai, généralement bondées, étaient vides, hormis quelques gardes aux portes. Je courus presque et mes pas résonnaient sur les sols de marbre, dans un silence plus terrifiant que le plus assourdissant des grondements, car il était le prologue d'une catastrophe inéluctable. Je me dépêchai encore plus d'atteindre le cabinet de travail de l'empereur. J'ouvris brusquement les deux battants de la porte. Mon œil enregistra en un éclair la scène. Peu de fidèles restaient pour entourer Justinien, Bélisaire, Narsès, quelques généraux, une poignée de chambellans. Certains s'étaient avachis dans des coins, trop consternés pour pouvoir bouger, d'autres marchaient de long en large agitant nerveusement les bras et se parlant tout haut à eux-mêmes. L'empereur, enfoncé dans sa haute cathèdre d'argent ciselé, se tenait le front dans les mains. Il ne voyait pas, il n'entendait pas, perdu dans quelque sinistre pensée.

Tous sursautèrent à mon entrée et me dévisagèrent comme si j'étais une apparition venue de l'au-delà. Sans aucun maquillage, j'étais blafarde et mes yeux ressemblaient à deux billes incandescentes. J'avais enlevé les bijoux dont je m'étais parée à l'hippodrome et j'étais vêtue de la tête aux pieds de pourpre, la couleur symbole, tunique pourpre, manteau pourpre, mules pourpres, voile pourpre. Je m'avançai posément et je m'assis sur une chaise curule, devant la table du conseil. Sans ouvrir la bouche, ils me rejoignirent et prirent sagement place. Je demandai ce qui avait été décidé. Chacun émit un avis différent. Plusieurs points de retraite, divers plans de résistance furent avancés. Mais tous impliquaient l'abandon immédiat du palais de

166

Constantinople. Une seule possibilité restait encore ouverte : suivre le Trésor de l'empire et lever le plus vite possible l'ancre. Les rebelles avaient deviné cet état d'esprit et répandaient dans la ville la rumeur de la fuite de l'empereur et de l'impératrice. Quand Justinien, qui n'avait pas bougé depuis mon entrée, releva la tête, ce fut pour dire :

— Il n'y a plus d'autre espoir que la fuite.

Tous hochèrent mélancoliquement la tête. Alors, je me dressai si brusquement que mon siège tomba à la renverse. Le discours que j'adressai à Justinien, les yeux dardés sur lui et la voix coupante, est reproduit dans toutes les chroniques. Je l'ai moi-même dicté car je tiens à ma légende.

— Si plus rien ne reste à faire que chercher la sécurité dans la fuite, je ne choisis pas la fuite. Ceux qui ont porté la couronne ne doivent pas survivre à sa perte. Jamais je ne verrai le jour où je ne serai plus saluée comme impératrice. Si tu veux fuir, César, bonne chance. Tu as l'argent, tes navires sont prêts, la mer est ouverte. Quant à moi, je resterai. J'épouse l'ancienne maxime qui dit que la pourpre est le plus noble des linceuls...

En réalité, je ne haranguai pas comme un sénateur formé à l'école antique, car dans l'émotion du moment, je retrouvai le parler de ma première jeunesse : « Vous me donnez envie de vomir. Vous n'êtes que des lâches et des poules mouillées. Il n'y en a donc pas un qui ait du cran ici ? Il n'y en a pas un parmi vous foutu de se battre comme un homme au lieu de pleurnicher comme une femme, et toi aussi César ? Fichez le camp, puisque vous trépignez d'envie de partir... Vous me dégoûtez trop pour que je vous suive. »

Je me tus, les yeux toujours plantés dans ceux de Justinien. Alors, je ne sais ce qui leur prit, mais tous, à l'instant, n'eurent plus qu'une seule idée : résister. Étaient-ils sûrs de gagner ? Même pas. Étaient-ils conscients que leur sort, que leur vie ne tenait plus qu'à un fil ? Sûrement pas. Soudain, il n'y eut plus d'autre possibilité, plus d'autre solution envisageable que de rester et de se battre. L'empereur, transfiguré, redevint l'homme que je voyais quotidiennement, analysant la situation de sang-froid, inventant les solutions. Il donna ses ordres avec lucidité, rapidité et précision. Bélisaire fut chargé de coiffer les opérations. Serait-ce lui qui récolterait la gloire, si gloire il y avait ? Halte-là. Et Narsès ? Depuis le début de la révolte, cet ancien esclave arménien, cet eunuque fragile d'aspect m'impressionnait par sa détermination, sa lucidité et son énergie. L'occasion se présentait de le mettre à l'essai. Sur mes instances, l'empereur lui confia une mission exigeant vélocité et habileté. Puis, tous, ayant reçu leurs intructions, s'envolèrent dans toutes les directions, et nous restâmes seuls, l'empereur et moi, à attendre.

En me demandant quelle force m'avait possédée, je m'aperçus que la rage était à l'origine de mon initiative. Je n'allais certainement pas baisser les bras devant un ramassis de mutins. Tout, même le massacre, plutôt que leur victoire. Telle fut ma réaction instinctive. Peut-être, l'instant suivant, aurais-je choisi de préférence la voie de la sécurité et me serais-je enfuie avec mon mari et le trésor de la Couronne pour vivre dans un exil lointain et doré. Aurais-je pu cependant m'embarquer sous les yeux de Ruderic ? Que seraient devenues la confiance, la gaieté de son regard alors ? Ne m'avait-il pas donné l'exemple, ce jeune Barbare ? Nous restions, l'empereur et moi, à l'écoute des événements, mais déjà je savais que j'avais gagné.

Le danger n'avait pas encore quitté nos murs mais j'étais persuadée que l'empire ne pouvait sombrer, ni Justinien disparaître de la scène, Dieu ne l'aurait pas permis, et je lui étais reconnaissante de l'occasion qu'Il m'avait donnée de servir un instant d'arc-boutant au compagnon de ma vie.

Narsès avait réussi à sortir du palais avec une partie des fonds secrets sans être intercepté. Il se faufila jusqu'aux maisons des Bleus les plus considérables qu'il connaissait tous puisqu'il appartenait à leur faction. Moitié en les persuadant, moitié en les achetant, en numéraires comme en promesses, il les retourna l'un après l'autre aussi facilement que des gants. A leur tour, ceux-ci transmirent ses instructions à leurs « clients », parents pauvres, connaissances, employés, qui ne désemplissaient jamais leurs demeures, particulièrement en ces temps de trouble. Ceux-ci s'élancèrent à travers toute la ville pour rameuter des partisans et commencèrent à crier des slogans en faveur de l'empereur.

Pendant ce temps, Bélisaire, à la tête de troupes fraîchement revenues du front perse, se frayait un chemin par le palais de la Chalke à travers une montagne de détritus et de ruines fumantes, et atteignait l'hippodrome par le portique des Bleus. Au même moment, son second faisait le tour du bâtiment avec les régiments barbares, et y pénétrait par la porte des Morts, la bien-nommée en ce cas. Surgissant dans l'hippodrome par les deux extrémités à la fois, les troupes chargèrent les rebelles, pendant que des détachements d'archers montés par les escaliers intérieurs jusqu'à la galerie promenoir les bombardaient de flèches. En une seconde, leur superbe fit place à la panique. Ils étaient cernés de toutes parts, et malgré leur nombre qui dépassait de très loin celui des soldats, ils se montrèrent incapables de résister aux vétérans. Les instructions étaient précises : pas un seul mutin ne devait être épargné. Les soldats n'avaient qu'à enfoncer leurs armes dans un mur de chair. Le massacre durait encore lorsque la nuit tomba.

Bélisaire, laissant ses troupes achever le travail, revint au palais. Narsès l'avait précédé. La révolte Nika, qui ébranla l'empire, était terminée.

L'empereur se tourna vers moi.

— Jamais ne s'effacera de nos mémoires ton image lors de ce tragique conseil. Tu paraissais plus grande que les plus grandes tant tu étais majestueuse. Tu t'étais volontairement enlaidie et jamais tu n'as été plus fascinante, plus belle. Némésis aux voiles semblables à des traînées de sang séché, force obscure venue du fond des âges, étais-tu seulement consciente de ce que tu faisais... Il sera dit que l'empire aura été sauvé par une femme... Toi Despina, toi Vassilissa aimée de Dieu. Toi ma Théodora.

Cet hommage me donna la force de poursuivre, d'accomplir ce qu'il restait à accomplir, de protéger plus efficacement l'empereur contre tous, et principalement contre lui-même. J'étais présente dans la grande salle d'audience du Chrysotriclinium, assise sur le double trône de porphyre, lorsque, en présence de toute la Cour, du gouvernement et des autorités au grand complet, Hypatius fut amené. Arraché du kathisma de l'hippodrome, d'où il avait cru commencer son règne, chargé de chaînes, il gardait sur la tête, grotesquement penché d'un côté, le collier d'or qui lui avait servi d'éphémère couronne. Il avait toujours eu, même du temps de sa prospérité, la mine lamentable d'un vaincu, mais il gardait assez de dignité pour ne pas demander grâce.

— Tu as été entraîné par les rebelles plus que tu n'as conduit les événements, commenta l'empereur. Tu t'es laissé égarer plus que tu n'as comploté. En souvenir de ton auguste parenté avec feu l'empereur Anastase, en reconnaissance des services que tu as rendus naguère à l'empire, et en témoignage de notre vieille amitié, je t'accorde ta grâce.

Je me levai brusquement :

— Arrête, César. Ta clémence ouvrirait la voie à d'autres fous, à d'autres criminels, à d'autres tentatives. L'avenir exige un exemple.

— La victoire, Despina, inspire le pardon.

— Et les cinquante mille cadavres qui pourrissent dans l'hippodrome, ont-ils accordé leur pardon ? Ils se sont rebellés, il est vrai, mais ils sont innocents, eux, car ils étaient des gens simples qui ont été entraînés dans une aventure funeste. Ils sont morts sans avoir compris. Tandis que les meneurs, eux, comprenaient, et ils survivent. Qui étaient-ils donc ces ennemis de l'État, ces fauteurs de division ? Des hauts fonctionnaires indélicats, des généraux intrigants, des grands propriétaires terriens, des aristocrates, en un mot les

« médiocres », éternels ennemis de tout progrès, de toute évolution. Ils ont égoïstes, orgueilleux, superbes et vaniteux. Ils n'ont pas pardonné l'abolition de leurs privilèges et l'égalité devant l'impôt que tu as innové, César. Alors, ils ont pris peur et ils ont juré que nous devions disparaître. Pourquoi avoir pitié alors qu'eux n'ont pas eu pitié de leurs misérables troupes ? C'est eux qu'il faut châtier, ces « médiocres », et en premier leur porte-drapeau, le souverain qu'ils se sont inventé, le médiocre empereur des médiocres. Jure-moi, César, d'être impitoyable envers Hypatius, envers les sénateurs, les nobles qui l'ont soutenu. Les morts te le réclament.

Ils eurent leur vengeance, non seulement contre la marionnette un instant couronnée, mais contre les « grands » qui s'étaient prosternés devant son trône illusoire. Hypatius fut exécuté.

Chapitre 11

L'épreuve changea Justinien et le gratifia d'un cynisme nouveau. Arsénius, en effet, me rapporta l'insolite usage que l'empereur tirait de son pouvoir judiciaire. Cela commença le jour où un certain Léon, richissime propriétaire terrien, en procès pour un terrain disputé, offrit la moitié de sa valeur à Justinien pour qu'il tranchât en sa faveur ; ce qu'il accepta aussitôt pour empocher la commission. Le pli était pris désormais. Bientôt, il accapara des fortunes sous les prétextes les plus divers, pour les redistribuer à ses collaborateurs ou à des affairistes de basse extraction qui avaient su attirer son attention et dont il bâtissait la fortune. Généreux, il l'était, à commencer avec moi, puisqu'il m'avait donné tant de vastes propriétés, dans les provinces du Pont et de Paphlagonie, que je dus créer un organisme spécial pour les administrer ; mais ces inconnus, pourquoi les enrichissait-il ? Je me doutais de la raison, mais je voulais l'entendre de sa bouche. Il n'en fit pas mystère :

— Il est inutile de tâcher de nous gagner les aristocrates. Nous avons constaté leur disposition pendant la révolte Nika. Quoi que nous fassions, ils seront toujours contre nous, par nature, viscéralement. Or, nous avons besoin d'une classe pour nous soutenir et nous permettre ainsi de réaliser nos grands desseins. Elle n'existait pas, il faut donc la créer par des largesses. Ainsi, je multiplie ces nouveaux riches qui ont tout intérêt à nous maintenir sur le trône car en serions-nous chassés, qu'eux-mêmes en pâtiraient.

J'abondais si bien dans le sens de Justinien que je lui conseillais vivement de saisir au profit de la Couronne la fortune d'un des frères de Germanus, Boraidis, qui venait de mourir, afin d'empêcher l'escarcelle de nos ennemis de s'arrondir. Il accueillit avec empressement ma suggestion. Peut-être avait-il craint de trouver en moi un censeur et fut-il soulagé d'avoir trouvé une complice. Le législateur, le réformateur, le conquérant, l'empereur qui possédait le monde pouvait-il cependant être tenté par l'héritage d'un privé et acheter quelque chose qu'il n'eût pas encore... Dans sa volupté à voir inlassablement couler l'or entre ses mains survivait le souvenir de son enfance pauvre, sentiment que je comprenais puisque je le partageais. J'avais voulu effacer la mienne de ma mémoire, Justinien effaça la sienne de la carte. Il était né et avait grandi au fin fond de l'Illyrie, dans un misérable hameau appelé Taurisium. Il le fit raser et à sa place bâtit une splendide cité, arrosée par un aqueduc, peuplée d'églises, de stoas, de marchés, de fontaines, de bains publics et de bazars. Il la nomma Tetrapyrgia, la ville aux quatre tours, et lui attribua de surcroît un archevêque. Ainsi avait-il voulu enterrer sous la splendide métropole l'humble chaumière où avait vécu un certain Petrus Sabatus, lui aussi disparu pour devenir Justinien.

Afin d'assister l'empereur du mieux que je le pouvais dans les choix délicats auxquels il était quotidiennement confronté, j'avais décidé d'intervenir dans les nominations de l'administration, du gouvernement, de l'armée et même de l'Église. J'avais pris l'habitude d'aborder ce chapitre au petit déjeuner que l'empereur et moi nous prenions en commun. Je n'avais plus en effet le loisir d'utiliser les « murmures de l'oreiller », c'est-à-dire ces opportunités si utiles pour une femme où, dans l'intimité du lit conjugal, elle réussit à faire admettre à l'homme son point de vue sans soulever trop d'opposition. Le rythme de travail de l'empereur nous avait imposé de faire chambre à part. Il travaillait tard dans la nuit et quelques heures de sommeil lui suffisaient. Il prit la décision de coucher sur son lieu de travail et il avait installé dans un coin de son cabinet un simple lit de sangles sur lequel il se jetait lorsque la fatigue venait à bout de sa résistance. Au déjeuner, débarrassé des problèmes sur lesquels il s'était penché pendant la nuit, et n'ayant pas encore été contraint d'affronter les difficultés qui se présenteraient dans la journée, il était mieux qu'à toute autre heure disposé à m'écouter.

Selon mon caprice, je faisais dresser la table dans l'une ou l'autre pièce du gynécée, pourvu qu'elle ne fût pas trop éloignée de ma chambre à coucher où je me tenais la plupart du temps. En effet, je n'aimais ni bouger ni me déplacer. Je ne me rendais pratiquement jamais dans la bibliothèque privée ni dans le musée du gynécée que l'empereur avait rempli des plus admirables statues de la Grèce antique. Par contre, je passais de longues heures dans une vaste pièce d'atour aménagée pour y entreposer les bijoux que je collectionnais et les étoffes que j'entassais.

En considération pour l'empereur, j'adoptais pour mes journées une régularité bien contraire à ma nature. Je dormais en général peu et mal. Éveillée dès l'aube, je flottais dans un demi-sommeil jusqu'à mon réveil officiel qui avait lieu à neuf heures. Je me livrais alors aux phases de ma toilette, érigée en rites cérémoniaux. Plusieurs heures étaient consacrées à un bain prolongé, à des massages et à des soins corporels afin que je sois prête à l'heure où l'empereur me rejoignait. Il touchait à peine aux plats, ne buvait que de l'eau et se faisait servir sa mixture préférée d'herbes de montagne bouillies. J'avais par contre une fourchette solide, je mangeais des fruits frais ou secs, des confitures, des gâteaux au miel et au froment dont je raffolais. Je me servais plusieurs fois du Saint-Bouillon, cette soupe à l'oignon, la nourriture du pauvre, auquel mon passé m'avait accoutumée. Puis j'avalais plusieurs pincées de sel de Saint-Luc contre les maux de tête auxquels j'étais sujette et de sel de Saint-Grégoire le Théologien, qui me permettait de conserver à ma chevelure brune sa santé et sa couleur naturelle sans rien devoir aux teintures. Je savais que l'empereur ne s'attarderait pas. Aussi, tout en mangeant, je discutais avec lui des nominations. Il avait déjà supprimé la vente des charges pour les attribuer aux plus méritants. Encore fallait-il les déceler au milieu de la foule des candidats.

Je commençais par faire dresser par mes astrologues l'horoscope des plus aptes. Un homme était-il sous le signe de Jupiter ou de Vénus, j'étais encline à accepter sa candidature. Saturne et Mars, je l'excluais. Le Soleil, je le considérais comme une possibilité, mais sous réserve. Quant à la Lune et à Mercure, je m'en méfiais, car les natifs de ces signes sont connus pour leur humeur changeante. En réalité, les astres n'étaient que mes subordonnés les plus fidèles. Sous leurs décisions, considérées comme sans appel, je me fiais exclusivement à mon instinct. Je savais que j'avais l'œil pour dénicher sous les apparences les plus effacées l'esprit le plus remarquable, le caractère le plus intègre, l'énergie la plus capable, et je me vante d'avoir su « inventer » des personnages qui resteront autant d'ornements du règne.

En premier lieu, Narsès. L'empereur avait Bélisaire, j'aurais Narsès. Son coup d'œil, son autorité et son dévouement pendant la révolte Nika m'avaient définitivement conquise. Je demandai à Justinien de lui accorder le rang de général en chef, remettant à plus tard de lui trouver une affectation digne de ses talents. Justinien me l'accorda avec empressement, puis se rembrunit. La situation, me confiat-il, le préoccupait. Le préfet de la ville qui avait succédé à Jean de Cappadoce à la tête du gouvernement se montrait incapable de tirer l'État d'une situation financière naguère précaire et que la révolte Nika avait rendue catastrophique. Prise de court, je proposai plusieurs candidats pour le remplacer que l'empereur rejeta avec les meilleures raisons. Lui-même avança les noms de plusieurs personnalités qui n'auraient en rien convenu, à tel point que je me demandais où il voulait en venir. Je le regardai longuement, assis en face de moi. Il émanait de lui la simplicité, la bienveillance, le désir d'aller aux autres. Malgré la cinquantaine sonnée, il gardait le teint frais, la silhouette élégante et la taille fine. Sa voix douce, la grâce de son abord, son sourire timide, une sorte de distraction lui donnaient un charme naturel qui m'enveloppait, qui m'endormait.

— Il y aurait bien quelqu'un... mais..., murmura-t-il.

Je réalisai enfin ce qu'il voulait, mais je fis l'innocente :

— Et qui donc, César ?

— Le seul capable de sortir l'État de l'ornière, Jean de Cappadoce.

— Fais ce que tu souhaites, César, me contentai-je de dire.

Il avait, comme toujours, bien choisi son moment, car ayant obtenu la promotion de Narsès il m'était difficile de protester contre le retour du ministre. Justinien sortit de sa manche un décret qu'il avait déjà préparé à cet effet, et me pria d'en prendre connaissance. Il n'y avait pas ménagé les fleurs à son ancien favori :

Nous le remercions pour avoir pris notre bien tant à cœur et nous plaçons notre confiance aveugle en notre dévoué et précieux serviteur.

Rien ne me convenait dans ce décret et cependant je le rendis sans commentaires. Mon adversaire se trouvait de nouveau en selle et bien plus solidement qu'auparavant.

Je calculai mal mon prochain coup et j'échouai à propos de mon beau-frère Sitas. Il venait de donner à ma sœur Comito une fille prénommée Sophie, et je voulus lui offrir une province plus prestigieuse et moins dangereuse que l'Arménie ; sans le savoir, j'avais touché aux blessures secrètes que la révolte Nika avait laissées en Justinien. Il reprochait, sans le dire et fort injustement, à Sitas de n'avoir

177

pas été là pour le défendre, et sans le mettre proprement en disgrâce, il le condamna à l'obscurité.

Nika avait imprimé en chacun de nous des cicatrices profondes. Comment aurais-je pu le nier alors que dès le lendemain de la révolte, j'avais reçu Ruderic seule. Ariane, la grande maîtresse de ma Maison, avait protesté contre cette entorse au protocole. Je lui avais opposé les précédents historiques. D'ailleurs, peu m'importait. Je les aurais inventés tant je m'étais attachée au jeune Goth et je lui savais gré du courage qu'il avait su m'insuffler au moment où celui-ci me fuyait. Du moins, c'était ce que je voulais croire. Des remerciements, rapidement, j'en vins aux confidences car il les inspirait. Puis, pour percer l'armure de Ruderic, je le fis parler de lui. Il se rappelait à peine son Italie natale et ses frères de race, car il avait été envoyé dès l'âge de cinq ans à Constantinople. Il ne regrettait ni sa famille, ni sa patrie. Il était heureux ici. Il avait certainement une fiancée, insinuai-je. Beaucoup, avoua-t-il en riant. Je lui avais ordonné de s'asseoir sur les marches de mon trône d'ivoire. Il avait retiré son casque et regardait droit devant lui. Sa tête, sa nuque m'attiraient comme un aimant, je risquai une main légère sur ses cheveux. Je le sentis se raidir mais il ne bougea pas. Je ne cherchai pas à savoir si cette soumission était la réponse à l'invite d'une femme ou le respect dû à l'impératrice.

Nous étions demeurés un long moment immobiles, silencieux, alors que mon âme chavirait. Mon esprit ne me gouvernait plus. Une nature impérieuse, enfouie au plus profond de moi-même, resurgissait. Enfin je m'étais reprise et lui avais signifié de se retirer. Tenant pourtant à le revoir, je l'avais nommé curopalate, c'est-à-dire chargé de l'administration du palais, poste prestigieux et recherché. Les Barbares étaient peu populaires à la Cour où les conservateurs nous accusaient de trop les flatter ; d'autre part, Ruderic était trop jeune pour cette promotion. Cependant, l'empereur avait fait la sourde oreille à toutes les pressions, et exaucé ma requête. Ruderic avait désormais le droit d'entrer au gynécée à toute heure du jour et de la nuit. J'avais escompté que sa présence m'apporterait un apaisement. Quotidiennement, je l'avais sous les yeux, j'entendais sa voix, je suivais ses mouvements, je croisais son regard. Le nommer dans ma Maison avait été une erreur et la raison commandait de l'éloigner au plus vite. Dès que je le voyais, mes résolutions faiblissaient. Je m'abusai sur une prétendue affection maternelle. Hélas, j'étais trop entière pour les faux-fuyants et ne pouvant plus me passer de sa présence, je l'exigeais en toutes circonstances. Avec une réserve dont je ne savais pas si je devais l'attribuer à la déférence, il se pliait à mes caprices.

Bientôt la situation en Afrique devint préoccupante. Le roi pro-byzantin des Vandales qui régnait sur cette partie du monde avait été renversé. A sa place, guerriers et nobles vandales avaient élu un jeune chef, Gélimer, qui, tout de suite, se déclara notre irréconciliable ennemi. Ses qualités mêmes en firent aussitôt un danger pressant pour nous. Sans attendre, l'empereur décida d'envoyer nos armées sous le commandement de Bélisaire.

La veille de son départ, j'assistai au baptême de son protégé, un jeune Goth qui avait décidé d'abandonner l'hérésie et auquel Antonina et lui servirent de parrain et de marraine. Pendant la cérémonie, je me divertis fort à intercepter les regards lancés par Antonina au catéchumène — qui n'étaient pas du tout ceux d'une marraine envers son filleul —, inconsciente de ceux que j'adressais à Ruderic.

Après la cérémonie, j'avais reçu, seule à seule, Antonina. Je ne l'avais pas mariée au plus beau parti de l'empire uniquement pour lui faire plaisir, et elle le comprit fort bien. Elle me décrivit son bonheur conjugal. A l'entendre, elle vivait avec Bélisaire son paradis sur terre, cette félicité ayant été couronnée par la naissance d'une fille, Ioanna, et tout cela elle me le devait. Elle n'aurait pas assez d'une vie entière

179

pour me prouver sa reconnaissance. Je n'avais qu'à ordonner, elle était mon esclave, mon instrument. Je la priai simplement de me donner des nouvelles, car elle devait accompagner son mari en Afrique :

— Tu pourrais m'écrire des lettres, racontant la campagne d'une façon personnelle, peut-être indiscrète, en tout cas différente des rapports officiels.

Elle fut rapide à percevoir que je lui demandais pour prix de son mariage, d'espionner pour mon compte. A son habitude, elle voulut faire du zèle. Elle me promit de noter toutes les erreurs du généralissime. Je protestai : « Je ne te dis pas de dénoncer ce mari que tu affirmes tant aimer. Note simplement ce que tu vois. »

Le lendemain, la flotte en partance pour l'Afrique défila. Traditionnellement, l'impératrice n'assistait pas au départ. Aussi, n'étais-je pas avec la Cour et le gouvernement sur les remparts, mais en retrait sur les terrasses du palais de Daphné. L'empereur accompagnait le patriarche Anthimus qui bénissait nos cinq cents navires, transportant seize mille soldats et trente mille marins. C'était la plus grande expédition qu'on eût jamais vue. Un soleil joyeux dorait une forêt de voiles de toutes tailles et un vent puissant faisait flotter les longues bannières de couleurs brodées à l'effigie de la Vierge et des saints. Ce splendide spectacle me laissait indifférente et j'étais surtout sensible à la présence à quelques pas de moi de Ruderic. Les courtisans, habitués à enregistrer les plus imperceptibles signes, devaient bien s'amuser de mes regards dérobés. Je ne pouvais plus me dissimuler mon attachement. D'autant plus que je prenais un plaisir grandissant à lui raconter la politique, à lui en dévoiler les dessous et les à-côtés. Il avait le don de s'intéresser à tout et l'apprentissage d'un tel élève constituait une enrichissante expérience. Ce néophyte voyait les choses sous un angle inattendu, et ses réflexions, toujours pertinentes et personnelles, me divertissaient infiniment. Vu à travers lui et avec lui, le pouvoir me semblait plus léger et ses intrigues, de sordides, devenaient divertissantes. La campagne d'Afrique le passionna.

Le début en fut brillant. Notre flotte, échappant aux guetteurs ennemis postés sur chaque île de la Méditerranée, passait entre les mailles de la flotte vandale envoyée l'arrêter, et opérait un débarquement surprise qui prit de court Gélimer. Au cours d'une première grande bataille, nos troupes lui infligèrent une défaite écrasante et bientôt entrèrent triomphalement à Carthage. Gélimer se cacha dans les environs et eut l'idée d'offrir aux habitants de la région un sou par tête de soldat byzantin. L'idée coûta cher aux imprudents qui s'aventuraient hors les murs : les pyramides de têtes montaient chaque jour plus haut vers le ciel. Fidèle à sa promesse, Antonina m'écrivait souvent. Passant rapidement sur les questions militaires, elle se plaignait de tout. La chaleur l'étouffait, les tempêtes de sable la faisaient tousser, les moustiques s'acharnaient sur elle, petits maux que je connaissais bien. Je lisais entre les lignes la satisfaction de cette fille des rues de se glisser dans les draps d'un roi, quoiqu'elle jugeât le palais abandonné par Gélimer dépourvu de tout confort. Carthage n'était pas Byzance, les produits du marché étaient de qualité très inférieure et les vins locaux tellement imbuvables qu'elle acheminait les siens depuis Constantinople. Quant à Bélisaire, elle ne le voyait pratiquement jamais et lorsqu'il venait la trouver, c'était pour grogner ou s'endormir aussitôt sans même remarquer ses efforts.

Grâce à sa servante, soudoyée par Arsénius pour espionner mon espionne, je complétais mes informations.

Bélisaire et Antonina avaient emmené dans leurs bagages leur tout nouveau filleul Théodose, engagé sous les bannières de l'empire. Sur le navire amiral qui la transportait en Afrique, Antonina s'était considérablement ennuyée, et la longueur du voyage aidant, son intérêt pour Théodose n'avait cessé de s'intensifier au point que, dès avant le débarquement, il était devenu son amant. Discrète au début, les excès de sa passion rendirent sa liaison publique. Bientôt, il n'y eut plus dans l'armée que Bélisaire à ne rien voir. Cependant, l'inévitable se produisit à Carthage, dans le palais réquisitionné de Gélimer. Comme dans les comédies que je mimais dans mon adolescence, le mari, un jour, entra sans frapper chez sa femme et la surprit dans les bras de son amant. Naturellement, il entra dans une rage violente, ce qui ne démonta pas Antonina. Elle lui soutint que Théodose et elle s'apprêtaient tout simplement à descendre à la cave certains objets précieux pris dans le butin afin qu'ils ne tombent pas aux mains de l'empereur. Le fabuleux fut que Bélisaire la crut. Le fils du premier mariage d'Antonina, Photius, s'en mêla et voulut ouvrir les yeux de son beau-père. Bélisaire préféra croire l'incroyable, c'est-à-dire son épouse. Elle n'était cependant pas au bout de ses émotions.

Une de ses femmes qu'elle avait renvoyée vint trouver Bélisaire et lui révéla tout, faisant confirmer ses dires par deux esclaves attachés à son service. Antonina convainquit son mari qu'elle était l'innocente victime d'une odieuse conspiration. Cependant, pour mettre un terme à ces infâmes attaques, la servante et les deux esclaves furent coupés en morceaux, les morceaux mis dans des sacs et les sacs jetés dans la mer... car pour garder son Théodose, Antonina ne reculait devant rien. Ruderic goûtait autant que moi ces aventures grivoises.

Hélas ! les mauvaises nouvelles d'Afrique interrompirent ces divertissements. Comme l'empereur l'avait prévu, le roi Gélimer était loin d'être anéanti. Nos lignes de communication demeuraient dangereusement fragiles. Les remparts de Carthage tombaient en ruine. La population, qui au fond nous détestait, préférait les Vandales. Les agents de Gélimer, infiltrés partout, s'affairaient à corrompre nos régiments de mercenaires. Dans le reste du pays, Gélimer harcelait nos troupes. Désertions et découragement régnaient dans le camp de l'empire. Bien qu'il n'en manifestât rien, l'incertitude rongeait l'empereur. Un échec signifierait l'abandon de tout espoir de récupérer non seulement l'Afrique mais toutes les provinces perdues qu'il s'était juré à son avènement de reprendre, et cet échec n'était pas impossible.

La lenteur que mettaient les nouvelles à arriver augmentait son anxiété. En effet, les courriers devaient aller par mer jusqu'à un port du Péloponnèse, puis par terre jusqu'à Constantinople. Ce silence venu d'Afrique mettait mes nerfs à fleur de peau. Enfin, un jour de novembre 533 arriva la merveilleuse nouvelle. Nos armées, lasses d'être harcelées, avaient décidé de prendre l'initiative et d'affronter Gélimer. Au dernier moment, nos mercenaires nous restèrent fidèles et en quelques heures, les troupes vandales furent bousculées, repoussées, renversées, taillées en pièces. Gélimer, presque seul, échappa au massacre. Depuis, il se terrait. Le royaume vandale d'Afrique avait vécu.

Ma fierté, mon allégresse se mêlèrent à une profonde admiration pour le roi vaincu. Fugitif, sans couronne, sans armée, sans partisans, Gélimer composait des poèmes latins sur ses malheurs. Et lorsque, n'ayant plus d'autre issue, il négocia sa reddition, il ne réclama que trois choses : une lyre pour accompagner son chant funèbre, une éponge pour sécher ses pleurs, et un morceau de pain, conditions qui, bien entendu, lui furent accordées.

Avec la grandeur d'âme d'un de leurs chefs, je découvrais la vaillance, l'honnêteté et la fierté de ces Barbares que je regrettais d'avoir si longtemps méconnus et que je laissais « les médiocres » mépriser... les Barbares auxquels appartenait Ruderic.

Pour célébrer notre victoire, nous rétablîmes la coutume tombée en désuétude du triomphe à la romaine. Spectacle que les yeux de ma mémoire ont toujours précieusement gardé. L'empereur chevauchait un pur-sang arabe entièrement blanc. Son armure scintillait, les troupes étincelaient, les gardes portaient leurs cuirasses et leurs lances dorées et au centre de leurs boucliers était peint un œil entouré d'un cercle d'or. Les cubiculaires les suivaient avec les protospataires — les eunuques militaires —, les sénateurs drapés dans leurs tuniques d'or, les fonctionnaires civils en blanc et rouge. Une longue théorie de nobles vandales prisonniers exhibaient bien à contrecœur leur imposante stature et leur virilité. Des dromadaires blancs, quatre par quatre, portaient le trésor pris aux vaincus. La fortune d'une nation était déployée, les riches armures, les trônes d'or, le char d'État utilisé par les rois vandales, le splendide mobilier des banquets royaux, les pierres précieuses, les statues, les vases, les coffres pleins à ras bord de pièces d'or.

En signe de réjouissance, les gens du peuple arboraient des colliers de fleurs autour du cou ou des bouquets à la main. Des lignes sombres, peintes sur le sol, maintenaient la foule à distance respectueuse. Des centaines d'enfants jetaient de la myrrhe et du romarin. Les Verts et les Bleus, portant un bonnet de velours noir et parés de chaînes de roses, agitaient des mouchoirs brodés et lançaient d'une seule voix les souhaits rituels, car ainsi que le dit le proverbe : « Plus nombreuses que les étoiles au ciel sont les acclamations à Byzance. »

Le préfet de la cité tendit deux guirlandes, l'une d'or et l'autre de laurier vert, à l'empereur qui y passa son bras. Il atteignit l'Augusteum et s'arrêta en face de la grande statue à quatre faces de Janus, dieu de la guerre mais aussi dieu de la paix. Il descendit de cheval. Devant lui, la basilique Sainte-Sophie laissait s'écouler par ses cinq portes le clergé revêtu des dalmatiques de toutes les couleurs.

L'empereur pénétra dans la basilique, s'agenouilla et pria, puis ses eunuques changèrent son casque pour une couronne. Ils lui passèrent la chlamyde d'or et les chaussons pourpres, symbole de son pouvoir spirituel. Il gravit les marches conduisant à la croix d'or et la prit dans sa main. Alors, le seigneur de la guerre redevint une image du Christ. Allumant un cierge, il représentait sa fonction de lumière du monde et à ce signal, des centaines de milliers de bougies s'allumèrent dans les rues, à chaque fenêtre, dans chaque église.

De la basilique, l'empereur se rendit à l'hippodrome. L'hymne de la victoire entonné par les chorales glorifia son apparition : « Salut, empereur et roi, délice de l'univers que la Trinité Sainte a conduit à la victoire, incomparable commandant, gardien du monde. »

Lorsque l'empereur eut pris place sur le double trône de porphyre où je l'attendais, les généraux, les chefs arcomtes de la flotte lui amenèrent les prisonniers vandales les plus considérables et les jetèrent au pied de la croix que Justinien tenait dans la main droite. Le pronotaire leur courba la tête jusqu'à ce que leurs lèvres touchent le chausson impérial. Ensuite, Gélimer s'avança lentement vers nous. Il était très grand, beaucoup plus grand que n'importe lequel de ses compatriotes. Il respirait la fierté et l'autorité. Drapé dans une robe pourpre, il gardait la majesté d'un roi. Il était même probablement plus royal en cet instant qu'il ne l'avait jamais été. Pas un pleur ne s'échappa de ses yeux, pas une plainte ne glissa de ses lèvres. Sa sérénité, sa piété trouvaient peut-être leur source dans quelque secrète consolation, car je l'entendis distinctement murmurer les paroles de Salomon : « Vanité, vanité, tout est vanité... » Dans une mise en scène volontairement agressive, nos dignitaires arrachèrent son manteau de pourpre à l'ancien roi des Vandales et le forcèrent à s'incliner devant le trône...

A ce moment précis, les solistes des chorales impériales élevèrent la voix : « Qui est plus grand Dieu que notre Dieu, ce Dieu qui fait des miracles, nos ennemis ont été rejetés par le jugement de notre seigneur... »

Les prisonniers, toujours prosternés, furent enfin autorisés à se relever. Alors soudain, dans l'ouragan sonore des orgues d'argent, le peuple entier, les gardes, les officiels, les généraux, les arcomtes, d'une seule voix entonnèrent : « Salut à toi, Basileus, roi, empereur, le toujours victorieux, bien-aimé de Dieu, le guidé par Dieu, le protégé par Dieu. Longue vie à toi dont le bras soutient la balance du monde... »

Si fortes étaient les acclamations, si sincères, si joyeuses, qu'elles furent entendues tout là-bas, de l'autre côté du Bosphore, sur la rive asiatique. Et ainsi qu'il est écrit dans le Livre des Anges : « Ils chantent, ils appellent, ils glorifient, ils parlent de la grandeur de notre seigneur. »

L'empereur, fidèle à sa nature, déploya la plus admirable clémence. Au lieu d'imiter tant de ses prédécesseurs qui eussent envoyé leur adversaire dans les fers ou à la mort, il accorda à Gélimer la liberté, les honneurs souverains et des terres considérables en Galaxie où il mènerait une existence comblée.

Au gynécée, j'accueillis Antonina comme une triompha-phatrice ainsi qu'il se devait. Je lui annonçai gracieusement que je comptais obtenir de Bélisaire qu'il nommât le jeune Théodose, son filleul, chambellan de son épouse. Je voulais lui signifier que je connaissais sa liaison et que j'étais décidée à la protéger. Elle était déjà mon esclave zélée, désormais elle fut mon exécutante enthousiaste.

Je reçus ensuite, à leur demande, une délégation des Juifs de la capitale. Ils se présentèrent tout de noir vêtus, conduits par un très vieux rabbin qui parla en leur nom. Parmi le butin rapporté de Carthage par nos armées, se trouvait le bien le plus sacré, le plus vénérable de leur race, le trésor du Temple qui devait revenir à Jérusalem.

— Nous, Majesté, sommes les plus humbles d'entre les plus humbles sujets de l'empire, nous ne comptons pas. Mais maudit celui qui touche au trésor de Salomon, maudit celui qui met la main sur le chandelier à sept branches, maudit celui qui ne le rendrait pas au peuple d'Israël.

Et de me citer tous les voleurs célèbres auxquels ce butin avait porté malheur, Gélimer qui avait perdu son royaume étant le dernier d'une longue liste. « J'ai obtenu de l'empereur qu'il leur donne satisfaction, racontai-je à Ruderic, il ne faut jamais avoir les Juifs contre soi. »

Perfidement, j'opposai la générosité de Justinien à la cupidité de Bélisaire qui avait gardé son immense butin, dont d'ailleurs une partie aurait dû revenir à la Couronne.

Ruderic, avec son franc-parler qui avait souvent quelque chose de rafraîchissant, me fit observer que Bélisaire était tout de même le vainqueur de l'Afrique. Je ne voulus pas me fâcher avec cet ignorant :

— Seul l'empereur a trouvé les fonds inépuisables destinés à cette expédition, seul l'empereur est l'auteur de notre victoire.

— En ce cas, c'est donc lui qui a ordonné les massacres.

— Quels massacres ?

J'avais bondi hors de mon siège et je m'étais précipitée sur lui comme pour lui griffer le visage.

— Quels massacres ? répondit-il avec un calme teinté d'une ironie douloureuse. Ignores-tu donc, Gloire de la Pourpre, que nos soldats ont abattu sans discernement tous les prisonniers vandales ainsi que des Berbères autochtones avec leurs femmes, leurs enfants ? Ils tuaient, tuaient, ils ne pouvaient s'arrêter de tuer comme s'ils cherchaient à exterminer une race entière. Il fut aussi difficile de compter les morts que des grains de sable, et si terribles ont été les destructions que le voyageur ne traverse plus qu'un désert là où prospéraient de riches provinces abondamment peuplées.

J'étais d'autant plus horrifiée que Ruderic parlait sans reproche ni passion, uniquement pour m'informer. Seule l'inspirait la sympathie spontanée d'un fils de ces Goths, que l'empire combattait, pour les Vandales que l'empire avait vaincus.

— Qui ? Mais qui donc, réussis-je à articuler, qui a ordonné cette abomination ?

Ruderic me regarda droit dans les yeux et ne répondit pas. L'empereur, j'en étais persuadée, l'ignorait tout autant que moi. Bélisaire, je devais le reconnaître, n'aurait jamais commis une telle bêtise. La responsabilité devait immanquablement en incomber à quelque obscur général. De toute façon, son nom importait peu. La responsabilité de ces centaines de milliers de cadavres retombait sur Justinien, sur moi.

Je découvrais qu'on nous cachait la réalité, alors que je m'enorgueillissais du contraire. Nous croyions tout diriger, tout manipuler et en fait nous n'étions que des apprentis sorciers. Pourquoi passer notre temps à surveiller, à contrôler, à donner des instructions, à écouter des rapports puisque nous ne dominions pas les situations ? Pourquoi avoir renoncé à vivre pour régner, puisque nous régnions sur une illusion ?

En cette fin de matinée, j'étais dans ma chambre, où personne n'était autorisé à me déranger, seule avec Ruderic, et il me voyait pour la première fois déchirée. J'avais besoin de me confier. Lentement remontaient de vieux regrets.

— L'expérience de ma jeunesse m'a arraché tout sentimentalisme, tout idéalisme. Plus tard, l'ambition a étouffé tout bonheur. Désormais, je suis constamment en représentation... Vie d'apparat, vie glacée. Derrière la façade scintillante, la machine que je suis devenue a dévoré en moi l'être humain. Je ne suis plus une femme.

Ruderic m'interrompit pour protester et vanter ma beauté. Beauté peut-être, mais artificielle et fabriquée, rétorquai-je. Il m'arrivait de susciter l'admiration, mais j'étais un corps stérile et sec. Je m'attendris sur moi-même, des larmes me vinrent aux yeux que je voulus cacher à Ruderic et je me détournai de lui. Il s'approcha derrière moi, mit ses mains sur mes épaules. Il me fit pivoter et m'embrassa sur la bouche...

Chapitre 12

Comment le jeune Barbare pénétra-t-il dans la chambre de l'impératrice sans être remarqué par un des innombrables gardes censés la protéger ? Qu'il me suffise de dire que la nuit même, il devint mon amant. Pour la première fois, je bénis Justinien d'avoir pris la décision, qui m'avait tant coûté alors, de faire chambre à part.

Nuit après nuit, le jeune guerrier blond vint me retrouver. Tout le jour j'attendais que le soleil se cache, que le palais s'assoupisse, pour renaître. Je fus assez insensée pour être heureuse. Les années s'estompaient, la pourpre impériale perdait son éclat. Semblable à n'importe quelle parcelle humaine de mon empire, je cédai à l'absurde désir de vivre au moins une fois. Je voulais croire que le secret resterait bien gardé, mais je n'ignorais cependant pas que cette liaison mettait en danger l'œuvre d'une vie entière, le but auquel j'avais consacré tous mes efforts et tous mes sacrifices. Il y avait eu dans le passé des impératrices prises en flagrant délit d'adultère et répudiées. Je m'en voulais de mon imprudence, ma propre faiblesse m'humiliait, et pourtant je portais mon amour comme un diadème invisible et bien plus beau que tous ceux dont je me parais quotidiennement.

Je tâchai, vis-à-vis de Ruderic, de garder le contrôle de moi-même pour ne pas le rebuter par la violence de ma passion. Je voulais toujours plus. Quoi ? Je ne le savais pas.

Malgré les heures extatiques et les éclairs de bonheur, cette liaison avait pour moi une résonance douloureuse, au point que je me prenais souvent à pleurer sans raisons précises. Une inquiétude vague mais tenace me poussa à convoquer Photini, la vieille sorcière, pour qu'elle me parle de mon amant. « Méfie-toi d'une femme, telle fut sa prédiction. Une femme grande et belle, une étrangère, qui porte un diadème. » Je n'avais pas la moindre idée de qui il pouvait s'agir et m'en désintéressai. Je haussai les épaules. Seul Ruderic et notre avenir m'importaient.

Ma sœur me connaissait depuis trop longtemps pour ignorer ce qui pouvait me passer par la tête et elle serait la dernière à me condamner. Cependant, depuis plusieurs jours, je la voyais préoccupée. Je l'évitai, car je la croyais avide de confidences. Elle réussit pourtant à me trouver seule un après-midi après le déjeuner, alors que je m'apprêtais à faire la sieste. Pour la première fois, elle parut intimidée en ma présence et hésita avant de se jeter à l'eau :

— Des rumeurs circulent sur toi, Despina. Je refuse d'y croire.

— N'y crois pas, alors... A quel sujet ces rumeurs ?

— Un de tes curopalates, un jeune Barbare, aurait osé lever les yeux sur la Perle de l'Empire.

— Cesse de baragouiner comme les courtisans. Tu sais que c'est vrai. Qui en parle ?

— Tout le monde, au gynécée, à la Cour. Le palais entier bruit de potins.

— Je te remercie de ta sollicitude. Te préoccupes-tu de moi ou de ton sort au cas où mon inconduite m'écarterait du trône ?

J'avais toujours aimé « moucher » mon aînée...

Je savais par expérience qu'il était impossible de cacher quoi que ce soit dans un palais, mais je croyais avoir pris toutes les précautions. Depuis que je passais mes nuits avec Ruderic, je le voyais le moins possible le jour et j'affectais en public de lui prêter à peine attention. L'imprudence n'était plus de mise. Les amours secrètes sont toujours évidentes pour les observateurs.

— Qui est à l'origine de ces rumeurs ? Je veux le savoir.

Comito, baissant la tête, murmura le nom d'Ariane, ravie de la mettre en cause car elle la détestait.

— Ariane, m'exclamai-je, c'est impossible ! Tu inventes.

— Un matin à l'aube, elle a aperçu le jeune Barbare qui sortait de ta chambre.

Que faisait-elle à cette heure dans mes appartements ? Ariane était capable de tout inventer pour alimenter sa méchanceté. Je voulais cependant en avoir le cœur net. Avec elle, je savais qu'il fallait aller droit au but.

— Tu m'espionnes ? l'apostrophai-je.

Elle me dévisagea, dressée sur sa petite taille, le regard insolent et les bras croisés. Croyait-elle que le fait d'avoir découvert ma faute lui donnait l'impunité ?

— Il y en a qui ont disparu sans traces pour bien moins, lui précisai-je.

Je vis la peur dans ses yeux. Elle fanfaronna pour se protéger et lâcha l'aveu qu'elle dut aussitôt regretter :

— Vous ne pouvez pas me toucher. J'ai de puissants protecteurs.

Plus puissant que l'impératrice, un seul personnage l'était dans tout l'empire, l'empereur. Ainsi Justinien l'avait chargée de m'espionner. Probablement bien avant mes écarts avec Ruderic, et même certainement depuis le jour où je l'avais engagée pour m'apprendre les bonnes manières. C'était bien dans les méthodes de mon mari de ne rien laisser au hasard. Mieux valait empêcher Ariane d'envenimer les choses, ce qui constituait son occupation préférée. Je voulus l'amadouer en lui demandant de conseiller son ancienne élève. Elle ne s'adoucit pas et me répondit :

— Une impératrice n'a pas de sigisbée.

Cette ultime sottise ne me trompa pas. Elle prenait parti contre moi. J'accueillis son stupide avis avec la déférence due au professeur qui m'avait tout appris, car j'avais besoin d'endormir sa méfiance.

Elle avait néanmoins eu l'avantage de m'éveiller d'un songe. Je me rendis brusquement et pleinement compte de mon inconduite et de ses implications. Je pensai à Justinien que l'amour avait banni de mon cœur.

Chaque matin, je tenais conseil avec les chefs de mes services. Le grand chambellan me lisait la liste de mes audiences. Le chef goûteur me proposait les menus de la journée. Avec Ariane, ma grande maîtresse, je discutais des tenues que j'endosserais. Le protovestiaire sollicitait ma décision sur des problèmes domestiques. Quant au curopalate Ruderic, représentant l'administration du palais, il me remettait quotidiennement les comptes du gynécée.

Ayant soigneusement composé ma scène, j'examinai les colonnes des chiffres qu'il avait rédigées et je les critiquai. Les dépenses de la bouche n'étaient pas assez distinctes des dépenses de la garde-robe. Puis, je jetai ses tablettes si fort qu'elles se rompirent. Je criai que ces comptes étaient mal tenus. Je simulai parfaitement une rage croissante. Je m'emportai contre les subordonnés incapables. Je n'aurais eu aucune gêne à insulter en public Ruderic, s'il avait été assez subtil pour entrer dans mon jeu. Mais il avait rougi, il suait à grosses gouttes. Je voyais sur son visage l'étonnement, l'incrédulité, la colère, la tristesse. Finalement, il se leva brusquement et quitta la pièce, défiant le protocole. Je m'adressai à mon grand chambellan :

— Vous lui infligerez un blâme... Reprenons.

Sa fière attitude m'avait embarrassée plus qu'elle ne m'avait touchée. J'attendis pourtant avec impatience le moment de lui expliquer la mienne. Je mis d'autant plus de temps à panser sa blessure qu'il réprouvait les stratagèmes du genre de celui dont il avait été victime.

Un soir, Indaro surgit comme une folle pour réclamer justice. On venait de ramener chez lui son amant, un richissime marchand. Il avait été torturé à mort. Pas un carré de son corps n'était intact, me raconta-t-elle, à tel point que le pauvre homme ressemblait à ces moutons écorchés tendus à l'étal des bouchers à la veille de Pâques. Elle accusait le ministre Jean de Cappadoce de cet acte de barbarie. En effet, pour entasser toujours plus d'argent dans ses coffres, afin de satisfaire son inextinguible cupidité, il mettait à sac les villes, il sacrifiait les vies humaines sans pitié, sans remords. Il avait installé dans son palais des salles de tortures perfectionnées et avait inventé lui-même des instruments de souffrance. Ceux qui tâchaient de lui cacher leurs biens apprenaient dans cet antre sinistre de quoi il était capable. Les Constantinopolitains murmuraient que l'on sortait de la préfecture sans argent ou sans vie. C'était la deuxième option qu'avait choisie l'amant d'Indaro. Convoqué par Jean de Cappadoce, qui connaissait probablement le montant de sa fortune, il avait très certainement refusé de la lui céder...

Il me fallait d'abord consoler ma seule amie. Je savais que depuis longtemps elle songeait à prendre époux et qu'elle avait compté sur son amant, mais la connaissant, je la soupçonnais d'avoir à tout hasard un autre candidat en tête, dont il ne me fut pas difficile de lui extorquer le nom. Il s'agissait de Saturnius, un homme d'affaires, lui aussi infiniment riche et fils de magistrat. Seulement, ajouta timidement Indaro, il se trouvait déjà fiancé à une de ses cousines. Qu'à cela ne tienne, nous n'avions qu'à rompre ses fiançailles, ce qui fut fait. Le mariage suivit de peu, permettant à Indaro d'acquérir la respectabilité à laquelle elle aspirait. Saturnius, après sa nuit de noces, raconta à qui voulut l'entendre les écarts passés de sa jeune épousée. Aussi ordonnai-je de le fouetter pour lui apprendre le respect dû au sexe faible.

Restait Jean de Cappadoce. Je ne pouvais pas laisser le crime impuni, surtout quand la victime était quelqu'un qui me touchait, même indirectement. Si je réclamais son châtiment à l'empereur, il me le refuserait presque certainement et ma liaison me mettait en position de faiblesse. Je devais donc composer, chose dont j'ai le plus horreur, et me contenter de menacer le favori.

Je choisis le moment où nous sortions de Sainte-Irène, la grande église du palais, après le service dominical. Je descendis de la tribune qui m'était réservée et je rejoignis l'empereur dans la cour. Il s'écoulait, avant que le cortège ne se formât, quelque temps dont nous profitions pour parler à l'un ou à l'autre. Je m'approchai du ministre, plus adipeux et blafard que jamais, ressemblant à un énorme eunuque, bien qu'on lui attribuât une multitude de succès aussi bien masculins que féminins. Je tenais à l'avertir une dernière fois : s'il se retrouvait sur mon chemin, il le regretterait toujours. Ma vengeance l'atteindrait, où qu'il se trouvât et sous quelque protection qu'il s'abritât. Alors, il osa. Il me prit le bras. La puanteur d'alcool que dégageait sa bouche me suffoqua presque :

— Tu es trop belle, impératrice, pour être méchante. Donne-moi, à moi aussi, ma chance.

Je me dégageai, il me donna une tape sur le derrière comme à une fille. Heureusement, l'incident fut si rapide que peu de courtisans le remarquèrent. Je fixai ostensiblement Justinien, ne doutant pas qu'il fît arrêter incontinent, emprisonner et exécuter l'insolent. Il me regarda comme si j'étais transparente, puis se tourna vers le grand maître de la Cour et lui parla des détails de l'organisation d'une cérémonie. L'empereur n'avait pas voulu sévir. Le scandale était trop grand et tous préférèrent n'avoir rien entendu. Je me résolus bien contre mon gré à les imiter. Jean de Cappadoce avait osé l'impensable contre moi et en public. Justinien l'avait laissé faire. Il fallait pour cela qu'il y ait bien plus que ma liaison avec Ruderic, mais quoi ?

Revenue au gynécée, je prescrivis à Arsénius d'apprendre exactement ce qui se tramait dans le secret du cabinet de travail impérial ; l'empereur, en me faisant espionner par

Ariane, me montrait le chemin à suivre. A charge pour Arsénius de mettre le plus rapidement possible ses agents en place.

— Majesté, j'ai déjà eu l'occasion de gagner quelques proches de l'empereur. Je savais qu'un jour vous en auriez besoin.

Arsénius poussait le génie de l'intrigue jusqu'à prévoir mes dispositions. Grâce à quoi il ne tarda pas à confirmer mon intuition. Une femme était au cœur de l'intrigue.

D'Italie, la reine des Goths, Amalasunthe, écartée du pouvoir et craignant pour sa vie, avait annoncé son arrivée à Constantinople où elle venait demander à l'empereur de la remettre sur le trône. Contre cet appui, elle devait se proclamer la vassale de l'empire. La soumission des Goths et la réintégration de l'Italie dans l'empire constitueraient sa dot car il était question de la marier... à Justinien. Arsénius ignorait d'où venait ce projet. Par contre, il m'affirma que Jean de Cappadoce l'encourageait tant et plus. L'empereur avait été jusqu'à l'évoquer devant son cousin Germanus et Passara annonçait à ses intimes ma répudiation imminente. Photini la sorcière avait vu juste en me mettant en garde contre « l'étrangère portant diadème »...

Je sentis comme un coup de poignard et c'était Justinien qui me le plantait dans le dos. Je le trompais, j'aimais un jeune Barbare et je m'étais donnée à lui, mais le compagnon, l'allié, le complice, restait Justinien. Envisageait-il vraiment d'épouser Amalasunthe et de me répudier ? Peu importait. Qu'il ait tendu l'oreille à de pareilles suggestions suffisait. Avant de m'arrêter à la tactique à suivre, il convenait d'analyser le danger sous tous ses aspects et dans toute son ampleur.

Je pensai à cet avocat syrien qui avait été ambassadeur à la Cour des Goths où il était resté plusieurs années. Je fis donc venir Pierre le Patricien et l'interrogeai à plusieurs reprises. Je voulais tout savoir sur la reine des Ostrogoths, sur sa façon d'être, de s'habiller, de vivre, de se maquiller, sur sa vie publique et sa vie privée. D'après le portrait qu'il m'en peignit, Amalasunthe était ambitieuse, audacieuse et avait si peu froid aux yeux que rien ne l'arrêtait. Plus jeune que moi, sa beauté classique se riait des artifices. Elle était cultivée, raffinée d'esprit comme de goût, et à son charme naturel se mêlait une authentique dignité. Enfin, elle était parfaitement consciente d'être la légitime maîtresse d'un opulent royaume et d'appartenir à une prestigieuse lignée... Tout souverain qu'il fût du plus grand empire du monde, l'empereur ressentait âprement la bassesse de son extraction et la jeunesse de sa dynastie. Or voilà que s'offrait à lui la possibilité de s'unir à une reine de vénérable lignage... Cette éventualité, jointe aux qualités d'Amalasunthe, rendait la menace bien plus pressante que je ne l'avais cru.

Je ne pouvais ni hésiter ni perdre de temps, ni même passer encore une nuit avec Ruderic. Je le convoquai au sortir de ma sieste. Le rendez-vous à une heure inhabituelle l'étonna. Lorsqu'il entra, je le sentis sur ses gardes. Pour me donner du courage, je fis appel aux plus vieux artifices du théâtre et je repris au propre comme au figuré ma place sur le trône. D'emblée, je déclarai que ma dignité d'impératrice m'interdisait toute liaison. Aussi, malgré mon amour pour lui, je me voyais dans la déchirante obligation de rompre... Ruderic, involontairement, retrouva l'attitude respectueuse due à la souveraine mais ses lèvres tremblaient et les larmes emplissaient ses yeux. Cependant, il ne voulait pas pleurer, ni se plaindre, ni supplier. Il m'exposa ses griefs sans rage, sans amertume, ainsi qu'on dresserait un constat. Il me reprocha de m'être servie de lui comme d'un jouet et d'avoir bariolé des fortes couleurs de l'amour ce qui n'était en réalité qu'un pâle caprice. Il m'imputa... mais baste ! Il m'est par trop pénible de regrouper les souvenirs épars de cette scène pour la raconter ou répéter le détail des paroles échangées. Qu'il me suffise de dire qu'il trouva contre moi bien des chefs d'accusation sur lesquels je n'étais pas toujours innocente. Malgré tout le mal que je lui faisais, termina-t-il, il garderait toujours ses sentiments pour moi. J'en profitai pour lui arracher deux serments. Le premier — la prudence me le dictait —, je lui fis jurer de garder le silence sur ce qui s'était passé entre nous. Le second — la femme parla —, je lui fis promettre de n'en aimer aucune autre. Il voulut bien me donner ces gages. Bien entendu, il n'était pas question qu'il demeurât à la Cour, en ville. Je n'étais pas sûre de moi-même et je ne voulais pas lui infliger une souffrance inutile. Je le versai à l'armée qu'il n'aurait jamais dû quitter et lui obtins un brevet d'officier. Sur mon intervention, il fut envoyé au-delà des mers, sur le front d'Italie, et affecté à l'état-major de Bélisaire, à l'épouse duquel je le recommandai. Le moment de la séparation était venu. J'aurais voulu m'élancer vers cette vie éclatante, cette jeunesse triomphante, et je dus enfoncer les ongles dans mes paumes pour rester immobile sur le trône. Il exécuta les trois prosternations réglementaires avec une lenteur exagérée, pour me tenter ou pour retenir le temps qui fuyait. Puis, il s'éloigna pour toujours sans que j'aie bougé. J'ordonnai qu'on porte chez lui un plein coffret d'or et de joyaux, comme si ce présent avait pu le consoler, ou apaiser mon remords.

Je m'enfermai trois jours et trois nuits, me prétendant malade ; je refusai de voir quiconque, les courtisans comme l'empereur, et me fis servir par la seule Indaro. Personne ne posa de questions. Les crises de prostration alternèrent avec des heures d'agonie où je pleurais, criais, m'arrachais les cheveux : je m'enlaidissais à plaisir et suais le sang... sans témoins. Ma liaison n'avait duré que de maigres mois, je n'avais connu que quelques nuits d'amour dont ma mémoire enfermait chaque instant. Et pourtant, il me parut insurmontable de me séparer de Ruderic et de le chasser de mon esprit. Il avait été le seul à qui je m'étais confiée, le seul auquel je m'étais livrée.

Avec Justinien, les longues années d'intimité avaient nourri une confiance réciproque. Par ailleurs, nous étions deux forces dressées l'une en face de l'autre, nous restions constamment en compétition. Par contraste, l'élan qui m'avait jetée dans les bras de Ruderic restait entièrement gratuit. J'avais eu à choisir entre la vie et le pouvoir. J'aurais peut-être préféré la première, aussi précaire qu'elle s'annonçât, si je n'avais déjà tant sacrifié au second. Je ne pouvais pas gâcher tout ce que j'avais payé et souffert pour le posséder. Je ne pouvais pas jeter aux orties le cilice que je m'étais imposé pour l'assumer. Enfin, je me devais à l'empire, à l'empereur et je n'avais pas le droit de trahir mon engagement. Renoncer fut cependant atroce. Il me parut brusquement que toutes les lumières s'éteignaient en moi. Je me fermai volontairement à toute sensibilité et peut-être de cette expérience déchirante naquit cette cruauté qu'on devait me reprocher.

Lorsque, le quatrième jour, j'émergeai de ma retraite, les yeux secs, l'esprit froid, les lèvres scellées sur mon secret, je ne m'interrogeais plus sur la nécessité d'avoir brisé le cœur de mon amant et desséché le mien à tout jamais. Des nouvelles d'Italie m'attendaient. La reine Amalasunthe, après avoir fait assassiner ses principaux adversaires, avait repris le pouvoir. Du coup, elle annula sa venue à Constantinople, car elle crut être en mesure de se passer de notre soutien. Elle continua à protester de son amitié, mais il n'était plus question de vassalité, ni de mariage qui en eût été une autre forme.

La menace écartée, je gardai néanmoins rancune à cette femme qui avait envisagé d'épouser Justinien. Elle avait réveillé en moi une louve, prête à déchiqueter quiconque aurait voulu me l'arracher.

Quelques mois plus tard, par un de ces rebondissements dont le royaume d'Italie devenait coutumier, un troisième coup d'État chassait à nouveau la reine Amalasunthe au profit d'un de ses cousins, le roi Théodahad, adversaire déclaré de l'empire. Cette fois-ci, Amalasunthe n'était pas simplement évincée, mais retenue prisonnière et étroitement gardée dans un îlot du lac de Bolsène. L'empereur, immédiatement, décida de protester contre la brutalité commise envers son alliée, et il eut l'inspiration de choisir Pierre le Patricien pour cette épineuse mission auprès du nouveau roi des Goths. Entre-temps, je m'étais informée sur l'avarice et l'ambition de ce dernier, qualités qui ne gâtaient rien, et, la veille de son départ pour l'Italie, je le reçus pour un long entretien seul à seul où il sut comprendre son intérêt.

A peine arrivé à Ravenne, il apprit que, dans sa prison, la reine Amalasunthe était en danger de mort, ses adversaires projetant d'en finir avec elle. Il se précipita au palais de Théodahad. Là, devant toute la Cour des Goths, il intimida leur roi, l'avertissant que s'il survenait quoi que ce soit à l'ancienne souveraine et si elle n'était pas remise sur le trône, l'empereur ferait immédiatement envahir leur royaume. Puis il demanda un entretien privé à Théodahad. Il expliqua que les menaces qu'il venait de proférer n'avaient d'autre but que de donner le change. En fait, le gouvernement impérial se désintéressait d'Amalasunthe, alliée sur laquelle il ne pouvait compter. Pour prouver sa bonne volonté au nouveau roi, avec qui il espérait entretenir d'excellentes relations, il lui abandonnait le sort d'Amalasunthe, il ne ferait rien pour la sauver hormis une protestation publique et ne réagirait pas au cas où elle disparaîtrait brutalement... Pierre le Patricien avait bien appris sa leçon. Bientôt, nous reçûmes un courrier où il nous annonçait que, malgré ses efforts, il avait échoué et que la reine Amalasunthe avait été étranglée dans sa cellule par les parents d'une de ses victimes. L'empereur décréta un deuil de Cour et, le jour même, ordonna au maître des soldats de l'Illyrie d'envahir la Dalmatie des Goths pendant que Bélisaire s'embarquait à la tête d'un corps expéditionnaire chargé de reconquérir sur eux la Sicile. L'Italie allait être prise dans un étau.

Le lendemain, l'empereur, venu déjeuner avec moi, arborait une mine de circonstance, à l'unisson des courtisans

199

vêtus de noir. Mes femmes, avec leurs longs voiles funèbres, semblaient des oiseaux de nuit, en opposition aux eunuques restés en blanc qui, agitant leurs grandes manches, paraissaient des oiseaux de jour. Justinien et moi portions la couleur de deuil impérial, la pourpre sans galons, sans broderies ni aucun autre ornement. Levant les yeux vers les saints et saintes des mosaïques qui le bénissaient, l'empereur déplora la mort d'Amalasunthe, et vanta ses qualités, panégyrique que j'écoutais avec la plus profonde componction. Je lui demandai s'il ne serait pas juste de gratifier celui qui avait tenté de la sauver, Pierre le Patricien. Pour bien montrer aux Goths ce que nous pensions de leur odieux forfait, la récompense devrait être énorme. Je réclamai donc pour lui le poste de maître des offices, c'est-à-dire chef des bureaux du palais et de la Maison impériale, ce que l'empereur m'accorda gracieusement.

Puis, il se mit à épiloguer sur cet « odieux forfait » :

— Il faut concéder aux responsables de la mort de la reine Amalasunthe qu'ils ont exaucé mon vœu secret, car leur crime m'a fourni le casus belli que j'attendais depuis si longtemps. Involontairement, ils ont rendu possible l'invasion de l'Italie qui ramènera cette province dans le giron de l'empire. Aussi ces meurtriers méritaient-ils une reconnaissance éternelle.

Avait-il connu d'avance mes plans et me laissait-il comprendre que j'avais à mon insu servi sa politique ?

— Certains esprits égarés, poursuivit-il, ont imaginé que j'aurais pu épouser la reine Amalasunthe. C'était d'abord oublier que je suis marié et heureusement marié à la plus parfaite des épouses. Cette simple rumeur a peut-être été lancée pour abuser Amalasunthe, une Barbare crédule, car il fallait être vraiment fou pour y accorder le moindre crédit.

Peut-être l'empereur ne mentait-il pas. Mais aurait-il soutenu cette théorie si Amalasunthe avait encore été de ce monde ? Je préférais m'être débarrassée de ma rivale que d'avoir à répondre à cette question. Tant qu'elle aurait vécu, quoi qu'on en dise, elle aurait cristallisé un danger potentiel pour moi. Et je ne lui avais pas pardonné d'avoir cru qu'elle était tout et moi rien. L'ironie fut la seule vengeance que s'autorisa Justinien. Elle lui permit de démolir la rancœur qu'il avait élevée contre moi, comme la mort d'Amalasunthe anéantit celle que j'avais dressée contre lui.

J'avais appris que j'aurais désormais à me protéger, même de Justinien. Or il est plus difficile de détruire une image que de supprimer un être humain. Aussi décidai-je de me transformer en statue inaltérable. J'abandonnai l'éphémérité de la mode pour l'immuabilité du style que je me créai. Je conçus dans le moindre détail mes tenues afin de produire à chacune de mes apparitions une impression ineffaçable. Indaro avait beau me reprocher d'avoir laissé mes joues se creuser, d'avoir perdu mon velouté au point de paraître émaillée, je n'en avais cure : « Pas un homme ne voudrait de toi », me répétait-elle avec ce langage dru, souvenir de notre jeunesse. Que m'importait ! Ce n'était pas ses portraits qui ressemblaient à Théodora, c'était Théodora qui ressemblait à ses portraits, ces images de moi, rutilantes mosaïques qui, au fond des sanctuaires, fixaient pour toujours mon intangible apparence. De même, j'amplifiai les marques de respect protocolaires dues à l'impératrice ou plutôt je régularisai celles que me manifestaient les flatteurs en dépit des conservateurs. J'exigeai les trois prosternations au lieu d'une, le baiser des deux pieds au lieu d'un, l'appellation de « maîtresse » et de « majesté » au lieu de la simple « impératrice », et la référence aux « humbles esclaves » qui s'adressaient à moi.

Malgré l'honneur que je lui avais fait de la nommer ma grande maîtresse, Ariane se crut assez noble pour se moquer du nouveau cérémonial avec les amis qu'elle avait conservés dans l'aristocratie. Je profitai que, tombée malade, elle fût clouée au lit pour la renvoyer du jour au lendemain. Elle me supplia de la recevoir, je refusai. Elle méritait de finir dans une de ces oubliettes où j'étais accusée de jeter tant de mes ennemis. En considération des services qu'elle m'avait rendus, je me contentai de la reléguer dans une aile écartée du Palais Sacré. Ainsi elle serait assez proche du paradis de la Cour pour en humer les parfums et en même temps aussi éloignée qu'un exilé au fin fond d'une province reculée. Justinien ne protesta pas contre le renvoi de sa fidèle espionne et ne prononça jamais plus son nom devant moi. Depuis que je l'avais démasquée, elle lui était devenue inutile.

Sur la simple rumeur d'un éventuel mariage de l'empereur avec la reine Amalasunthe, mes antichambres s'étaient vidées de moitié. La situation était tout de même plus encourageante que lors de la révolte Nika où ces mêmes antichambres étaient demeurées désertes. Depuis la mort de la reine des Goths, elles étaient de nouveau combles. Alors, qu'ils se serrent, ces « médiocres » qui fluaient et refluaient comme les vagues de la mer, qu'ils se serrent étroitement dans la galerie du palais de Daphné ! Qu'ils attendent des heures mon bon vouloir. Qu'ils se représentent jour après jour pendant des semaines, pendant des mois. Qu'ils se bousculent, qu'ils se hissent sur la pointe des pieds pour tâcher d'être remarqués de mes eunuques.

Prenez le patricien Julien. Pendant deux mois, je laissai les autres quémandeurs le repousser jusqu'au dernier rang, puis je le fis appeler. Je remarquai, lorsqu'il apparut au seuil de ma salle d'audience, son mouvement de recul. J'avais tout mis en scène pour l'impressionner. Je m'étais entourée non seulement de mes dames d'honneur ordinaires, d'or et de blanc vêtues, mais de demoiselles d'honneur extraordinaires, toutes enveloppées de la tête aux pieds de soies aux couleurs vives brodées d'or et arborant autant de bijoux rutilants qu'il était possible d'en mettre, telles des fleurs plus somptueuses et plus scintillantes les unes que les autres.

J'étais assise sur un trône surélevé d'ivoire entièrement sculpté de scènes délicates. Les plumes du grand paon en mosaïques qui s'étalaient sur le sol semblaient monter le long de mon trône et m'enserrer, car mon manteau en reproduisait exactement les tons et les motifs. D'or étaient les bandelettes qui entouraient mes jambes, d'or le voile épinglé sur ma tête. Pectoral et bracelets enchâssés de pierreries monstrueuses alourdissaient mes épaules étroites et mes maigres poignets. Les cabochons précieux montés en bagues scintillaient à chacun de mes doigts dont les bouts carrés proclamaient mon origine plébéienne. L'immense couronne à pendeloques aurait écrasé mon visage trop mince sans la flamme de mes yeux. Les sourcils épilés jusqu'à n'être plus qu'un trait courbe me donnaient une expression constamment étonnée.

Ce ne fut pas sans plaisir que je vis le patricien Julien exécuter des proskinisis si profondes qu'il sembla s'enfoncer dans le sol. « Ô maîtresse, il est triste pour un homme mourant d'avoir besoin d'argent. Les nobles comme moi ont honte de mentionner le fait... » Il me supplia humblement de l'aider à échapper à ses créanciers. Il eut la prudence de ne pas mentionner « ses droits », puisque un de mes eunuques lui avait emprunté une forte somme. Pour toute réponse, je me mis à battre des mains en chantant « Julien le patricien, Julien le patricien », à quoi mes eunuques, bien dressés, reprirent tel un chœur d'église donnant les répons au patriarche : « A la colique, une très grave colique, une colique très grave. » Le vieillard était de grand lignage et l'ami d'Hilaria, ma nouvelle grande maîtresse. Empêtré dans sa honte de solliciteur, chaque fois qu'il tâchait d'affermir sa voix, elle était couverte par mes eunuques qui répétaient « a la colique, une très grave colique, une colique très grave ». Il n'eut pas le courage d'insister et, chancelant, chaviré, hors de lui, se retira en oubliant d'ailleurs une de ses trois proskinisis d'adieu.

La grosse farce ne m'avait jamais rebutée, et Julien était le cousin bien-aimé de Passara qui m'avait crue déjà répudiée.

Chapitre 13

Le départ de Ruderic de ma vie avait épuré ma détermination. L'incident de la reine Amalasunthe m'avait enseigné que plus j'étendrais mon pouvoir plus j'aurais des chances de le garder. Les affaires de l'Église requirent bientôt mon intervention. Déjà, sous l'empereur Justin, au pire des persécutions contre les monophysites et au risque de compromettre ma faveur toute récente, j'avais envoyé des messages au moine Marras, lui offrant de venir à Constantinople auprès de moi. Avec mon ambition emballée, comme un coursier à la conquête du trône, j'avais un besoin impératif de sa présence, de son verbe, de son exemple. Mais il avait refusé.

A peine Justinien fut-il sur le trône que je le suppliai d'arrêter les persécutions. Je ne lui demandai pas d'abolir les lois terribles, mais simplement, et sans le clamer, de les appliquer avec négligence. Il y consentit, grâce à quoi les poursuites cessèrent progressivement, les exilés revinrent et la liberté de croyance fut progressivement rétablie. Par la suite, l'empereur réussit le prodige d'asseoir à la même table monophysites et catholiques, mais cette tentative de rapprochement échoua devant l'intransigeance de ces derniers.

Le pape Agapetus parti de Rome pour venir à Constantinople, nous nous demandions quel état d'esprit l'animait, espérant, sans trop y croire, que ce serait la conciliation. En ce matin de mars 536, il devait débarquer dans le principal port privé du Palais Sacré et il avait été prévu de l'accueillir avec une pompe extraordinaire. Un soleil pâle au milieu d'un ciel laiteux répandait une lumière incolore sur les coupoles, les cyprès, les platanes et les parterres dégarnis par l'hiver. Des herbes odoriférantes avaient été répandues sur le marbre des terrasses et des escaliers. Les nuages d'encens et de myrrhe, qui grésillaient dans les grands brûle-parfum de bronze, montaient droit dans l'air immobile. Fenêtres et balcons des bâtiments du palais avaient été décorés de grandes tentures, de brocarts et de soie, brodées d'or et d'argent. Le Sénat, la Cour, le Comitatus et autres autorités de l'empire couvraient les quais du petit port. De nombreux évêques, d'innombrables moines et diacres entouraient le patriarche de Constantinople, le vénérable Anthimus, mon protégé, que j'avais fait nommer deux ans plus tôt et que je comptais être notre rempart contre les éventuelles exigences du pape. Engoncé dans sa dalmatique de satin bleu brodée de croix d'or, il trônait à côté de l'empereur. La plupart des dignitaires grommelaient contre cette corvée, car, parvenu du Pont-Euxin, un vent aigre soufflait. J'avais, quant à moi, jeté sur mes épaules une pelisse de fourrure, étant de nature frileuse, et, de la terrasse du gynécée où le protocole me reléguait, je remarquai que certains ministres et évêques n'avaient pas eu honte de s'abriter dans un pavillon. Ils n'essayaient même pas d'imiter le stoïcisme de l'empereur. Insensible à la température, assis sur un trône apporté du Trésor, entièrement recouvert de plaques d'or, incrusté de béryls roses et de péridots vert pâle, il attendait, imperturbablement, face à la mer, échangeant de temps à autre des politesses avec le patriarche Anthimus.

Un mouvement dans la foule chamarrée en bas sur le quai me rendit attentive. La flottille amenant le pape était en vue et chacun s'empressa de reprendre place autour du trône. Bientôt, doublant l'extrémité du port, apparurent plusieurs grandes galères aux mâts dorés et aux voiles peintes en arc-en-ciel faisant ondoyer leurs immenses oriflammes décorées d'images pieuses. Le trop gros tonnage des navires ne leur permettant pas d'entrer dans le port, une des grandes barges impériales qui assuraient le transport de la Cour d'une rive à l'autre du Bosphore vint se ranger à côté de la plus spacieuse des trirèmes. Ayant embarqué sa précieuse charge, elle se dirigea vers le quai à la vitesse de ses soixante-douze rameurs. Des centaines de barques bleues ou roses l'entouraient, laissant flotter derrière elles sur les flots des aunes de brocart, si bien que la mer entière semblait recouverte d'or. A l'approche du moment solennel, l'empereur et le patriarche Anthimus se levèrent et s'approchèrent des degrés de marbre qui s'enfonçaient dans l'eau.

Alors, les trompettes se mirent à sonner, les cymbales et les flûtes à jouer, et la chorale impériale commença par saluer notre souverain avec le célèbre hymne : « Salut roi des Romains, délice de l'univers, que la Sainte-Trinité a conduit à la victoire. Chef incomparable, gardien du monde, puisses-tu, maintenant et à l'avenir, unir les nations par l'arme sacrée de ta seule piété. »

La barge accosta. Le premier à fouler le tapis de pourpre qui menait au trône fut un diacre brandissant une très grande et très haute croix d'or étincelante de pierreries. Derrière lui s'avançait lentement notre Saint-Père le pape Agapetus. De loin, il me parut extrêmement grand, et sa barbe grise extrêmement longue. Sa dalmatique de brocart vert était brodée de scènes de l'Ancien Testament, et sa tiare ruisselait de joyaux. Le chef du chœur impérial lança l'acclamation rythmée : « Jésus est notre secours. » A quoi tous les assistants, d'une seule voix, répondirent sur la même modulation : « Il est toujours vainqueur. »

Lorsque le souverain temporel et le souverain spirituel se retrouvèrent face à face, ils retirèrent l'un sa couronne, l'autre sa tiare, qu'ils remirent à des chambellans, puis, tous deux simultanément, se prosternèrent front contre terre l'un devant l'autre.

Relevé, l'empereur s'effaça pour laisser place au patriarche Anthimus. Le moment solennel, le moment critique était venu. Le sens de la venue du pape allait s'éclairer. Anthimus s'agenouilla pour baiser l'anneau de saint Pierre. Le pape retira sa main avec brusquerie et, sans un regard, poursuivit son chemin comme si l'autre n'existait pas. J'en avais assez vu et je me retirai.

Le lendemain, Agapetus exigea la condamnation solennelle du monophysisme. Il refusait de traiter avec Anthimus, affirmant que celui-ci occupait illégalement le patriarcat de Constantinople. L'empereur fut donc obligé de le remplacer dans les négociations. Les vagues de sa persuasion et de sa séduction se brisaient contre le roc de l'entêtement papal, et chaque jour il perdait du terrain. Par nature il était tolérant, cependant il n'osait aller contre les injonctions du pape qu'il considérait comme le garant de l'unité religieuse de l'empire.

— Mais, César, c'est justement l'unité de l'empire qui est en danger si tu cèdes au pape, lui rétorquai-je.

Constantinople, l'Orient tout entier, la moitié de l'empire refusaient en effet d'obéir à cette autorité lointaine, étrangère, qui, sans connaître les besoins des fidèles, sans écouter leurs doléances, leur imposait ses volontés. Justinien insista :

— L'empire ne vivra que tant qu'il demeurera ordre et union, or ces deux notions ne procèdent que du pape et de l'empereur.

J'avais ordonné à mes eunuques et à mes femmes de nous laisser seuls dans ma vaste chambre. Nous étions assis en face l'un de l'autre sur nos chaises curules en argent. L'empereur avait enlevé son manteau de pourpre et portait une simple tunique de lin vert sombre. J'avais remplacé ma tenue d'apparat lourde de broderies par une tunique d'intérieur, très large, en soie légère bleu nuit, qu'il appelait ma « robe de sorcière ». Je regardais par la fenêtre ouverte des troupes de corbeaux croassant qui volaient très haut dans le ciel rouge de ce soir d'hiver. Je tâchais d'ouvrir les yeux à Justinien. Il portait le poids de l'histoire et sa mémoire était obnubilée par la grandeur de l'ancienne Rome. Il vivait avec des traditions défuntes, avec le rêve d'un empire enterré depuis plusieurs siècles. Je pensais au père Bartholomé, et en cette occasion, je regrettais plus que jamais sa disparition. Il avait la foi des simples. Il m'avait bien appris quelques mots de latin et je me rappelle comme il grommelait contre cette langue que ses ouailles saisissaient à peine, et, en secret, il récitait ses prières en grec comme tout le monde à Constantinople. Il protestait contre les rites imposés par Rome, contre les évêques nommés par le pape, et en lui c'était tout un peuple qui s'exprimait. Ce peuple, le père Bartholomé et moi nous le comprenions, parce que nous le connaissions et donc nous l'aimions. « Toi, César, c'est la politique que tu aimes. »

Ce dernier argument, malgré sa profonde injustice, dut porter car il promit de tenter de fléchir Agapetus. Une fois de plus, il échoua. Alors, je pris les devants et réclamai une entrevue au pape. Il me reçut dans la chapelle des appartements que nous avions mis à sa disposition au Palais Sacré. Il trônait sur une cathèdre ornementée en bois doré et surmontée d'une tiare étincelante. Sa longue barbe s'étalait sur sa dalmatique blanche à croix noire. S'il cherchait à m'impressionner, il ne réussit pas. Par contre, il m'irrita en s'abritant derrière le protocole pour ne pas se lever lorsque je baisai son anneau et pour négliger de m'offrir un siège. Je lui demandai si son intransigeance envers les monophysites ne risquait pas de le couper de millions de fidèles. Les vrais chrétiens sauront trouver la voie de Dieu, me répondit-il. Ne craignait-il pas, insistai-je, de voir les provinces orientales, la Syrie, l'Égypte, se détacher de l'empire pour fuir les persécutions ? Il fallait nettoyer ces nids d'hérétiques, tonna-t-il.

— Un massacre alors, Très Saint-Père.

— Non, ma fille, une purification.

— Il suffirait pourtant d'un seul pas, d'un geste modeste pour que les monophysites reconnussent votre autorité.

Il secoua la tête avec obstination. Ce qu'il voulait, c'était une soumission pleine et entière. Que se passerait-il, insinuai-je, si l'empereur, pour sauver l'unité de l'empire, coupait les liens avec la papauté et embrassait le monophysisme ?

— Notre Église, répondit-il, possède un réseau universel qui étend ses ramifications jusqu'au moindre village. Du jour au lendemain, cette puissance omniprésente et insaisissable se retournerait contre un souverain impie, prêcherait contre lui et demanderait sa déposition.

L'entêtement d'Agapetus, son refus d'admettre la réalité me déconcertaient. Je commis alors l'erreur de lui offrir abruptement deux cent mille solidi d'or, en me demandant d'ailleurs où je trouverais un tel trésor.

— Hors d'ici, fille de Satan ! hurla-t-il, dressé sur sa cathèdre.

Je me retournai, allai vers l'iconostase, baisai tranquillement chaque icône, fis mes signes de croix, puis je sortis, lentement, la tête haute, sans prêter attention à lui qui écumait de fureur.

Le soir même, au moment de mon coucher, le praepositus de service me prévint qu'un des membres de la suite du pape, le diacre Vigilius, sollicitait une audience. Étonnée par l'heure tardive et inattendue de cette visite, je le fis introduire. Je vis entrer un gras prélat, la barbiche poivre et sel, la mine joviale et l'œil pénétrant. Sa vaste poitrine s'ornait de plusieurs croix et engolpions enchâssés de pierreries. Il commença par vanter la pureté de mon âme, l'excellence de ma moralité, le pouvoir de mon intelligence qui, à l'entendre, était supérieure à celle de toutes les femmes de mon temps. Il monta plusieurs degrés dans la flatterie en me comparant à la pieuse et sainte Hélène, mère de l'empereur Constantin. Comme elle, j'étais le « vrai réceptacle de tous les dons de Dieu ». J'attendais avec curiosité la suite. Vigilius avait appris ma rencontre avec le pape et l'attitude révoltante de ce dernier. Il me conseillait de gagner du temps à tout prix. A quoi bon, demandai-je? Rien, apparemment, ne ferait fléchir Agapetus.

— Si, la mort, répliqua le diacre. Notre Saint-Père est gravement malade, ses jours sont comptés. Tenez bon jusqu'alors et agissez ensuite en sorte que le prochain pape soit plus proche de nos idéaux.

Je m'enquis du meilleur successeur d'Agapetus.

— Moi. Faites-moi élire et je m'engage à protéger les monophysites.

J'acceptai son offre. J'aimais cette façon directe de négocier.

Le lendemain matin, je m'apprêtais à répéter à Justinien le conseil de Vigilius, mais avant que je n'aie pu ouvrir la bouche, il m'annonça que le patriarche Anthimus était déposé. Non seulement il avait déjà contresigné le décret, mais il avait sur tous les points cédé au pape Agapetus. Les dirigeants du monophysisme se voyaient expulsés de Constantinople, ses livres sacrés étaient condamnés à être brûlés et ses prêtres recevaient l'interdiction de prêcher et d'administrer les sacrements. Mais pourquoi, pourquoi cette précipitation, demandai-je inlassablement. Dans sa hâte d'échapper à mes pressions, l'empereur s'abrita derrière la menace brandie par Agapetus. Le nouveau patriarche de Constantinople était déjà nommé, c'était l'abbé Ménas.

Il fallait tout de même signifier au malheureux Anthimus sa condamnation. C'est alors que le mystère commença. On le chercha partout, mais en vain. On fouilla son palais, Sainte-Sophie, les églises où il aurait pu se réfugier, le monastère de Saint-Serge, réputé pour être truffé de ses partisans. Les agents du pape osèrent même fouiller le Palais Sacré, et, en particulier, l'oratoire de l'archange Saint-Michel, sur une rumeur qu'Anthimus y était caché. Il demeura introuvable. Les gens affirmèrent l'avoir vu ici ou là. On courut partout sans résultat. On alla jusqu'à interroger les enfants dans les rues pour découvrir un indice. Toujours rien. On ne retrouva pas la moindre trace de lui et personne ne réussit à imaginer ce qui lui était arrivé. Les spéculations, cependant, allèrent bon train. Avait-il été enlevé par des agents du pape ? Agapetus cependant n'avait aucun intérêt à le faire puisqu'il avait la condamnation du patriarche en poche. Avait-il été caché sur ordre de l'empereur pour lui éviter les désagréments de son sort ? Dans ce cas, il était impossible qu'on n'en ait rien su depuis. Avait-il été escamoté par ses partisans ? On l'aurait appris. Bref, le mystère resta impénétrable sauf pour moi. Comme tous ceux qui avaient connu et vénéré Anthimus, j'assimilai sa disparition à un miracle. Les anges du ciel l'avaient escamoté à ses ennemis. Par contre, le pape Agapetus son persécuteur ne fit pas long feu. Un mois plus tard, ainsi que me l'avait prédit Vigilius, il mourut. Les catholiques crurent à une machination des monophysites. Mes ennemis m'accusèrent de l'avoir empoisonné. Je rendis tout simplement grâces à Dieu pour cette magnifique illustration de la justice divine.

Pendant ce temps, les plans de l'empereur pour la reconquête de l'Italie réussissaient pleinement. Naples était libérée, puis Rome, et une à une, les villes italiennes retombaient dans l'escarcelle de l'empire. Bélisaire menait la campagne tambour battant, aidé par l'absence de génie de son adversaire, le roi Théodahad, remplaçant d'Amalasunthe, et par le manque d'initiative des Goths. Le Sacré Collège lui aussi se dépêchait, et lorsque Vigilius arriva à Rome chargé des sacs d'or que selon notre accord je lui avais fournis pour acheter le Sacré Collège, il se trouva face à un nouveau pape. C'était le moine Sylvérius, fidèle héritier d'Agapetus et fanatiquement intransigeant. J'avais échoué.

A peine élu, le pape se mit aussitôt à l'œuvre avec sa créature, le patriarche de Constantinople, Ménas, qui avait remplacé mon Anthimus. L'empereur ne s'opposa pas à ce qu'ils déchaînent à eux deux une nouvelle vague de persécutions en Orient, et même, pour la première fois, en

Égypte jusqu'alors épargnée. J'eus l'impression d'une répétition et sous la froide précision des rapports officiels, c'étaient des récits vécus que j'écoutais et qui s'imprimaient en lettres de feu dans mon esprit. Monastères fermés, religieux brutalement dispersés, prédicateurs jetés en prison, torturés, partout des bûchers s'allumaient pour brûler les monophysites qui refusaient de renier leur foi. Torches de la honte, flammes de la fausse religion, signaux du fanatisme qui se répandirent de ville en ville, je souffris dans ma chair de n'avoir pu empêcher ce déchaînement d'atrocités.

Je partis aux eaux de Pythion, en Bithynie. Un ministre en exercice, le comte des affaires privées, une députation du Sénat conduite par Arsénius, et une foule de chambellans, d'eunuques, de dames d'honneur, de secrétaires, de moines, d'officiers escortaient ma litière. Trois mille soldats assuraient ma protection. L'interminable cortège de chariots et de cavaliers sinuait à travers champs, bannières au vent, soulevant des nuages de poussière, et lorsque les paysans le voyaient passer, ils s'arrêtaient de travailler, s'agenouillaient et se signaient. Cette pompe inouïe était intentionnelle, destinée à convaincre les populations de la grandeur de l'empire. Quant à sa munificence, je la marquais par des présents aux églises et aux couvents et par des largesses aux villes et aux villages traversés. J'avais pratiquement vidé le Palais Sacré de sa faune et je n'étais pas mécontente de prouver ainsi ma puissance aux restants, et surtout au Grand Restant, l'empereur. La villégiature que j'avais choisie était assez près de la capitale pour que je reste à l'écoute du Palais Sacré par des courriers quotidiens, et assez loin pour que l'empereur ne pût m'y rendre visite. Il était assez fin pour comprendre que je le boudais.

Pythion était une coquette petite ville accrochée au flanc de l'Olympe de Phrygie. A ses pieds, vergers, vignes et oliveraies s'étalaient jusqu'à la mer dont le bleu se confondait avec celui du ciel. Le bref printemps avait allumé dans les champs une infinité de fleurs, mauves, jaunes, bleues, blanches. J'avais pris mes quartiers dans la villa construite à côté des sources thermales pour les hôtes de l'État. Les logements étaient bien trop insuffisants pour abriter ma suite et la confusion de l'installation offrit un divertissement de choix. Bref, Python était idyllique et je m'y ennuyais à mourir. J'ai toujours détesté la campagne et Constantinople me manquait, que j'avais juré de ne jamais quitter du jour où j'y étais revenue. Seul me consolait d'apprendre que l'empereur errait désemparé dans le gynécée déserté et s'enquérait sans cesse des nouvelles de mon retour. M'aurait-il rappelée auprès de lui que je serais accourue. Mais il n'était pas dans son caractère de céder aussi aisément. Et je ne cessais de me demander qui de nous deux tiendrait le plus longtemps : moi dans ma morosité, lui dans sa solitude.

A Python, le protocole prenait des vacances, les distances devenaient plus lâches et les propos plus libres. Le soir, sur la terrasse, face au soleil qui s'enfonçait lentement entre les collines, la lumière éclatante de la journée s'adoucissait et l'ombre fraîche gagnait le sous-bois. Nous discutions de la situation devenue inquiétante en Italie, dont la reconquête, après avoir si bien commencé, piétinait. Les Goths, acculés, avaient appelé au secours les Francs. Ces redoutables guerriers avaient franchi les Alpes en nombre infini et dévalé les pentes vers la plaine lombarde. L'ennemi assiégeait Milan, Rimini et la plupart des villes depuis peu libérées. Tous autour de moi se demandaient si nos troupes tiendraient et si Bélisaire s'en tirerait tout seul. « Il suffirait de lui envoyer en renfort Narsès », suggérai-je de mon ton le plus détaché. Un flatteur, comme il s'en trouvait toujours dans mon auditoire, vanta aussitôt mon idée et m'encouragea à la mettre en pratique. Je lui aurais volontiers sauté au cou, car sa stupide intervention me permettait de sortir la réplique que j'attendais de placer : « C'est à l'empereur de décider. Je ne peux rien, je ne suis rien que la plus humble de ses sujettes. » Connaissant l'indiscrétion des courtisans, je comptais que mes paroles seraient répétées à Justinien. Saisirait-il le message au vol et réagirait-il dans le sens que j'espérais ? Je repris mon attente, l'ennui désormais décuplé par l'impatience.

Dix jours se passèrent, dix jours se traînèrent pendant lesquels j'admirai le paysage et je trépignai. Dix jours avant qu'un courrier impérial ne m'apportât un pli du questeur du Palais Sacré. Sur ordre de l'empereur, celui-ci me faisait parvenir copie du décret nommant Narsès général en chef de l'armée d'Italie au même grade que Bélisaire. C'était la façon indirecte et caractéristique que Justinien avait inventée pour me supplier de revenir. Il avait comblé mes vœux, je m'empressai de lui complaire. J'avais manqué à Justinien comme son absence m'avait affligée. Nous étions décidément faits l'un pour l'autre.

Il m'accueillit avec l'aspasmos, la protocolaire étreinte de nos rencontres publiques. Ses sentiments intimes, il ne les extériorisa pas, mais il était descendu au port du Palais pour me recevoir. Honneur tout à fait inusité destiné à souligner sa joie de mon retour. Justinien s'exprimant avec une subtilité qui jalonnait notre existence de ces bornes fines et élégantes qui étaient autant de signes.

Pas un instant je n'avais perdu de vue mon objectif. N'ayant pu empêcher le déchaînement des persécutions, je décidai de frapper à la tête. Je voulais me débarrasser du pape Sylvérius dont toute l'action constituait un défi à mon égard.

Pour pousser mon avantage, je profitai de la présence à Rome d'Antonina qui y avait suivi son mari comme à l'accoutumée. Sur mes instructions, elle s'entendit avec le diacre Vigilius, que le pape, ignorant ses intrigues, avait gardé dans son proche entourage. A eux deux, ils surent fabriquer une belle accusation de trahison contre ce dernier. Bélisaire, cependant, prétendant être trop occupé par la guerre contre les Goths, refusa de s'en mêler. Il convoqua pourtant le pape afin de lui conseiller simplement de se montrer plus conciliant avec les monophysites et plus souple avec l'impératrice. Pour toute réponse, Sylvérius s'emporta, rompit les négociations et s'enferma dignement à Saint-Pierre. Bélisaire, de sa propre initiative, tenta plusieurs fois de le fléchir, de lui faire comprendre la situation. En vain. De mon côté, je harcelais Antonina afin qu'elle prenne les choses en main. Dans une de ses lettres, elle me raconta comment elle assiégea son mari jusqu'à ce qu'il accepte d'entrer dans le complot et de convoquer à nouveau le pape. Celui-ci, échaudé, refusa d'abandonner le refuge de Saint-Pierre. Il finit par s'y résoudre, mais se fit accompagner d'une suite nombreuse et bien armée. Arrivé au palais de Bélisaire, il en fut aussitôt séparé et introduit, accompagné du seul Vigilius sur lequel il croyait pouvoir compter. Il trouva à sa surprise Antonina étendue sur une couche comme une reine, et, assis à ses pieds, silencieux, gêné, humble, son mari, le généralissime. Antonina, aussitôt, cracha feu et flamme contre Sylvérius, déversant sur lui un torrent de reproches, en y mêlant les accusations les plus outrées qui lui venaient à l'esprit. La suffocation et l'indignation du pape furent telles qu'il ne s'aperçut même pas que Vigilius lui arrachait des épaules le pallium, emblème de son rang. Il n'eut même pas la possibilité d'ouvrir la bouche pour protester contre ce traitement qu'il était poussé dans la pièce voisine, tonsuré, revêtu du froc de moine, mené au port, embarqué et dirigé vers l'Orient.

Quelques jours plus tard, un Concile hébété par ces événements, et dûment conditionné par l'argent et les menaces qu'Antonina faisait savamment alterner, élisait Vigilius comme pape. Les monophysites avaient enfin trouvé leur protecteur.

Alors prit tout son sens la protection que j'avais accordée au mariage d'Antonina avec Bélisaire et à sa passion pour le jeune Théodose, laquelle continuait d'ailleurs à connaître des jours sans nuages. Je ne m'y étais pas décidée dans le but de ridiculiser mon adversaire. La vengeance pure n'est en effet qu'un arbre sec. J'avais misé à fonds perdus sur l'ambition et le dévergondage d'Antonina. Grâce à quoi elle était entre mes mains et j'avais barre sur Bélisaire dont l'intervention avait été indispensable à la réalisation de mes desseins. En me mêlant d'historiettes d'alcôve j'étais parvenue à infléchir la politique religieuse de l'empire. Facile à raconter, donc, pourrait-on croire, facile à faire, et pourtant, sur le moment, que d'hésitations sur les moyens, que de doutes sur les agents, que d'obstacles à surmonter, que d'impatiences à refréner, que de craintes à dompter ! On imaginerait que je préméditais tout, alors que sans cesse j'étais confrontée avec l'imprévu.

Peu après la déposition du pape Sylvérius fut achevée la reconstruction de la basilique Sainte-Sophie, brûlée pendant la révolte Nika. L'empereur, qui couvrait l'empire de ses réalisations, avait décidé de faire du sanctuaire le suprême chef-d'œuvre, l'épitomie de son action, de son règne, de sa pensée, la plus grande, la plus belle, la plus fameuse basilique du monde. Dix mille ouvriers y travaillèrent pendant cinq ans sans discontinuer. Pour sa dédicace, l'empereur voulut le déploiement des grands jours. Entourés de toute la Cour et des autorités de l'État, nous allâmes en cortège du palais de la Chalke à travers tout l'Augusteum, jusqu'au portique de Sainte-Sophie, long serpent d'or, scintillant au soleil et ondulant au milieu de la foule dense. Le patriarche Ménas nous reçut. Depuis la déposition de Sylvérius, je constatais avec satisfaction qu'il s'était assagi et cherchait toutes les occasions de venir me manger dans la main. Soixante prêtres, cent diacres, quatre-vingt-dix sous-diacres, cent lecteurs, cent portiers et vingt-cinq chanteurs l'entouraient, nommés par Justinien pour s'occuper de la merveille qu'il consacrait à Dieu. Il avait exprimé le désir d'y entrer le premier, seul, et je me tenais en retrait lorsqu'au dernier moment il changea d'avis. Il prit ma main et nous pénétrâmes tous les deux dans l'antre d'or, d'argent et de marbre. Pour une fois, l'empereur ne cachait pas ses sentiments, il regardait partout, émerveillé, ébloui, bouleversé. Il leva les yeux vers la prodigieuse coupole au centre de laquelle un Christ démesuré semblait le dévisager, il tendit ses bras en l'air comme s'il avait voulu le toucher, et s'écria : « Gloire à Dieu qui m'a jugé digne de finir cette œuvre. Salomon, je t'ai surpassé. » Ce cri d'orgueil était justifié. Jamais la main de l'homme n'avait créé une telle perfection, une telle harmonie, dont il se plut à me vanter la signification :

— Ici, vois-tu, Théodora, les beautés du temporel doivent indiquer l'harmonie des beautés encore plus grandes de l'éternel. Cette basilique est une sphère purement spirituelle, dont les éléments sont les gloires d'un royaume qui n'est pas de ce monde. Quiconque pénètre ici doit percevoir aussitôt qu'elle a été bâtie non par le pouvoir où l'habileté humains, mais sous l'influence divine. L'esprit du fidèle doit être aspiré par Dieu et sentir sa proximité. Dieu aime ce lieu qu'il a choisi. Et la nuit, je veux que les marins naviguant sur le Bosphore se réjouissent à la vue des innombrables fenêtres brillamment éclairées, s'élevant au-dessus du sombre promontoire. Sainte-Sophie leur indiquera leur route comme elle montre le chemin du Dieu vivant. Regarde, Théodora, la géométrie simplifiée de ces figures. Elles sont la frontière entre la matière et la lumière.

Et il me désigna les saintes du paradis alignées sur fond or. Alors, je souris car elles avaient d'immenses yeux sombres, un nez droit, une petite bouche et un grand front. Toutes me ressemblaient. L'attention me toucha, autant que mon monogramme entrelacé avec le sien sur chaque chapiteau. L'amour le poussait à prétendre que Sainte-Sophie était notre œuvre commune alors qu'elle était la sienne propre.

Il multipliait ainsi les marques de son attachement, unique source de mon pouvoir, le seul pilier à la fois fragile et solide sur lequel je reposais. Il n'avait pas bronché lors de la déposition du pape Sylvérius et bien qu'il soutînt les catholiques, il m'avait laissée faire. S'il m'avait désapprouvée, il aurait trouvé le moyen de me le faire comprendre. En fait, il ne voulait pas s'opposer aux monophysites de crainte de les perdre, mais il ne pouvait pas non plus les approuver ouvertement. Alors, nous partageâmes, lui soutenant l'Église officielle, moi protégeant les monophysites. En avions-nous décidé ainsi, cyniquement, après discussions et marchandages ? Non pas. Notre entente était tacite. Il m'accordait un large pouvoir et les moyens d'en disposer, mais jamais il ne me donna aucune indication, n'esquissa une ligne, ni ne traça une limite, comme jamais il ne me prévint des pièges qui m'attendaient. Je refusais d'imaginer sa réaction, inspirée par la raison d'État, au cas où j'aurais commis une erreur compromettante. Sous son regard aigu, attentif, et pourtant bienveillant, je continuais à avancer sur une corde raide. Aussi, pour ne pas tomber, étais-je obligée de prendre mes précautions...

Le pape déporté en Lycie avait été confié à la garde de l'évêque de Patara, un niais à l'esprit enfumé. Le prélat, circonvenu par Sylvérius et convaincu de sa bonne foi, courut à Constantinople et fut reçu... par le ministre favori, Jean de Cappadoce. Celui-ci, après l'avoir soigneusement écouté, se précipita chez l'empereur. Le pape Sylvérius était un saint homme, paré de toutes les vertus, le plus zélé défenseur de l'unité de l'Église et sa déposition avait été une monstruosité. Jean de Cappadoce sut rendre convaincants ses arguments, au point de sortir triomphant de l'entretien. L'empereur avait ordonné une enquête sur la chute de Sylvérius — et le favori de clamer qu'il ne serait pas impossible de revoir l'ancien pape restauré sur le trône pontifical.

Je fus immédiatement informée de ces rodomontades. Jean de Cappadoce illustrait plus que jamais le proverbe que le peuple dans sa sagesse appliquait à ses frères de race : « Les Cappadociens ont une nature satanique. Donne-leur une position, ils deviennent pires. Montre-leur comment faire de l'argent, ils deviennent encore plus détestables. » Bientôt, l'empereur, sans souci de m'infliger un camouflet, ordonna que Sylvérius soit ramené à Rome.

De la Cité Éternelle, le pape Vigilius multipliait les lettres anxieuses. Il perdait la tête. N'ayant pas le temps d'attendre mes instructions, Antonina agit de son propre chef. Par quel moyen, par quel charme, par quel philtre envoûtant, je ne sais, elle réussit à convaincre Bélisaire de confier Sylvérius... à Vigilius, c'est-à-dire de mettre l'ex-pape dans les mains du pape régnant. Sylvérius, qui voguait vers l'Italie, fut détourné vers la petite île de Palmaria où il fut réduit « au pain de tristesse et à l'eau d'angoisse ». Ses geôliers exécutèrent si bien leurs instructions que le vieillard mourut au bout de quelques semaines seulement... de mort naturelle. Je félicitai vivement Antonina de son initiative. L'empereur, confondu, n'osa rien dire. Jean de Cappadoce en fut pour ses frais. Sylvérius grillait en enfer et les monophysites étaient sauvés.

Chapitre 14

Une des heures préférées de ma journée était celle au milieu de la matinée, où après un bain très chaud et parfumé suivi d'un long repos, je me livrais à mes habilleuses, mes coiffeuses et mes maquilleuses. Ces opérations se déroulaient dans une petite pièce impénétrable exposée plein est pour recevoir la lumière du matin. De grands miroirs y alternaient avec des étagères surchargées de pots, de flacons, de boîtes et d'instruments destinés à rehausser la beauté féminine. Tant pis si je rompais la tradition des vertueuses impératrices romaines qui refusaient le moindre artifice, et si je préférais emprunter leur art aux fabuleuses souveraines de l'Orient. Quotidiennement, cette cérémonie initiatique me transformait en idole capable de frapper les esprits et de s'imprimer indélébilement dans les mémoires.

Un matin de mars 539, mon praepositus, malgré mes strictes instructions de ne me déranger sous aucun prétexte, fit irruption dans la pièce et me tendit des lettres que venait d'apporter un courrier d'Italie. « Nouvelles importantes », s'excusa-t-il. « Et mauvaise nouvelle », pensai-je en voyant sa mine décomposée car, en bon eunuque et en bon courtisan, il s'était déjà discrètement informé de leur contenu. Milan, la ville la plus riche, la plus populeuse, la plus industrieuse, la plus belle d'Italie, Milan harcelée par les Goths était tombée entre leurs mains. Alors, ces Barbares, tels des fauves déchaînés, s'étaient répandus dans les rues de la ville en un torrent de fer et de feu. Ils avaient brûlé, brisé, détruit, pillé, volé, torturé, ils avaient massacré la population entière : hommes, femmes, vieillards, enfants. Trois cent mille cadavres pourrissaient dans la métropole anéantie. Une autre lettre annonçait de surcroît la chute de Pavie, car les nouvelles voyageant lentement arrivaient par paquets. Là aussi les Goths, mais surtout les Francs, leurs alliés, avaient commis d'inconcevables horreurs, d'abominables massacres. Dans ma douleur et ma rage, je repoussai d'un geste involontaire la servante qui lissait mes cheveux, si violemment qu'elle tomba à la renverse. L'empereur s'annonça. Il fit sortir mes femmes, puis m'apprit qu'il venait d'ordonner le rappel de Narsès. J'attendis ses explications avant de protester. La chute de Milan, m'expliqua-t-il, allait encourager les ennemis de l'empire à profiter de sa faiblesse supposée pour l'attaquer, et il voulait avoir Narsès à sa disposition pour le dépêcher sur un nouveau front qui pourrait s'ouvrir. Voyant qu'il ne m'avait pas convaincue, il critiqua alors l'action de Narsès. J'arguai que celui-ci avait délivré Rimini alors que Bélisaire avait perdu Milan. Or c'était le premier qui recevait un blâme sous forme de rappel. « Désormais, les troupes obéiront au seul Bélisaire », m'assena Justinien d'un ton sans réplique. Pour apaiser ma colère grandissante, il m'affirma que Narsès lui-même avait demandé son retour. Je ne voulus pas cependant paraître mettre en doute cette assertion suspecte avant d'en savoir plus, ce qui permit à Justinien de conclure avec soulagement notre entretien. Je m'étonnai alors qu'Antonina, dans ses lettres, ne m'ait pas fourni la moindre indication sur les raisons qui avaient provoqué le renvoi de Narsès. Je me demandai si elle n'avait vraiment rien vu ou si elle s'endormait sur ses lauriers depuis l'éviction du pape Sylvérius. En tout cas, ma confiance dans ses talents d'informatrice en fut ébranlée. Pour débroussailler l'intrigue, je n'avais plus qu'un moyen qui s'appelait Ruderic. Il s'y entendait pour déterrer et pour énoncer les vérités, je n'avais pas oublié la façon dont il m'avait révélé les massacres de la campagne d'Afrique. Et puisque les circonstances m'y forçaient, je n'étais pas mécontente de renouer avec lui... Ma lettre fut en tous points digne de celle d'une impératrice à un jeune officier, mais je sus y insérer des formules plus personnelles qui laissaient supposer, même si elles ne l'exprimaient pas, une vive affection. Ruderic me répondit dans les plus brefs délais par un rapport précis dans lequel je ne relevai aucun témoignage d'un quelconque sentiment.

Depuis l'arrivée de Narsès, le feu qui a toujours couvé entre les deux généralissimes a éclaté en opposition déclarée. Il suffisait que l'un proposât un plan pour que l'autre en propose un différent. Bélisaire a voulu concentrer nos forces pour sauver Milan. Narsès a insisté pour délivrer auparavant Rimini. C'est donc à cause de ce dernier que nous avons perdu la métropole lombarde. L'égalité de rang accordée aux deux chefs et les instructions contradictoires qu'ils se sont plu à donner l'un et l'autre ont entièrement paralysé notre armée. Il n'est pas exagéré de dire que la nomination de Narsès à l'armée d'Italie s'est révélée une erreur catastrophique.

J'avais voulu la vérité et j'étais servie. Ruderic ne pouvait pourtant pas ignorer que l'eunuque était mon protégé et je crus percevoir sa satisfaction à exposer crûment ce qui ne pouvait que me déplaire. Un trait concernant Antonina me donna à penser :

Au cours de cette désastreuse campagne, la femme de Bélisaire a fait preuve d'un beau courage. Elle n'a pas hésité à traverser les lignes ennemies pour aller trouver Narsès et le supplier de se joindre à Bélisaire afin de secourir Milan. Ce remarquable exemple de dévouement conjugal lui a attiré les sympathies de l'armée.

Je fus heureuse d'avoir inventé une nouvelle fonction à Ruderic. Par retour de courrier, je le remerciai de sa franchise et je le priai de m'envoyer désormais des rapports réguliers.

A la réflexion je me convainquis que Justinien n'aurait jamais puisé seul la hardiesse de chasser brutalement Narsès, et mes soupçons se portèrent sur Jean de Cappadoce. Plus cruel, plus voleur, plus riche, plus débauché, plus effronté que jamais, son impopularité grandissait chaque jour. Il s'habillait, me racontait-on, de soie verte, soi-disant pour faire ressortir son teint, et il défilait dans les rues en litière entourée d'un cortège de courtisanes aux robes transparentes et d'éphèbes qui le couvraient de caresses, images crapuleuses dont je ne songeais même pas à sourire. A mon égard, il avait abandonné tout semblant de respect, et lorsqu'il me rencontrait il me toisait d'un air insolent, attitude qui n'était plus pour me surprendre.

Je me révoltais à l'idée qu'un tel homme gardât la faveur inébranlable de l'empereur, homme juste et bienveillant par nature. A toutes les insinuations, ce dernier objectait que grâce au favori l'empire avançait et progressait. Je recommandai à Arsénius de resserrer sa surveillance. Il ne tarda pas à dénicher l'oiseau rare, un membre de la garde prétorienne, détaché auprès de Jean de Cappadoce qui, se sachant haï, exigeait d'extraordinaires mesures de sécurité. Le ministre flaira la prodigieuse habileté financière de ce Syrien et il en fit un de ses hommes de confiance. J'appris que ce Barsyme avait été en ses débuts changeur de monnaie à la petite semaine et qu'à maintes reprises accusé de vol, il avait réussi à convaincre ses juges chaque fois de son honnêteté. C'était l'homme providentiel. Il accepta avec empressement l'offre de me servir, et avec avidité l'argent que je lui remis. Je lui accordai l'honneur de le recevoir en personne. Bien m'en prit vu l'importance de ses informations. Depuis quelque temps Jean de Cappadoce, abandonnant les allusions et les insinuations, était passé aux

224

critiques ouvertes. Goutte à goutte, il répandait son poison dans l'oreille de l'empereur. Il avait en effet conçu le projet inouï de le détacher de moi dans le but de régner seul sur le maître du monde.

Je pouvais sans peine imaginer celui-ci écoutant, impassible et impénétrable, les calomnies répandues sur moi. Jean de Cappadoce, malgré son emprise et son pouvoir de pénétration, ne devait pas deviner ses réactions. Mais un homme n'a pas de secrets pour sa femme, surtout lorsque celle-ci s'appelle Théodora, et je savais que tôt ou tard Justinien se trahirait. Son attitude me dicterait alors ma conduite. Je connus un moment de lassitude. A peine remportais-je une victoire, à peine gagnais-je du terrain qu'une nouvelle menace se présentait. Sans cesse de nouveaux risques, de nouveaux conflits me donnaient l'impression de me retrouver sur la ligne de départ. Ce perpétuel recommencement m'usait.

Nous gardions les yeux fixés sur l'Italie, tourmentés par les nouvelles qui nous en parvenaient. Aussi nous prêtâmes peu attention à une révolte qui éclata à l'autre bout de l'empire, en Arménie. C'était pourtant la clé de l'Orient, le maillon faible de nos frontières défendu par le général Sitas, mon beau-frère, qui y fut assassiné. Il laissait une veuve, Comito, qui le trompait, une fille, Sophie, qui ne l'avait pratiquement pas connu, et aucun regret chez l'empereur qui ne lui pardonnait pas son absence pendant la révolte Nika. Ce dernier envoya pour le remplacer et rétablir l'ordre Bousès, un général capable, certes, mais dont je me méfiais instinctivement. Son premier rapport secret insinuait que ces troubles n'étaient ni isolés ni spontanés, et lui-même soupçonnait le grand roi des Perses d'en être l'instigateur. L'existence de la Paix Éternelle signée entre l'empire et la Perse nous retint de le croire. Chosroes avait beau être le plus redoutable politique, il était impensable qu'il trahisse à la face du monde les serments les plus solennels !... Cependant, nous ouvrîmes l'œil.

Or voici que bien loin d'ici, en Mésopotamie, nos gardes arrêtèrent un Syrien qui tentait de franchir nos frontières nuitamment et en cachette, sous prétexte de rendre visite à sa famille. Il protesta, se réclama de personnages importants, refusa de répondre aux questions, fit le mystérieux et le prit de haut. Nos douaniers, embarrassés, l'envoyèrent à Constantinople pour supplément d'informations. Il perdit beaucoup de sa superbe, mais continua ses rodomontades. Nos agents le pressèrent, il commença à céder, ils le menacèrent et soudain il s'effondra. Il se mit à parler tellement que bientôt il ne put plus s'arrêter. C'était un torrent de paroles, un flot de révélations... Quelques semaines plus tôt, au palais de Ctésiphon, il avait servi d'interprète entre deux prêtres italiens et le Grand Roi. Qui étaient ces saints hommes ? L'un se disait évêque, l'autre diacre, en tout cas ils en portaient la tenue, grâce à quoi ils avaient pu voyager à travers l'empire sans être remarqués et surtout sans être arrêtés ni interrogés. Et quel voyage ! Partis d'Italie du Nord, ils avaient été envoyés par le roi des Goths mettre en garde le Grand Roi contre une victoire totale de l'empire en Italie, qui le placerait, lui, Chosroes, en grand danger. Immanquablement, nous nous retournerions contre lui en ayant désormais la possibilité de concentrer toutes nos forces pour envahir ses États. Le Grand Roi n'avait d'autre solution que de s'allier avec les Goths... Le Syrien ignorait la suite, ayant été entre-temps chargé d'une mission d'espionnage dans sa patrie d'origine.

La réponse des Perses ne laissait planer néanmoins aucun doute. Car ils avaient trop intérêt à s'allier aux Goths pour ne pas saisir l'occasion. Si nous devions nous battre sur deux fronts, il était évident que nous ne pourrions pas tenir. L'empire risquait d'être envahi et dépecé. Cette éventualité me hanta toute la journée et toute la nuit. Ne parvenant pas à trouver le sommeil, je me levai et allai retrouver Justinien.

Il arpentait son cabinet de travail. Tantôt il s'arrêtait pile sur l'étoile de porphyre qui ornait le centre du sol en marbre. Tantôt il levait les yeux vers la coupole et contemplait le grand Christ en mosaïque comme pour lui demander l'inspiration. Il ne disait pas un mot, il réfléchissait. Ses praepositus et ses secrétaires attendaient depuis si longtemps ses ordres que la fatigue avait eu raison de leur résistance et qu'ils s'étaient endormis appuyés contre les parois précieuses. Je restai silencieuse, me contentant de le regarder. Autant, durant la révolte Nika, je l'avais vu se résigner à la lâcheté, pendant que l'inconscience me poussait à l'audace, autant dans la crise présente, sa fermeté répondait à mon désarroi.

Toute la nuit il marcha, toute la nuit il soupesa les alternatives. A l'aube, il avait pris sa décision, la plus pénible et la plus sage. Il renoncerait à son projet le plus cher, il arrêterait la guerre contre les Goths pour pouvoir retirer ses troupes d'Italie et les opposer à Chosroes. Encore fallait-il convaincre les Goths de faire la paix. Il leur envoya aussitôt des négociateurs chargés de l'obtenir à n'importe quel prix. Pas un instant, il ne mésestima son adversaire persan qui, depuis le temps lointain où il avait dû disputer le trône à ses frères, s'était arrogé les pleins pouvoirs en rognant ceux des grands. En se forgeant une armée formidable, il s'était imposé comme rival de l'empereur. Il ne manquait pas, hélas, de partisans dans l'empire, pour l'absurde raison qu'il se piquait d'hellénisme. Il avait en effet traduit en persan les chefs-d'œuvre de notre littérature antique, et il en avait appris par cœur de larges extraits. Cette entreprise de séduction avait porté ses fruits pour que « les médiocres », toujours à l'affût d'une bassesse, vantent matin et soir le grand homme, sans s'apercevoir qu'il était notre ennemi le plus acharné.

L'empereur commença par lui rappeler les obligations de la Paix Éternelle et le pria instamment d'arrêter ses préparatifs militaires. Chosroes ne répondit pas, refusant de saisir la main tendue. Alors, Justinien, cédant à son désir de paix, descendit encore un cran dans la mortification. Il me demanda d'écrire à mon tour au Perse. Jamais auparavant une impératrice n'avait si directement participé aux affaires de l'État. J'y vis de la part de l'empereur une preuve de confiance, comme pour m'affirmer qu'il restait imperméable aux calomnies de Jean de Cappadoce. J'avais eu tort de douter de lui.

Je ne m'adressai pas directement au Grand Roi, mais seulement à un de ses vizirs que j'avais rencontré lorsqu'il était ambassadeur chez nous. Je le suppliai d'influencer son maître dans un sens pacifique, lui promit, s'il y réussissait, de considérables récompenses, et, pour l'engager à m'écouter et donner quelque crédit à ma démarche, je l'assurai que l'empereur ne décidait rien sans me consulter. Malheureuse phrase à laquelle Chosroes eut la perfidie de donner un vaste retentissement assurant qu'un empire mené par une femme ne tenait plus que par miracle. « Les médiocres » en eurent vent, grâce à lui, et se moquèrent de mon outrecuidance. Le tyran, qui tenait la Perse dans une main de fer, était aussi un grossier personnage.

Cependant, cette correspondance et notre intention déclarée de maintenir la paix l'abusèrent jusqu'à ce que nous obtenions l'indispensable armistice avec les Goths, dont la nouvelle tant espérée nous parvint bientôt. L'invasion si redoutée était inévitable, mais les troupes que l'empereur avait enlevées d'Italie avaient eu le temps de rejoindre nos frontières orientales. Pourraient-elles tenir ? Notre attention se concentrait sur la Mésopotamie, lorsqu'un courrier arriva en brûlant les étapes depuis le nord de l'empire et nous apprit que les Bulgares avaient franchi le Danube, envahissaient les Balkans, détruisant, brûlant, tuant tout sur leur passage. Ils étaient parvenus jusqu'au cœur de la Grèce, à Corinthe. De plus, une mutinerie gravissime éclata dans nos garnisons d'Afrique. Nos soldats, harcelés par les Berbères, au lieu de les combattre se joignirent à eux et menacèrent Carthage que nous avions eu naguère tellement de mal à reprendre à Gélimer.

Au milieu de cette cascade de mauvaises nouvelles, nous n'avions qu'une seule pensée, Antioche. Antioche la splendide, la richissime, l'illustre métropole de l'empire, Antioche que Chosroes assiégeait. Antioche où le courage de la garnison se doublait de l'héroïsme des habitants. Malgré la disparité des forces, ils défendaient depuis des semaines leur ville comme de beaux diables. Nous voulions croire qu'ils tiendraient ! Mais que pouvaient-ils, ces malheureux, contre une armée innombrable et puissamment entraînée ? Alors tomba la terrible nouvelle. Antioche avait été prise d'assaut et emportée. Les temples du christianisme furent souillés, désacralisés et à chaque carrefour s'allumèrent sur ordre du Grand Roi, des bûchers dont les flammes montant au ciel proclamaient la suprématie du dieu Soleil.

La chute du joyau de l'empire retentit dans toute son étendue comme un coup de tonnerre. Dans les régions limitrophes ce fut la panique. Des flots de réfugiés se répandirent en Anatolie et jusque dans la capitale. Je me cabrais à l'idée que la ville où j'avais séjourné, où j'avais emmagasiné tant de plaisants souvenirs, où mon avenir s'était décidé, fût tombée en mains ennemies. Je pensais à Macédonia, aux religieux qui m'avaient hébergée, et je me cachais pour pleurer. L'impératrice, en effet, n'a pas le droit de s'inquiéter pour ses amis, car elle n'a pas de préférence, mère de tous ses enfants. D'ailleurs, je n'aurais pas eu la possibilité de m'abandonner longtemps au désespoir.

La catastrophe subie par l'empire n'avait pas un instant arrêté Jean de Cappadoce dans sa campagne pour me détruire et Barsyme me tenait au courant presque au jour le jour de ses pernicieuses entreprises. Il faisait partie de ces gens que je recevais en secret. On s'imagine que celui qui est entouré et gardé nuit et jour perd toute intimité. Or justement, au milieu de la multitude qui observait le moindre de mes gestes, il me suffisait d'un nombre restreint d'eunuques et de dames en qui j'avais confiance pour me servir d'écran. Leur discrétion était mirifiquement récompensée, mais un mot de trop les eût condamnés à disparaître de la surface de la terre.

De certains je ne me méfiais presque pas. Plus fidèles que mon ombre, ils étaient mes créatures, d'aucuns diraient mes âmes damnées. Arsénius, ma sœur Comito, et surtout Indaro, de loin la plus désintéressée. Qui d'autre qu'elle aurait pu me forcer en cette période de difficultés et de tensions à recevoir l'être dont je redoutais le plus la présence : ma fille ?

Elle avait pris peur à la chute d'Antioche et avec les siens avait fui jusqu'à Constantinople. Elle aurait pu s'épargner un voyage aussi long et fatigant, ironisai-je, car les armées du Grand Roi ne seraient pas de sitôt sous les murs de la capitale. Indaro eut alors recours aux larmes, ce qui ne m'émut pas davantage. Recevoir ma fille ! Avouer ma bâtarde ! Au moment où Jean de Cappadoce me traquait et où l'empire était secoué par la tempête ! Indaro perdait l'esprit. Je ne réussis pas à décourager l'importune : elle se traîna à mes pieds. Irène, disait-elle, n'avait qu'un désir : voir sa mère ne serait-ce que quelques instants et ensuite ne plus jamais chercher à l'approcher. De guerre lasse, je cédai.

L'entrevue eut lieu dans un oratoire du gynécée, une petite pièce aux murs d'albâtre et au plafond représentant en mosaïques la voûte céleste. En secret Indaro amena ma fille. Elle était très grande, plutôt forte, gauche, sans grâce. Il ne me vint pas à l'idée de l'embrasser. Au premier coup d'œil, je pris conscience des ans qui passaient, non pas que je me crusse jeune, mais j'avais eu jusqu'ici l'impression d'être sans âge, et je pris subitement conscience de ma cinquantaine approchante.

J'interrogeai Irène sur la façon dont elle avait appris l'identité de sa mère. Indaro la lui avait révélée à l'époque de son mariage, et si elle avait sollicité une audience, c'était sur les conseils de son père avec qui elle correspondait, ce Pharas à la mort duquel un autre mensonge d'Indaro m'avait fait croire. Mon premier amant vivait donc.

Une vague de nostalgie, de haine, d'amour me submergea. J'oscillai au point que je dus m'appuyer à la paroi, dont la pierre froide me ranima. Avec sévérité, je demandai à Irène ce qu'elle voulait. N'avait-elle pas tout ce qu'elle pouvait souhaiter ? Ne lui avais-je pas tout donné ? Elle répondit par un torrent de reproches, concluant que jamais elle ne me pardonnerait de l'avoir laissée croire qu'elle était orpheline. Ces petits yeux méchants qui me fixaient me rappelèrent ma mère, et je détestai ce souvenir. Je compris que si elle avait abandonné sa province, ce n'était ni par crainte des Perses ni par amour filial, mais pour être reconnue comme fille de l'impératrice et obtenir une position digne de son rang.

Je tâchai de lui expliquer qu'il était impossible pour elle de rester à Constantinople et au Palais Sacré. « Si tu ne le fais pas pour moi, au moins fais-le pour mon fils, mais j'imagine que tu ignores que tu es grand-mère », m'assena-t-elle. Non, je ne l'ignorais pas. Il s'appelait Anastase et venait de fêter ses neuf ans. Il avait des cheveux blonds, bouclés, des yeux brun clair, un front bas. C'était un enfant calme et affectueux, un bon élève qui parlait déjà le latin en plus du grec. Elle me regarda avec stupéfaction, en découvrant que là-bas au fond de sa lointaine Carie, elle était sous ma surveillance, et que je connaissais jusqu'au moindre détail leur existence. Peut-être n'exhibais-je pas les miens, mais au moins on ne pouvait m'accuser de manquer d'intérêt pour eux. Cette grosse femme était tout le contraire de la fille que j'aurais désirée, mais peut-être aurait-elle été différente si elle avait reçu l'amour maternel, et elle n'en demeurait pas moins l'enfant de ma chair. Je devais me reprendre rapidement et montrer de la fermeté si je ne voulais pas être noyée dans un sentimentalisme que toute ma vie j'avais évité. Tu obtiendras tout ce que tu réclames, lui déclarai-je, mais à une seule condition : que tu partes à l'instant, que tu quittes Constantinople et que tu n'y reviennes jamais.

— Garde tes présents ! me cracha-t-elle.

— Pourtant, jusqu'ici, tu en as bien profité, lui rétorquai-je.

Furieuse, sentant qu'elle avait perdu la partie, elle quitta la pièce sans un regard, sans un adieu. Je n'aurais pas tenu une minute de plus. Je haletais, la sueur coulait sur mon visage et une migraine impitoyable serrait mes tempes dans un étau. J'ordonnai qu'une escorte d'honneur accompagne ma fille pour être bien sûre qu'elle repasserait le Bosphore le jour même et réintégrerait au plus vite sa province.

La rumeur de l'existence d'Irène et de sa visite n'en filtra pas moins hors du Palais Sacré. D'où la légende répandue par Germanus et Passara que j'avais fait disparaître ma fille. Indaro se confondit en excuses, s'embrouilla dans ses explications et me supplia de lui pardonner ses mensonges. Peut-être n'avait-elle pas eu tort en fin de compte, mais je l'écoutais à peine. Mon esprit était ailleurs. Pharas vivait toujours dans cette ville, non loin de moi, et des souvenirs amers vinrent m'asphyxier. Pharas était, après tant d'années, à portée de ma vengeance. Mais pourrais-je la faire subir au père de ma fille, surtout après avoir vu celle-ci ? Quant à le revoir, je ne voulais pas qu'un homme enlaidi et vieilli ternisse l'image ancienne que je gardais de lui, et pour écarter la tentation, au visage sombre et beau de sa jeunesse, je superposai le visage clair et rieur de Ruderic. Alors seulement je pleurai sans savoir si c'était sur des amours mortes ou sur Antioche dont les rapports nous détaillaient le long martyre.

Les Persans n'étaient pas des Barbares, loin de là. Ils pillaient, ils volaient, ils massacraient, sans aucun désordre, méthodiquement au contraire et uniquement sur instructions de leurs officiers. Le Grand Roi ne laissa rien au hasard : après que la ville eut été vidée de ses trésors, il ordonna qu'elle fût rasée. Ainsi, à cause de lui, Antioche qui avait brillé depuis tant de siècles dans l'histoire du monde n'existait plus. Les rares survivants, déportés au fin fond de la Perse dans la province la plus aride, furent obligés de construire une autre ville, à laquelle Chosroes donna le nom de sa victime... J'imaginais, puérilement, qu'après une telle catastrophe, le mauvais sort arrêterait de s'acharner sur nous et que la fortune tournerait. Je me trompais, car le flot de mauvaises nouvelles n'en parut aucunement endigué et chaque jour continua à amener une défaite, la perte d'une forteresse, la chute d'une ville. Il m'arrivait de me demander si nous n'avions pas encouru la colère divine, et je m'interrogeais en vain sur ce que nous avions pu commettre pour offenser Dieu. Pendant toute cette période, je ne cessai d'admirer Justinien. Antioche rayée de la carte, il avait aussitôt décidé non seulement d'en reconquérir le terrain mais de la reconstruire plus belle, plus grandiose qu'auparavant. Pas un jour, pas un instant, il ne parut fatigué ni même las. Il n'était pas persuadé de la victoire finale, car il ne manifestait ni optimisme ni d'ailleurs pessimisme, il se contentait de gouverner méthodiquement, consciencieusement. Grâce à quoi il nous soutenait, ses collaborateurs et moi. Il nous empêchait de désespérer. Il ne renonçait pas à battre Chosroes, il ne songeait même qu'à la revanche et rapatria Bélisaire pour préparer la prochaine campagne d'Orient.

Avec son état-major, le généralissime revint à Constantinople et Ruderic fut dans nos murs. La tentation me déchira de le faire venir au palais et de le revoir. Cependant, je ne le pouvais, ni le devais. Je n'allais pas renier le sacrifice consenti, ni après le lui avoir infligé, lui étaler mon inconstance. Les jours passaient, ma résistance faiblissait et je priais Dieu que Bélisaire quittât au plus vite la capitale. Chaque fois que la porte de ma chambre s'ouvrait, je sursautais comme si Ruderic allait apparaître, oubliant que c'eût été impossible. Cet après-midi-là, lorsque les vantaux d'argent tournèrent sur leurs gonds, je ne pus m'empêcher de tressaillir ; mais au lieu du jeune officier, une veuve entra.

C'était Antonina, vêtue de voiles de deuil. Elle répandit un torrent de larmes et exhala les gémissements les plus pathétiques. De cette funèbre aubade, il ressortait que son amant Théodose l'avait abandonnée. Je la calmai et je la priai de me raconter.

Le sigisbée s'était enfui de Constantinople pour s'enfermer dans un couvent. Avait-il donc soudainement été touché par la grâce? demandai-je. Antonina affirma le contraire. Quelle raison l'avait donc poussé à rechercher les secours de la religion? Elle se perdit dans un entrelacs de mensonges jusqu'à ce que je la force à avouer la vérité. Elle s'était remise à sangloter et, tout en hoquetant, elle m'avoua que le jeune Théodose avait continué à la combler, mais elle avait trop exigé de lui et, malgré sa jeunesse, il s'était épuisé à la tâche. Rendu exsangue à force de vaillants services, hagard, il avait trouvé son salut dans la fuite. Antonina jura qu'elle en mourrait. Les catastrophes qui pleuvaient sur l'empire n'étaient rien comparées au drame qu'elle vivait. Je réprimai un éclat de rire et quelque part je lui fus reconnaissante, car sans le savoir elle m'égayait au moment où j'en avais le plus besoin. Une inspiration me souffla de la pousser à requérir l'assistance de son mari. Je compris à sa réaction qu'elle se demandait si je me moquais d'elle, mais elle me quitta rassérénée. Elle réussit à convaincre Bélisaire qu'il avait perdu en Théodose le collaborateur le plus fidèle, l'ami le plus charmant et qu'il était nécessaire de tout tenter pour le récupérer. Bélisaire entra aussitôt en campagne avec la fougue qui le caractérisait et nous demanda audience, non pas pour nous parler de la guerre, mais du jeune homme dont, à l'entendre, les services lui étaient indispensables et il suppliait l'empereur de le rappeler. Justinien, ne comprenant rien à cette affaire, me laissa lui dicter son rôle. Sur ses exhortations, Théodose accepta de sortir du couvent. Antonina, retrouvant son amant grâce à son mari, délira de joie, et le parfait ménage à trois se reconstitua comme dans le passé. Au moins y eut-il une femme heureuse dans cette période de malheur.

Chapitre 15

Tant d'événements dramatiques avaient détourné ma vigilance, au point que j'avais négligé de scruter le quotidien. Le changement avait déjà eu lieu lorsque je m'en aperçus, imperceptible pour tous mais instructif pour moi. C'était un point sur lequel Justinien ergotait, un autre sur lequel il divergeait d'opinion avec moi, une minuscule faveur qu'il refusait de m'accorder, avec d'ailleurs toutes les bonnes raisons possibles. Cette fissure, à peine une égratignure sur la surface de notre entente, suffit à me mettre en alerte. Ainsi la confiance qu'il m'avait montrée en me chargeant d'écrire aux Perses n'avait été qu'un leurre. Il s'était servi de moi parce qu'il m'avait crue utile, pour s'apercevoir d'ailleurs qu'il s'était trompé. Le danger me traquait et la menace envahissait mon quotidien. Jean de Cappadoce était décidé à m'éliminer, et j'étais décidée à l'en empêcher. Le duel s'engagea, inexorable, jusqu'à ce que mort s'ensuive.

Sans beaucoup escompter un résultat, j'éclairai l'empereur sur les méfaits de l'administration de son favori et sur le mécontentement général qu'il soulevait. Évitant de mentionner mes griefs personnels, j'en appelai à son bon sens politique, à son désir de faire le bonheur de ses peuples, dont le ministre, en son nom, faisait le malheur. Comme je m'y attendais, je m'entendis répondre que Jean de Cappadoce était le génie le plus capable de son temps. Alors, ma stratégie se déploya plus insidieusement et je tâchai d'éveiller les soupçons de Justinien contre l'ambition de son favori. Une voyante lui avait prédit qu'il porterait la tunique d'Auguste, le souverain fondateur de l'empire. Certain de devenir lui-même empereur, il n'hésitait pas à se livrer à des incantations magiques pour hâter ce moment béni. La nuit, chez lui, il se déguisait en grand prêtre et priait démons ou chiens de l'investir du pouvoir suprême. Justinien, toujours prompt à tendre l'oreille à de semblables rumeurs, y resta cette fois-là sourd. Je mesurai alors à quel point je n'étais plus ni la première ni la plus forte. Bien entendu, Justinien m'aimait tout autant que par le passé, mais je n'étais plus ses yeux, car il voyait par un autre, je n'étais plus son oreille, car c'était un autre qu'il écoutait. Les raisons de ce désastre, je n'eus pas à les chercher plus longtemps. Un autre que moi avait découvert le secret le plus intime de l'empereur : sa faiblesse. Jean de Cappadoce dominait Justinien au point qu'il ne pouvait plus s'en détacher.

Alors je fus contrainte de composer avec mon caractère. Jusqu'ici, en toutes circonstances, j'avais foncé droit devant moi, sans hésitation, sans fléchissement, peut-être sans pitié ni scrupules. Pour la première fois, je dus me résigner. Je fus obligée d'être tout ce que je n'avais jamais été auparavant, c'est-à-dire dissimulée, patiente et sournoise. Cependant, mon champ de manœuvre demeurait infiniment limité. Devant l'entêtement de Justinien à absoudre son favori, je m'aperçus qu'il était déjà trop tard pour lui dénoncer la guerre meurtrière qu'il menait contre moi. Quant à m'en débarrasser d'une façon plus expéditive, il était si bien gardé qu'il était impossible d'y songer. Jean de Cappadoce se méfiait tellement de moi qu'il goûtait uniquement aux plats préparés devant lui. Nuit et jour, mille gardes le protégeaient et malgré ses précautions, mes informateurs me rapportaient que son sommeil était constamment dérangé par des cauchemars où il se voyait égorgé par quelque mercenaire que je lui aurais dépêché. Sa peur dévorante ne m'était d'aucune consolation puisqu'il gagnait journellement du terrain. La moindre de mes tentatives se retournait contre moi. Justinien commençait à me considérer d'un œil méfiant, et la brèche, insensiblement, s'élargit.

Froidement, désespérément, j'envisageais le moment où elle deviendrait un fossé, puis un gouffre que je ne pourrais plus combler. L'empereur était littéralement envoûté. Je risquais le pire, mais, à aucun prix, je ne devais lui montrer mes craintes. Déjà la Cour, subtilement, suavement, se détournait. Mon antichambre était toujours pleine, cependant moins que de coutume. On y remarquait toujours une foule de solliciteurs, mais chaque jour leur nombre diminuait. Jean de Cappadoce avait beaucoup d'ennemis, toutefois ceux-ci calculaient qu'une fois débarrassés de moi, il leur serait encore plus facile d'en faire autant avec lui. Je sentais le sol trembler sous mes pieds, mais si je cédais à l'affolement j'étais perdue. La tête froide, je concentrais mes facultés pour déceler la moindre lézarde dans le monolithe que représentait mon adversaire.

Le fauve impitoyable avait pourtant un cœur, bien enfoui sous ses vices et ses crimes, un cœur qu'il réservait exclusivement à sa fille unique, Euphémia, une adolescente fraîche, charmante et naïve, sa joie et son orgueil. Antonina, restée à Constantinople après le départ de Bélisaire et de son état-major pour l'Orient, se prit alors d'amitié pour la jeune fille, lui rendit visite ou l'invita quasi quotidiennement. Elle profitait de l'absence du père, en tournée d'inspection dans les provinces de l'Est, car celui-ci, maladivement soupçonneux, aurait pu se méfier d'une amie de l'impératrice.

Un jour, en veine de confidences, Antonina n'hésita pas à se livrer avec Euphémia à de graves révélations. Elle commença par évoquer la profonde insatisfaction de son mari Bélisaire. Il avait conquis l'Afrique, l'Italie, la Mésopotamie, n'avait cessé d'enrichir considérablement l'empire de ses butins, pour ne recueillir que la plus noire ingratitude. Elle partageait son amertume et se laissa aller à critiquer amèrement le pouvoir et ceux qui le détenaient. Pour Euphémia, qui, sachant l'impératrice ennemie de son père, la détestait, ses paroles étaient du miel. Tout excitée, elle demanda ingénument à Antonina pourquoi Bélisaire supportait tant de camouflets alors qu'il avait une armée sous la main. Un coup d'État dans un lointain camp militaire n'avait aucune chance de succès, répliqua Antonina, s'il n'existait pas, dans la capitale même, un solide et puissant allié.

Dès le retour de son père, Euphémia s'empressa de lui répéter ces propos. Le ravissement submergea chez lui la méfiance. Si Bélisaire, si l'armée joignait ses forces aux siennes, il était sûr de ceindre la couronne. Il envoya dire à Antonina qu'il serait heureux de la rencontrer. Antonina se cabra. Était-il donc devenu fou pour tenter le diable ? La ville entière fourmillait d'espions de l'empereur comme de l'impératrice ; leur rencontre serait connue instantanément et lèverait une moisson de soupçons. Mais, avait-elle ajouté, elle devait partir dans quelques jours rejoindre son mari au front, et elle s'arrêterait la première nuit dans une villa isolée qu'elle possédait aux alentours. Le ministre pourrait la rencontrer sans danger. Cet excès de précaution plut à Jean de Cappadoce, certain d'avoir affaire à une femme sérieuse.

La nuit convenue pour le rendez-vous, il se rendit le plus discrètement possible à la villa, ne prenant avec lui que quelques gardes. Antonina l'attendait, seule, dans le jardin. Deux alliés se trouvèrent. Deux complices se reconnurent. Ils s'entendirent d'emblée sur les moyens comme sur le but et avec le meilleur entrain mirent au point leur conjuration. Jean de Cappadoce promit tout ce qu'Antonina demandait et solennellement jura de travailler de tout son pouvoir à la chute de l'empereur et de l'impératrice. A ce moment, deux hommes surgirent des buissons voisins. C'étaient Narsès et l'un de ses adjoints. Ils se précipitèrent sur le favori qui se mit à crier à l'aide. Ses gardes accoururent. Les soldats de Narsès, abandonnant leurs cachettes, surgirent de partout. Il y eut bataille rangée avec coups et blessés. Dans la mêlée, le ministre réussit à s'enfuir, et, rentré à toute vitesse en ville, courut se réfugier dans Sainte-Sophie.

Jusqu'alors, l'empereur avait refusé de croire en sa culpabilité, même lorsqu'il s'était dévoilé en sollicitant un rendez-vous d'Antonina. J'avais eu les plus grandes difficultés à ce qu'il accepte notre stratagème. La veille du rendez-vous fatal, pris d'un invraisemblable sursaut d'affection, il conseilla vivement à Jean de Cappadoce de ne pas se rendre dans la villa d'Antonina. Sans plus s'étonner de ce que son maître fût au courant de son emploi du temps secret, il ne prêta aucune attention à sa mise en garde. Ses propos séditieux puis sa fuite ouvrirent enfin les yeux de l'empereur, et me permirent d'exiger sa destitution immédiate.

Le lendemain, Sainte-Sophie fut le théâtre d'une scène stupéfiante que je me fis raconter plusieurs fois tant elle m'était un baume au cœur. La basilique était entourée par des forces armées qui n'en laissaient sortir quiconque mais permettaient à qui voulait d'y entrer. A l'intérieur, des moines maintenaient presque de force Jean de Cappadoce à genoux, pendant que l'un d'eux le tonsurait et que des prêtres, visiblement terrorisés, marmonnaient des prières. Les spectateurs n'en revenaient pas. Était-ce là ce Jean de Cappadoce qui la veille encore se pavanait au comble de sa puissance... J'avais mis en scène son châtiment à l'intérieur même de son refuge; l'usage voulant que les ministres disgraciés entrent dans les ordres... de gré ou de force. Pressés d'en finir, les prêtres avaient déshabillé le ministre et s'apprêtaient à lui passer le froc, lorsqu'ils s'aperçurent qu'il en manquait. Et de lever les bras au ciel, de s'affoler, de s'insulter réciproquement, et même de jurer comme il convenait fort peu à des religieux. Finalement, ils avisèrent le moine gardien du trésor de la basilique qui se tenait à l'écart, les yeux écarquillés. Au risque de le laisser nu, ils lui arrachèrent sa robe de bure et la passèrent à Jean de Cappadoce. Le chef du gouvernement, le maître après Dieu de l'empire et de l'empereur, n'était plus que le moine Jean.

L'oracle avait eu raison qui lui avait, naguère prédit qu'il porterait un jour l'habit d'Auguste, car tel était le prénom du gardien du trésor.

Je laissai le soin de lui choisir un successeur à l'empereur qui nomma Théodatus, un haut fonctionnaire d'excellente réputation.

Je l'avais emporté de haute lutte. Ma satisfaction fut néanmoins gâtée par la bénignité du châtiment infligé au disgracié. L'empereur, comme s'il continuait à être ensorcelé, se contenta de l'exiler non loin de Constantinople, à Cyzike, en lui rendant une large part des biens qu'il avait commencé par lui confisquer. Auxquels s'ajouta le produit des vols que Jean de Cappadoce avait eu la prudence de cacher et qui lui permit de vivre sur un très grand pied. Ce n'était pas la vengeance qui inspirait mes regrets mais la prudence. L'ancien favori gardait la vie, la fortune et la liberté. Or, il avait prouvé qu'il était capable de tout... jusqu'à vouloir éliminer l'impératrice et remplacer l'empereur.

Mes préoccupations furent balayées un jour de printemps 541, lorsque nous apprîmes qu'en Orient, où les hostilités avaient repris, nos troupes s'étaient emparées de la forteresse de Sisauranon. Où donc était Sisauranon ? L'empereur, lui, bien entendu, le savait. Quant à moi, je me précipitai sur les cartes. Sisauranon était situé en territoire perse. Un modeste fortin, une place de second ordre, peut-être, mais notre premier succès. C'était un signe, un symbole, et je me rappelle avoir crié de joie en apprenant la nouvelle.

Pour cette campagne, m'écrivait dans son rapport Ruderic, Bélisaire a battu le rappel de tous nos alliés. Il est même allé dénicher un certain Harith le Ghanasside, un roitelet indigène qui professe une grande fidélité à l'empire et à l'Église... monophysite. Des alliés de cette trempe valent ce qu'ils valent. Bélisaire l'a envoyé en territoire perse opérer une incursion de reconnaissance à la tête de ses deux mille cavaliers. Harith a si bien su persuader les officiers byzantins qui l'accompagnaient de l'approche d'une grosse armée ennemie, que ceux-ci ont reculé sans demander leur reste. Ainsi l'Arabe a pu tranquillement faire main basse sur la région et en empocher tout seul le butin. Le généralissime lui en a adressé des reproches qu'il a eu l'insolence de contester.

Cependant grâce aux informations de cet étrange allié nos armées purent franchir le Tigre. J'obtins de l'empereur qu'il accordât à Harith le titre de patrice. Tant pis si Bélisaire désapprouvait cette récompense.

Le roi des Perses, confiant et sûr de vaincre, s'était avancé trop loin. Coupé de ses arrières, il avait laissé son royaume sans défense. Nos armées crurent que l'Assyrie entière se trouvait à leur merci. Au moment où elles s'apprêtaient à fondre sur la proie offerte, elles reçurent brusquement l'ordre de rebrousser chemin. Bélisaire interrompait la campagne en plein succès. Une soudaine épidémie empêchait de poursuivre l'offensive. Telles étaient les explications auxquelles l'empereur ajoutait foi. C'était ce que m'affirmait Ruderic dans ses lettres et que je refusais de croire.

Mes doutes, bientôt, furent confirmés par des messages affolés d'Antonina. En épouse dévouée, elle avait décidé de rejoindre Bélisaire sur le front. Bien entendu, elle avait emmené Théodose, mais l'avait prudemment laissé à Éphèse. Ce vilain grincheux de Photius, son fils d'un premier mariage, avait cette fois-ci réussi à persuader son beau-père de son infortune. Et Bélisaire, pressé de régler ses comptes, avait tout simplement galopé à sa rencontre après avoir ordonné à ses troupes un « repli stratégique ». La victoire totale sur le Grand Roi attendrait une autre occasion !

Pour la première fois depuis leur mariage, il réserva à Antonina un accueil glacial. Celle-ci, déjà éprouvée, apprit alors que son amant, Théodose, avait été enlevé sans qu'on sût par qui ni pourquoi. Je reçus d'elle de pathétiques appels au secours et je voulus lui prouver que me bien servir donnait droit à ma gratitude illimitée. Persuadée que Photius était derrière la disparition mystérieuse de Théodose, je le fis arrêter, ramener à Constantinople et jeter dans les prisons du Palais Sacré. Afin de le rendre plus malléable, j'ordonnai qu'il fût fouetté comme un vulgaire esclave. Je croyais que la douleur délierait sa langue. Il n'ouvrit pas la bouche. A ma surprise, cet homme frêle et de santé délicate révéla une résistance bien inattendue. Torturé, il refusa de dévoiler la cachette où il tenait Théodose prisonnier. Alors je fis tout simplement supplicier ses serviteurs, qui, eux, parlèrent aussitôt... Je m'occupais de rendre le bonheur à une amie pendant que l'empereur s'employait à rattraper les erreurs commises par son mari.

Le grand roi des Perses avait ses bons côtés. Il arrêtait instantanément les hostilités au son de l'or : il lui suffisait d'entendre tinter quelques pièces pour mettre bas les armes. Deux mille livres d'argent permirent à la ville de Hierapolis en Syrie d'éviter le pire. Pour mille livres, il leva le siège de Dara. Par contre, Berrhoea, n'ayant pu régler les quatre mille livres d'argent qu'il demandait, fut prise et brûlée. Aux habitants d'Édesse, il proposa de racheter des prisonniers qu'il avait capturés l'année précédente à Antioche. La ville entière se saigna aux quatre veines, depuis les prostituées jusqu'aux paysans des environs. Finalement le Grand Roi consentit poliment à repasser la frontière... pour cinq mille livres or et une pension annuelle de cinq cents livres...

Au retour de Bélisaire à Constantinople, je savais désormais à quoi m'attendre. Antonina parut en effet devant moi à nouveau déguisée en veuve, réclamant son Théodose et jurant qu'elle préférait se tuer plutôt que demeurer séparée de lui. « Chère amie, lui dis-je, pour la distraire de son chagrin, un joyau sans prix est tombé hier dans mes mains, une merveille que personne au monde n'a jamais possédée. Si cela peut te divertir, je me ferai un plaisir de te le laisser admirer. »

Antonina avait beau pleurer son amant avec des larmes de sang, elle n'en avait pas pour autant perdu sa passion pour ce qui brillait. Sa curiosité éveillée, elle me supplia de lui montrer mon acquisition. Je prétendis hésiter, je fis des mystères afin de porter son impatience à un point incandescent, puis je me levai, j'allai au fond de la pièce. Je tirai un rideau et derrière apparut Théodose en personne. Grâce aux indications des serviteurs de Photius, j'avais retrouvé le lieu de détention de Théodose et j'avais ordonné de le ramener à Constantinople dans le plus grand secret, afin de préparer ma surprise. Antonina courut à son amant qui se tenait la mine penaude, le serra à l'étouffer sur son sein, puis tomba à mes pieds et m'enserra les genoux si fort que je manquai choir. Elle se releva pour se jeter sur son amant puis revint s'accrocher à ma tunique, m'appelant sa salvatrice, sa maîtresse, sa bienfaitrice.

Il restait à réconcilier les époux, car j'ai toujours été une féroce adversaire du divorce. L'empereur, sur mes instances, voulut bien chapitrer Bélisaire, et le ménage se vit, par mes soins, ressoudé pour la troisième fois. Je pensais pouvoir me reposer sur mes lauriers lorsque ce Théodose, pour lequel je m'étais tant dépensée, mourut après une courte maladie. Je m'apprêtais à être noyée dans un torrent de larmes. Antonina manifesta bien la douleur la plus bruyante, mais il me parut qu'elle voulait surtout paraître conséquente avec elle-même. En fait, je ne la sentis pas particulièrement affectée. Peut-être avait-elle épuisé les agréments de feu Théodose...

Ces remous calmés, je retrouvai des soucis plus graves. Je n'avais pas mené une lutte féroce contre Jean de Cappadoce pour le voir remplacé par un incapable notoire. Un seul homme me paraissait apte à remettre à flots le navire de l'État qui comme toujours faisait eau de toute part, Barsyme. Ses années de collaboration avec Jean de Cappadoce l'avaient familiarisé avec les affaires publiques. Il m'avait donné les preuves de sa loyauté, et sa basse extraction nous garantissait sa fidélité. Son esprit était si rapide, si brillant, si divertissant qu'on en oubliait sa prodigieuse laideur, cette tête trop grosse pour un corps rabougri, cette grande bouche pleine de longues dents mal rangées, cette langue qu'il déroulait à tout bout de champ et faisait claquer tel un crapaud.

Justinien, rendu à mes raisonnements, le nomma préfet de la ville.

Je croyais avoir mis la main sur un habile ministre. Ce fut un sorcier que nous avions découvert. L'argent entra à flots dans les caisses de l'État chroniquement vides, comme dans les cassettes privées de l'empereur et de l'impératrice. Pour répondre aux accusations, je reconnais qu'il volait. Mais quel ministre, quel proche du pouvoir n'a pas volé ? Ma sœur, qui ne manquait jamais une occasion de me prouver sa servilité en guise d'affection, ne touchait-elle pas des commissions au nom de l'influence qu'elle s'attribuait ou qu'on lui supposait ? Et Arsénius, mon fidèle Arsénius, n'empochait-il pas de jolies sommes pour chaque recommandation ? Et même la brave Indaro au grand cœur, ne lui arrivait-il pas d'arrondir son pécule par quelques pots-de-vin que lui remettaient les solliciteurs désireux de voir avancer leur affaire ?

L'empereur et moi étions décidés à couper les griffes de l'aristocratie. Pour réduire l'emprise de ces « médiocres », il refusa d'alléger leurs taxes et les laissa se grever de dettes. Dans un esprit de démocratie, nous ouvrîmes aux roturiers les charges autrefois réservées aux grands noms, et nous en créâmes de nouvelles. Aussi se multiplièrent les « gloriosi », les « magnifici », les « clarissimi », les « illustrissimi », les

« egregi » et autres titres dont s'étaient rengorgée jusqu'alors la noblesse.

Du coup, la délation redoubla. Recevions-nous un présent du chef des douanes impériales des Détroits, que celui-ci était dénoncé pour piraterie et que nous étions accusés d'être ses complices. Faisais-je saisir des ballots de soie vendus par les marchands au-dessus du prix fixé : j'étais vilipendée pour avoir détourné le stock à mon profit. N'a-t-on pas affirmé que j'avais commandité ce fameux faussaire nommé Priscus qui imitait à la perfection la signature de riches défunts et produisait après leur mort des reconnaissances de dettes en sa faveur ?

« Les médiocres » m'imputèrent de ne jamais être rassasiée de pouvoir et de me répandre comme une tache d'huile sur tout l'empire. Quant à l'empereur, ils virent en lui rien moins que le diable réincarné. Ils citèrent ce moine qui, appelé à l'audience sacrée, s'était arrêté paralysé de terreur à la porte de la salle, car il avait vu sur le trône un homme au visage de Satan. Ils poussèrent l'ignominie jusqu'à invoquer le témoignage de la mère de l'empereur. A ses amis les plus intimes, elle aurait confié avoir reçu neuf mois avant la naissance de son fils la visite du diable et s'être retrouvée ensuite aussitôt enceinte... Le diable ! Pauvre Justinien !

Cette levée de boucliers, suscitée par l'administration sévère mais efficace de Barsyme, nous imposait de nous appuyer plus fermement sur nos partisans, et en particulier sur les Bleus qui, depuis Nika, nous avaient toujours soutenus. Or récemment ils s'étaient sentis trahis par l'empereur lors d'un incident qu'ils considéraient comme une insulte à leur faction. Le gouverneur de la ville de Tarse avait réussi, par ses exactions, à exaspérer ses administrés, parmi lesquels de nombreux Bleus. Au cours d'une cérémonie publique, plusieurs d'entre eux avaient voulu lui manifester leur ressentiment et avaient eu le malheur de tuer son écuyer qui tentait de le défendre. Arrêtés, ils avaient été reconnus coupables et exécutés. Malgré son indulgence bien connue envers les Bleus, l'empereur, voulant témoigner de sa totale impartialité, avait entériné la sentence, sans se rendre pleinement compte qu'il provoquait ainsi nos partisans. Il me revenait de redresser la situation... avec l'aide de Barsyme. Si je l'avais porté à la tête du gouvernement, c'était pour le bien de l'empire, pour le repos de l'empereur et pour exécuter docilement mes desseins. L'occasion était venue de le mettre à l'épreuve.

Il commença par me détailler les circonstances de cette pénible affaire de Tarse. Je demandai si le gouverneur si sévère envers les Bleus appartenait aux Verts. Effectivement, me répondit Barsyme.

— Comment s'appelle-t-il ?

— Calinicus.

— Serait-ce Calinicus, le fils de Dessius, le frère du maître des soldats de l'Épire ?

— Celui-là même.

— Qu'on l'empale sur la tombe des Bleus qu'il a fait exécuter.

— Mais, Majesté, il commande une cité d'empire. Il faut un ordre personnel de l'empereur.

— Serait-ce ce Calinicus dont la famille avait possédé une propriété hors des murs de Constantinople, non loin de Sainte-Marie-de-la-Source ?

— Je pense, Majesté, mais je ne vois pas...

— Il est inutile que tu voies, contente-toi d'obéir à mes ordres.

— Que dira l'empereur, Majesté ? Calinicus bénéficie de sa confiance.

— Ou ce sera lui ou ce sera toi qui seras empalé, choisis ! m'écriai-je hors de moi.

Barsyme eut une grimace exactement semblable à celle d'un singe de la ménagerie du palais, auquel d'ailleurs il ressemblait étonnamment. Je sus alors que Calinicus subirait le sort que je lui avais choisi.

Je tus soigneusement à Barsyme les souvenirs qui

m'assaillaient en l'écoutant. Je suis petite fille, je m'enfuis de la maison, me voilà hors les murs, je cours dans les champs jusqu'à la vaste enceinte d'une magnifique propriété, je me blottis entre deux créneaux, les enfants jouent dans le jardin merveilleux, la petite Eudoxia s'approche du mur qui me sert d'abri. Elle m'aperçoit, elle me tend sa poupée, son frère la gronde, la repousse, la poupée tombe et se casse. Le frère menace l'intruse : « Hors d'ici, sale fille, ou mes esclaves te fouetteront. » J'entends encore sa voix résonner. Il s'appelait Calinicus. Et après tant d'années, il avait trouvé le moyen de s'offrir à mon courroux. Cependant, si je l'envoyais à un sort aussi terrible, ce n'était pas pour exorciser un cauchemar d'enfance, mais parce que la politique me dictait de faire un exemple. L'empereur avait défavorisé les Bleus. L'impératrice châtiait les Verts et l'équilibre était rétabli.

Chapitre 16

La peste naquit au cœur des marais du Pulusium, dans la vallée du Nil. L'air humide et stagnant, les eaux où pourrissaient les cadavres d'animaux et les tiges de lotus la générèrent. Rapidement, elle s'étendit jusqu'en Syrie puis, de province en province, visita les marches orientales de l'empire. Je crus que les lieux à l'écart seraient épargnés. Les îles les plus isolées, les montagnes les plus inaccessibles furent atteintes. Certains endroits qui échappèrent à l'épidémie, lors de son passage, et dont les habitants s'imaginèrent tirés d'affaire, furent frappés lors d'une seconde visite du fléau. Il semblait que le vent transportait le subtil venin.

Constantinople observait l'avance inexorable du mal, tout en refusant d'admettre qu'il pût l'atteindre. Le phare de l'univers était invulnérable. La métropole des arts, du luxe, du plaisir était protégée. La ville de Dieu serait miraculée... Et ses habitants continuaient avec insouciance à s'amuser, à dépenser, à rire.

L'épidémie s'abattit presque par surprise à la fin du printemps 542 et se répandit à la vitesse de l'éclair. En quelques jours, le nombre des victimes crût d'une façon affolante. Ceux qui se mettaient à vomir le sang pouvaient passer une nuit, mais ceux dont le corps se couvrait de pustules noires et dures n'en avaient plus que pour quelques heures.

Confusion et désordre ne cessaient d'augmenter. Des esclaves erraient privés de leurs maîtres ; des maîtres qui avaient été toute leur vie habitués à être servis se retrouvaient sans un seul domestique pour les assister, alors même qu'ils étaient malades ou mourants. Des immeubles, des pâtés de maisons se dépeuplaient entièrement. Les rues, généralement si animées, se vidèrent complètement. Les gens restaient enfermés chez eux à soigner ou à pleurer les leurs. Constantinople devint une ville morte. L'administration paralysée, tous les services publics cessèrent de fonctionner. L'approvisionnement fut coupé. Moulins et boulangeries fermèrent leurs portes. La famine accompagna bientôt la mort. Les apparitions se multiplièrent. Beaucoup virent devant eux se dresser des démons, avant d'être frappés par la maladie. Certains les voyaient en rêve, et dès le réveil étaient pris des premiers symptômes. D'autres entendaient ces démons les appeler par leur nom, alors ils se barricadaient derrière plusieurs portes et, persuadés que la peste était sur eux, ils refusaient d'ouvrir à leurs proches. Ils espéraient ainsi échapper aux démons, à la contagion, bien inutilement hélas. Les survivants coururent aux églises. Nuit et jour, ils emplissaient les sanctuaires, priant, suppliant, ou bien ils se confessaient et se préparaient à la mort.

Au palais, nous étions tenus, heure par heure, au courant de la situation. L'empereur gardait son sang-froid mais je savais que chaque mort était pour lui une nouvelle blessure, une nouvelle souffrance. Moi-même, j'étais à la fois épouvantée et déchirée. Nous ne pouvions plus ni manger ni dormir. Nous avions l'impression de nous battre, ou plutôt de nous débattre contre un fantôme insaisissable, omniprésent, qui frappait sans relâche partout à la fois. Dans ce terrible, cet insupportable sentiment d'impuissance, nous tenions à mener un semblant d'existence régulière, mais se lever le matin, s'habiller, accomplir les gestes quotidiens exigeait chaque fois un effort. L'angoisse nous ankylosait tous. La vie au palais était complètement désorganisée. Il n'y avait bien entendu plus de cérémonies, plus d'audiences solennelles, encore moins de banquets. Le silence surtout surprenait dans cette vaste demeure si sonore, habituellement si pleine de rumeurs, et ce silence lourd de menaces accroissait mon angoisse.

Et puis il y avait ceux qu'on ne revoyait plus, des courtisans, des membres du gouvernement et jusqu'aux eunuques, aux gardes, aux domestiques ; tel encore là la veille ou même quelques heures plus tôt ne réapparaissait plus. Nul ne posait de question. On ne parlait pas d'eux, on ne mentionnait pas leurs noms, on continuait en se demandant qui serait le suivant.

Un matin, dans ma chambre, pendant ma toilette, un de mes eunuques se mit à tituber. Je lui avais trouvé une mine bizarre, mais qui prêtait encore attention à de tels détails ? Le malheureux sembla pirouetter, puis s'effondra les yeux révulsés. Une énorme langue violette sortait de sa bouche, il étouffait. Mes femmes, mes autres eunuques avaient reculé. Pour rien au monde, ils ne lui auraient porté assistance ni touché. Dans un prodigieux effort sur ma lâcheté, je me penchai sur le malade et mis ma main sur son front brûlant de fièvre. J'éprouvais moins de peur qu'un horrible dégoût, invincible, involontaire, que je me reprochais et que je craignais de montrer... Enfin, des secours arrivèrent pour emmener le malade. De simples hommes de peine s'emparèrent brutalement de mon pauvre eunuque. Ses longues manches blanches traînaient sur le sol et sa tête tressautait mécaniquement. Je me détournai en frissonnant.

Les morts, bien plus nombreux que les vivants, posaient des problèmes urgents. L'empereur s'occupa d'eux en priorité. Puisqu'il n'y avait plus assez de bras pour les enterrer, ils se décomposaient dans les maisons, dans les rues, sur les places. Par une ironie du sort, ce fut un des étés les plus torrides que nous ayons jamais supportés. La chaleur accélérait le pourrissement et augmentait la pestilence. On ne pouvait les laisser indéfiniment se multiplier.

L'empereur chargea alors Théodorus, le grand référendaire de la Cour, d'une mission d'assainissement. Malgré le danger, il accepta avec un courage exemplaire. Il réunit des volontaires et alla en ville creuser des fosses un peu partout. Personne n'avait plus l'énergie de maintenir les traditions de nos enterrements. Les cadavres étaient jetés sur des charniers, empilés les uns sur les autres. Bientôt, ils ne suffirent plus : les tombes communes se trouvèrent toutes archipleines et le nombre des morts augmentait si vite qu'on n'avait plus le temps d'en creuser de nouvelles. Le problème était devenu crucial et quasi abstrait. Nous nous y étions tous attelés, inventant les solutions les plus folles pour essayer de faire disparaître plusieurs milliers de cadavres par jour.

Finalement l'un d'entre nous, je ne peux me souvenir de qui, suggéra une initiative aussitôt mise à exécution : ouvrir les toits de toutes les tours des remparts de Galata, de l'autre côté de la Corne d'Or, et, du haut, jeter les cadavres à l'intérieur, n'importe comment, hâtivement. Quand une tour était pleine, on bouchait le toit. Bientôt, toutes les tours furent remplies. Alors, on battit le rappel de nouveaux volontaires expressément chargés de porter autant de cadavres qu'ils pourraient jusqu'à la falaise et de les jeter dans le Bosphore, en espérant que le courant les emmènerait loin de Constantinople. L'empereur alla même jusqu'à inviter les chefs des Bleus et des Verts et les prier de conclure une trêve. Ils y consentirent. Les deux factions rivales s'unirent au nom des morts et l'on put voir le spectacle inouï d'un Bleu portant le cadavre d'un Vert, et réciproquement.

L'empereur voulut aussi prendre le mal à la racine. Il convoqua les meilleurs médecins de la capitale, improvisa des laboratoires dans les communs du palais, se procura des cadavres... c'était facile, les jardins en étaient pleins... et les praticiens de disséquer, d'analyser, d'expérimenter nuit et jour.

Après nous avoir laissés trépigner plus de deux semaines, ils ne purent qu'avouer leur perplexité. Certains malades d'abord épargnés mouraient brusquement ; d'autres, atteints et condamnés, survivaient contre tout espoir. Le même traitement appliqué à plusieurs donnait des résultats différents. En conclusion, aucun remède ne fut trouvé, aucune précaution ne put être conseillée, et selon les médecins la maladie n'entrait pas dans le domaine de la raison humaine. La peste parut profiter de cette impuissance. Elle mit, si j'ose dire, les bouchées doubles, et dévora encore plus de victimes. En Orient, des villes, et non des moindres, furent entièrement dépeuplées. En Occident, les récoltes pourrissaient sur place car les bras manquaient pour moissonner. A Constantinople, nous en étions à seize mille morts quotidiennement, c'est-à-dire le nombre total de nos forces armées en Italie, et, plus tard, lorsque l'épidémie lâcha enfin prise, le nombre des victimes se monta à trois cent mille.

Ces chiffres, pour impressionnants qu'ils soient, ne peuvent donner aucune idée de la détresse où nous vivions. Devant tant de morts, devant cette tragédie que subissait tout un peuple, l'horreur me saisissait. Les listes macabres qu'on apportait chaque jour résonnaient inlassablement dans ma tête, au point que je croyais voir des pyramides, des monceaux, des montagnes de cadavres s'entasser devant le palais ; et que dire de l'angoisse pour ceux qu'on aime, ces regards dérobés pour observer les proches, pour déceler un de ces signes que, tous, nous avions désormais appris à reconnaître. Enfin, le pire, cette peur pour soi, cette terreur abjecte à l'écoute du moindre symptôme. Ce sentiment nous prenait à la gorge et ne nous lâchait pas un instant, de nuit comme de jour. Il nous épuisait, il suçait le peu de force qui nous restait ; et de surcroît, nous devions le cacher, par pudeur, pour ne pas priver les autres de leur dernière once de courage.

L'automne vint et, brusquement, l'épidémie marqua un temps d'arrêt. Nous commencions à croire que le pire était passé lorsqu'un matin l'empereur se réveilla avec de la fièvre, une fièvre si bénigne, si légère que ni son pouls ni son teint n'en portaient la marque ; et pourtant il savait et je savais. La peste l'avait touché. Le soir même, ses glandes avaient considérablement enflé, particulièrement derrière les oreilles et sous les aisselles. Pendant la nuit, la fièvre monta terriblement et il passait de la léthargie au délire. Le lendemain, les bubons étaient apparus, ces bubons terrifiants que l'univers entier avait appris à redouter et qui signifiaient presque immanquablement la mort. Il y avait une faible, très faible chance de l'éviter. Si les bubons se contentaient d'enfler et de suppurer, le malade avait une chance de s'en tirer ; mais s'ils continuaient à durcir et à se dessécher, la mort survenait au plus tard dans les cinq jours. Justinien avait la gorge si enflée qu'il ne pouvait rien avaler, risquant comme tant de victimes de mourir littéralement de faim. Heureusement, sa frugalité naturelle l'avait entraîné à se nourrir à peine. De nuit comme de jour, je ne quittai son chevet. La plupart du temps, je lui tenais la main comme si j'avais voulu lui communiquer ma vie. Tantôt je m'agenouillais devant les icônes et de toutes mes forces, je priais ; tantôt il m'arrivait de me révolter contre Dieu. J'alternais entre le désespoir et parfois une lueur d'espérance. Je tâchais de cacher ma faiblesse et il fallut que dans son délire il répète plusieurs fois mon nom pour que j'éclate en sanglots.

Les dignitaires venaient me demander des ordres et je ne savais que leur répondre, ce dont je me souciais peu. En ville, on avait appris que l'empereur était atteint et partout c'était la consternation. Les gens barricadés chez eux par terreur du mal quittèrent leur abri et vinrent jusqu'au palais attendre des nouvelles. Cinq jours s'écoulèrent, cinq jours que je passai suspendue au souffle de Justinien... cinq siècles. Puis, un beau matin, les bubons me parurent plus mous, moins enflés aussi. Dans l'après-midi, la fièvre baissa très légèrement. La vie l'emportait.

Je sortais de l'enfer. Mais dans quel état ! Je reculai la première fois où je me regardai dans un miroir. Pendant des jours et des jours, je n'avais pris aucun soin de moi-même. Mes cheveux tombaient ternes et plats, mes yeux mangeaient mon visage décharné et gris. J'avançais courbée comme une vieille. Mon âme était à l'unisson. La fatigue, l'angoisse avaient tout drainé. Je n'étais plus qu'une carcasse vidée. J'étais incapable d'agir, de parler, de penser, de ressentir quoi que ce soit. Et pourtant, cette épreuve, la pire de ma vie, n'avait pas été inutile, car cette longue plongée dans la souffrance m'avait purifiée du moindre doute que j'aurais pu conserver sur l'absolu de mon amour et sur la nécessité de ma mission. J'avais envisagé de voir mon pouvoir fondre et mon œuvre disparaître. Mais qu'était-ce en comparaison de la peur que j'avais éprouvée pour Justinien ? Probablement ne l'ai-je jamais autant aimé que pendant ces journées où il lutta contre la mort. Après avoir craint pour sa vie, je savais que je n'avais plus rien à redouter, même ma propre mort.

Inquiétudes et incertitudes ne me quittèrent néanmoins pas, car il restait très malade et très faible. Bien que parfaitement lucide, il pouvait à peine parler. Comment aurait-il été capable d'assumer à nouveau les devoirs de sa charge ? Alors, dans un chuchotement, il me demanda d'accepter de gouverner. Je ne pouvais bien entendu le lui refuser. Je dus quitter son chevet pour me plonger dans les dossiers, recevoir les dignitaires, décider, ordonner. De surcroît, je devais, devant tous, afficher à tout prix la confiance. Je les sentais me scruter pour deviner le véritable état de santé de l'empereur. Au prix d'efforts presque insurmontables, j'enfouis mon anxiété. Souvent, dans ma vie, j'avais joué la comédie, mais toujours par choix et pour satisfaire mes desseins, or là j'étais obligée bien malgré moi de prétendre la sérénité, la bonne humeur, la confiance alors que la peur me broyait intérieurement. Ce fut le moment de ma vie où je me trouvai le plus seule. Ruderic me manqua doulou-reusement. Il pouvait sembler paradoxal de regretter un amant au chevet d'un époux si cher. J'avais tout simplement besoin de l'optimisme et de l'entrain de l'un pour compenser le manque de l'autre.

Je n'avais à peu près personne pour me seconder. L'épidémie avait décimé les ministres et les hauts fonctionnaires. Bien sûr Barsyme et Narsès m'assistaient, mais ils ne suffisaient pas à leur tâche. Je dus faire appel à de nouveaux venus étrangers aux affaires de l'État. Depuis notre mariage, Justinien m'avait tenue régulièrement au courant de la politique, mais j'ignorais les rouages de l'administration et le fonctionnement des divers services. Je n'en dus pas moins affronter des crises internationales. Pour la première fois, j'entendis parler de Totila, le nouveau roi des Goths et le lointain successeur d'Amalasunthe. Profitant des ravages de la peste dans nos armées et de l'incapacité de l'empereur, il s'empara sans coup férir de presque toute l'Italie. L'empire n'y garda bientôt plus que Rome et Ravenne. Alors Totila demanda à traiter avec moi, certain que dans ma position précaire, j'accepterais un accommo-dement. Je refusai au nom de la dignité de l'empire... avec tous les risques et les menaces que cela comportait.

Pendant toute cette période, je n'eus d'autre soutien que les enseignements naguère donnés par l'empereur. Il m'avait souvent répété que le mieux est l'ennemi du bien. Je me contentai donc de faire mon possible, sans viser l'impossible.

Il m'avait aussi appris que, pour accomplir une œuvre, il n'est pas nécessaire de dresser des plans. Le plus important est de commencer d'abord à travailler. Lorsque le plus dramatique des hasards me mit brusquement à la tête de l'empire, je suivis son conseil. Contrairement aux idées reçues, je crois qu'une femme vit mieux dans le mouvement que dans l'oisiveté. Ainsi, l'activité devint mon seul remède contre les migraines qui, depuis le début de l'épreuve, me tourmentaient. Je ne travaillais pas pour moi, mais pour l'empereur, et pour l'empire. Il n'était pas question d'échouer.

Justinien, cependant, ne se remettait pas. Il passait de longues heures prostré, absent, avec parfois des accès de délire. L'extrême faiblesse de son organisme faisait craindre à tout moment une nouvelle attaque de peste qui eût été fatale, car l'épidémie n'était pas encore enrayée. Ce fut alors que se répandit brusquement la rumeur de sa mort. Je ne crois pas qu'il y eut au départ ni intention, ni intrigue, ni mensonge délibéré. Il s'agissait plutôt d'une de ces inventions sans fondement qu'il faut tout simplement attribuer au goût de notre peuple pour le drame. La majorité s'entêta à tenir pour certain ce que les plus autorisés démentaient, des témoins jurèrent avoir vu ce qui n'avait jamais été, d'autres fournirent des détails inventés de toutes pièces qui sonnaient vrai. Cette campagne fortuite créait une agitation incontrôlable. Entendre sans arrêt que j'étais soupçonnée de cacher la mort de Justinien sapait chaque fois mon courage. D'autant plus que s'offrit dans toute son ampleur le spectacle de la lâcheté humaine. Elle ne s'étalait pas ouvertement. Pire, elle se répandait sournoisement. Les gens se détournaient de l'empereur et de moi, refusaient de venir nous voir, de travailler pour nous, et cela, sous les prétextes les plus divers. Ils regardaient tous l'avenir comme si l'empereur était déjà mort. Les hyènes tournaient autour de la succession de l'empire. L'empereur, subitement frappé par la maladie, n'ayant pas désigné de successeur, les spéculations allèrent bon train et les intrigues encore plus. Son plus proche parent restait son cousin germain Germanus. Lui et sa femme Passara étaient bien trop intelligents pour manifester en quoi que ce soit leurs sentiments ou leurs ambitions, ils se gardaient du moindre geste, de la moindre parole. Ils poussèrent l'hypocrisie jusqu'à venir au Palais Sacré prendre des nouvelles.

Avec eux, il était inutile de feindre l'optimisme ou la

courtoisie. Je les reçus sur mon trône, portant ma « robe de sorcière », en voile bleu nuit. Ma lourde couronne enchâssée d'émeraudes, de saphirs, de diamants, avec ses longues pendeloques en perles leur rappela que j'étais la maîtresse. Ils demandèrent impérieusement à voir Justinien, et je ne pus le leur refuser. Ils auraient partout répété que je le séquestrais, ou, mieux, qu'il était mort.

Nous entrâmes dans la grande chambre circulaire, notre chambre, où je l'avais fait transporter dès le début de sa maladie. Silence et calme régnaient dans la pièce que je laissais constamment dans la pénombre pour calmer l'irritation de ses yeux. Ils s'approchèrent du grand lit où il reposait assoupi. Germanus courba sa haute taille. Il arborait une mine de circonstance et ses sourcils rapprochés accentuaient sa ressemblance avec Justinien. Passara, pour une fois muette, penchait la tête de côté, avec un petit air triste. Elle eut même l'audace de verser quelques larmes. Je dis audace car, derrière leur attitude éplorée, je sentais leur hideux espoir. Ce n'était pas Justinien qu'ils contemplaient, mais la couronne qu'ils imaginaient à portée de leur main. Ils attendaient impatiemment le moment d'enterrer l'empereur, de me chasser, de nous voler notre place.

Je m'agenouillai auprès du lit, pris la main que Justinien avait laissée pendre, la baisai, puis, sans les regarder, je leur dis : « Il n'est pas mort, il ne mourra pas. Maintenant, partez. » Jamais je ne les avais plus haïs, et ce sentiment, curieusement, agit comme un coup de fouet. J'en avais d'ailleurs besoin, au milieu de toutes ces tempêtes.

Sur ces entrefaites, un des officiers stipendiés par Arsénius pour nous tenir au courant de l'état d'esprit de l'armée arriva d'Orient. En effet, pour prévenir toute attaque inopinée du Grand Roi, nous conservions des troupes considérables sur nos frontières. L'empereur avait envoyé Bélisaire les commander. Après les performances dont nous avait gratifiés le généralissime, je doutais de l'efficacité de cette précaution. Notre officier nous apprit que la rumeur de la mort de l'empereur avait atteint le front et s'était répandue à la vitesse d'un éclair. Aussitôt, il y avait eu des murmures, des supputations, des grognements. Certains officiers, au lieu de resserrer les rangs et de rester vigilants face à l'ennemi, se mirent à intriguer, à ourdir des plans d'avenir. Plusieurs déclarèrent qu'ils n'accepteraient jamais un nouvel empereur nommé sans leur assentiment. Ils n'avaient en effet aucune confiance en moi et voulaient éviter que je ne mette sur le trône un de mes protégés.

Notre informateur restait convaincu que cet état d'esprit, loin d'être fortuit, était le résultat d'une campagne orchestrée par certains officiers supérieurs secrètement hostiles. Qui étaient ces chefs militaires prêts à nous poignarder dans le dos ? S'appuyant sur la prétendue disparition de l'empereur, ils m'insultaient, ils me déniaient l'autorité dont j'étais investie, ils profitaient de ce que les circonstances avaient momentanément porté au pouvoir une femme pour ressusciter les vieux démons de la guerre civile. Un seul pouvait nous en apprendre les noms, l'officier qui venait de nous révéler l'existence de cette conspiration. Arsénius savait choisir ses hommes car notre informateur, ayant regagné l'armée d'Orient, réussit bientôt à nous avertir qu'un des principaux coupables était le général Bousès, le remplaçant de mon beau-frère Sitas en Arménie, dont je m'étais toujours défiée.

Je le convoquai immédiatement à Constantinople, puis je l'invitai à me rendre visite au gynécée sous le prétexte de me faire son rapport et de recevoir mes instructions. A peine fut-il en ma présence que je lui répétai les propos subversifs qu'il avait tenus, le fis arrêter et jeter dans une oubliette. J'avais ordonné, puisqu'il avait cru voir trop loin, que sa cellule demeurât constamment plongée dans la plus profonde obscurité, et puisqu'il avait trop parlé, qu'aucun de ses gardiens ne lui adressât jamais plus la parole. Il devait rester ainsi enfermé pendant deux ans avant que, prise de pitié, je ne le relâche. Mes ennemis affirmèrent que lorsqu'il sortit de prison, il était devenu méconnaissable et aveugle, et que sa santé était définitivement compromise. Simple exagération ! Je l'avais châtié durement, et je ne l'avais pas regretté car je n'ai jamais pardonné à ceux qui avaient escompté la mort de Justinien.

Notre informateur nous avait laissé entendre qu'il y avait presque certainement dans l'ombre un autre officier supérieur qui tirait les fils de la conspiration. Nous le harcelâmes pour qu'il découvrît son identité. Nous dûmes attendre plusieurs semaines puis enfin, un beau jour, Arsénius m'apporta un billet anonyme qui ne contenait qu'un nom...

Parfois, j'ai eu confiance en ceux dont tous se méfiaient, et d'autres fois, je me suis méfiée de ceux en qui tous avaient confiance. Presque toujours, le temps m'a donné raison. Suis-je dotée d'une mystérieuse intuition ? Au contraire. J'ai toujours observé les gens avec un instrument autre que l'intelligence. Je les ai regardés à travers un verre très fin, celui de mon amour pour l'empereur.

Je suis très exigeante avec mes amis ou mes collaborateurs. Je ne peux supporter auprès de moi que ceux en qui je crois. Et si je me méfie exagérément, c'est parce que mon devoir principal consiste à défendre un homme. Lui a le loisir d'accorder sa confiance, moi je suis forcée de la mesurer sans cesse pour le protéger.

Tout cela pour dire que le nom retentissant de Bélisaire lu sur le billet de notre informateur ne m'étonna pas. Était-ce possible que le généralissime trahît, que cet homme qui devait tout à l'empereur se retournât contre lui, que sous prétexte de donner le pouvoir à l'armée, il visât la couronne en l'arrachant à la tête de son bienfaiteur mourant ? Oui, tout cela était vraisemblable et je voyais enfin justifiée la répulsion que j'éprouvais pour lui.

Je le convoquai également à Constantinople, sous le même prétexte que Bousès. La régente appelait le général en chef au rapport.

Gouverner n'était pas sans poser des problèmes à une femme. N'étant que régente provisoire et non pas impératrice de droit, il n'eût pas été bien vu que j'utilise les salles de réception et les bureaux de l'empereur. Je restais donc cloîtrée dans le gynécée où je ne pouvais recevoir, selon la coutume, que des hommes triés sur le volet, des intimes, et non pas la foule que l'empereur laisse approcher. Je devais gouverner par personnes interposées. J'utilisais comme pièce de travail la bibliothèque du gynécée, que l'empereur m'avait installée et où je n'avais pratiquement jamais mis les pieds. J'avais entassé dans un coin les précieux manuscrits qu'il avait amoureusement collectionnés pour moi. Je jetais dans les casiers les édits, les rapports et les correspondances. Autant je gardais un ordre strict dans mes vêtements et mes accessoires, autant le plus grand désordre régnait dans les documents d'État. Au contraire de l'empereur, je déteste les papiers, je n'aime pas lire, je n'aime pas écrire. J'ai besoin de voir les gens, de leur parler, de les écouter. C'était grâce au contact humain que je m'informais et que je décidais.

Je reçus donc Bélisaire dans la bibliothèque et je lui déclarai d'entrée de jeu que j'avais pris la décision de le relever de son commandement. Il m'en demanda la raison, de sa voix sourde et avec cette élocution très lente qui m'avait toujours laissée croire qu'il était court d'esprit. Il se tenait devant ma cathèdre, calme et droit, massif, jeune pour son âge, superbe avec sa cuirasse et son casque d'or, son manteau et ses plumes rouges.

— Pourquoi, général? Mais parce que tu as conspiré contre l'empereur.

— Je n'ai prononcé une parole ni accompli une action contre l'empereur, pour lequel je donnerais ma vie. Mais il est vrai, Despina, que j'ai exprimé ma méfiance à votre égard, car je le jugeais nécessaire.

— Tu oublies, général, que l'empereur et l'impératrice

sont une seule et même personne. Attaquer l'un, c'est attaquer l'autre.

Puis je lui annonçai que je le condamnais à demeurer aux arrêts chez lui.

— Si je t'inflige un châtiment aussi bénin en regard de ton crime, c'est en souvenir de l'amitié que l'empereur t'a si fidèlement témoignée et de celle que j'ai toujours éprouvée pour ton épouse Antonina...

A son soulagement que je perçus à ce moment, je mesurai l'appréhension qui l'avait étreint jusqu'alors. Ce n'était pas Bélisaire qui me ferait trembler. Ce visage plein aux traits réguliers, entouré de longs cheveux blonds, ce grand corps musclé, bras et jambes nus, cette solidité apparente recouvraient une vulnérabilité que je découvrais. Si j'avais imité l'empereur qui affectionnait les références à l'Antiquité païenne, j'aurais dit que c'était Apollon lui-même qui se tenait devant moi.

Pour la première fois depuis la maladie de l'empereur, j'avais soigné ma mise. J'avais pris le temps de me coiffer, de me maquiller, de choisir une tunique que je n'avais pas portée depuis longtemps, pourpre, avec de grandes bandes verticales d'or ornées de fleurs. J'avais jeté sur mes épaules un voile blanc brodé de cercles d'or et je portais des perles, uniquement des perles, des ruisseaux de perles. Je me demandai la raison qui m'avait poussée à tous ces apprêts. Il est vrai que l'idée m'émoustillait de revoir cet homme que je tenais enfin en mon pouvoir après qu'il m'eut si longtemps défiée. Le savoir à ma merci dégonfla cependant ma haine et j'eus un accès de nostalgie :

— Tout aurait pu être bien différent entre nous, général, lui avouai-je.

— Bien que tu sois très belle, Despina, je n'ai jamais été attiré par toi, répondit-il.

Instantanément, je lui en voulus de sa méprise. Il me forçait à lui préciser que j'aimais Justinien et que les liens dont j'avais évoqué l'éventualité étaient purement politiques. Décidément, il me décevrait toujours.

— Bien entendu, repris-je, ton impunité a un prix, et je l'ai fixé à deux cent seize mille solidi d'or.

Il demanda froidement où j'espérais qu'il trouverait ce trésor, plus considérable que celui de l'État. A quoi je répliquai :

— Ce trésor, comme tu l'appelles, général, n'est qu'une faible partie de tes vols. Tu n'auras qu'à puiser dans le butin que tu as arraché aux Vandales en Afrique, aux Goths en Italie, et que tu as fort illicitement gardé pour toi.

Il me rétorqua que tout ce qu'il possédait, il l'avait gagné honnêtement. Il avait dit cela avec la fermeté de la conviction et l'emphase de la vertu. Je réalisai alors qu'il était convaincu de sa droiture et de son intégrité.

Il prit son temps pour me demander pourquoi je le poursuivais de ma vindicte.

— Parce que tu as voulu empêcher l'empereur de m'épouser, parce que tu as tenté d'enrayer son bonheur, car sache-le, général, ce bonheur, c'est moi qui le lui ai donné.

— Mais tu as fait le malheur de l'empire. Putain tu étais, Despina, putain tu es avec désormais un seul client, l'empire. Tu lui prends son argent et tu l'abandonnes.

A la vérité, j'ignorais que Bélisaire eût tant d'esprit. Il fallait avouer que je l'avais poussé à bout, ce qui n'excusait tout de même pas ce franc-parler militaire. Acharnée à le faire ployer, je n'hésitai pas à utiliser les armes les plus traîtres. Je me suis promis d'être sincère dans ce récit, bien qu'il y ait des moments comme celui-ci où cela me devient pénible. La frustration, la rage me rendirent effectivement assez faible pour dire à Bélisaire :

— Putain, je l'étais peut-être, mais une putain qui a réussi. Toi, comme tous les cocus du monde, tu as échoué.

Il ne bougea pas, mais je le vis ciller, comme pour voir à travers les larmes qui lui venaient. Je le sentis chercher ses mots pour formuler sa réponse :

— Effectivement, Antonina me trompe. Je n'en ignore rien. J'ai souffert dans ma chair lorsqu'elle avait Théodose comme amant. Mais j'ai fermé les yeux parce que je l'aime, et je continuerai à l'aimer jusqu'à ma mort. Elle aussi, d'ailleurs, m'aime à sa façon, et vous, Despina, n'y pouvez rien.

La honte me saisit. Pour ne pas m'avouer vaincue, je le renvoyai.

La mutinerie dans l'armée d'Orient étouffée dans l'œuf, je ne songeai qu'à résilier la régence mais je ne le pus tout de suite. Je dus en effet admettre l'inadmissible et supporter l'injure intolérable lancée au génie : conséquence de la maladie, l'esprit de l'empereur avait été atteint plus longuement que son corps. Il manifesta plusieurs mois encore hésitation et versatilité. Aussi dus-je continuer à le remplacer à la tête de l'État.

Jamais mes ennemis ne comprendraient que je ne voulais pas régner. Pour moi, le pouvoir n'était que le plaisir de le partager.

Troisième partie

Chapitre 17

« Au nom du Dieu Tout-Puissant, et de son Fils unique Jésus-Christ Notre-Seigneur, par le Saint-Esprit, par les quatre Évangélistes, par les saints Archanges Michel et Gabriel, je jure de rendre des loyaux services au très pieux et très saint Justinien et à Théodora, épouse de la Majesté Impériale. » Par cette modification sans précédent du texte immémorial, évêques et magistrats, généraux, gouverneurs de province et autres fonctionnaires prêtèrent désormais serment à l'impératrice comme ils le faisaient jusqu'alors à l'empereur seulement. Ma silhouette apparut sur le grand sceau impérial à côté de la sienne. Mon prénom figura à côté du sien sur le bas-relief de dédicace des bâtiments officiels. Des statues de moi furent érigées dans plusieurs villes dont certaines furent baptisées Théodora, Théodoriade, Théodoropolis. Ainsi l'empereur voulut-il rendre hommage à ma régence. Ce fut la première décision qu'il prit lorsqu'il fut rétabli.

Je l'avais progressivement informé des affaires de l'État durant sa convalescence. Quand, un beau jour, il réclama ses dossiers, je sus qu'il était guéri et je connus l'intense satisfaction de remettre le pouvoir entre ses mains. Ma joie fut telle qu'il crut opportun de me demander la grâce de Bélisaire. N'était-il pas suffisamment puni ? me demanda-t-il. En effet, personne n'osait visiter le disgracié, même ses proches. La solitude, l'inaction agissaient sur lui. Il broyait les plus noires pensées et connaissait des accès de plus en plus longs d'abattement. La surveillance étroite dont il était l'objet, les menaces qu'il imaginait dirigées contre sa personne l'avaient beaucoup changé. Persuadé qu'à tout moment il risquait d'être assassiné par mes sbires, le général le plus prestigieux de l'empire était devenu pusillanime : « C'est peut-être qu'il est susceptible de connaître le remords », répondis-je à l'empereur qui me peignait ce pathétique tableau. Alors, changeant de registre, il me montra les lettres des généraux commandant nos armées d'Italie où la situation s'était dramatiquement détériorée, qui, tous, réclamaient la présence de Bélisaire, seul capable de nous empêcher de perdre à nouveau la péninsule.

— C'est un traître, il a conspiré, et tu le sais, César, objectai-je.

— Peut-être, mais il est le seul chef militaire digne de ce nom que nous ayons. Il a pu voir ce qu'il lui en coûtait de conspirer. Donnons-lui une nouvelle chance.

Je laissai l'empereur s'interroger sur mes intentions. Un matin, je convoquai Bélisaire au Palais Sacré. Je le fis longtemps attendre dans la galerie des solliciteurs au palais de Daphné. Les mêmes courtisans, qui, naguère, s'employaient à gagner ses bonnes grâces, se détournèrent ostensiblement de lui. D'autres ne se privèrent pas de lui lancer des grossièretés et de l'insulter. Je le reçus durement, les sourcils froncés, arborant mon air le plus sévère. Il avait considérablement changé depuis ce jour, quelques mois auparavant, où il m'avait presque émue. Où étaient la superbe de son attitude, la puissance de son corps, la beauté de son visage, chez cet homme amaigri, la peau flasque et la bouche ouverte ? Je lui demandai s'il s'était repenti et, une fois encore, je lui reprochai ses crimes. J'exagérai tellement qu'il repartit convaincu d'être incessamment envoyé dans un monde meilleur. Je lui avais interdit l'usage du cheval ; c'est à pied, accompagné de quelques serviteurs seulement, qu'il rentra chez lui. Tout en marchant, il se retournait sans cesse, s'attendant à chaque instant à voir des tueurs fondre sur lui. Parvenu en son palais il s'y terra, passa la journée entière à trembler de tous ses membres, suant à grosses gouttes, torturé par la plus abjecte terreur. Heure par heure, j'étais tenue au courant de son état. Le soir, je lui envoyai un messager qui, surgissant dans ses appartements privés, parut devant lui comme l'ange du Jugement dernier. A sa vue, Bélisaire se précipita dans le coin le plus éloigné de la pièce et s'y recroquevilla, dans l'attente du coup fatal, toute trace de virilité l'ayant déserté. Il leva les bras comme pour se protéger lorsque le messager s'approcha de lui. Mais celui-ci se borna à lui remettre une lettre de moi. Il eut du mal à l'ouvrir tant ses doigts tremblaient. Les mots dansaient devant ses yeux et il ne put croire ce qu'il lisait. Je lui annonçais en effet que, pour répondre aux supplications de son épouse, je voulais bien oublier les charges brandies contre lui et lui rendre faveur et fortune. Selon la mise en scène que nous avions minutieusement mise au point, Antonina et moi, elle apparut au seuil de sa chambre. Le soulagement de son mari fut tel qu'il se précipita à ses pieds, les caressant, les embrassant, proclamant qu'elle était sa vie, son salut, et lui jurant que désormais il ne voulait être que son humble esclave.

L'empereur avait souhaité envoyer Bélisaire commander en Italie. J'avais déposé les armes, renonçant à proposer Narsès, qui, à mon avis, convenait mieux. Je n'avais pas voulu gâter l'harmonie qui régnait depuis la guérison de l'empereur. Il m'avait suffi, avant de lui rendre ma faveur, de transformer le héros en couard.

J'avais voulu aussi savoir de quel bord était Antonina, dont son mari m'avait affirmé qu'elle l'aimait et le soutenait. Pour la mettre à l'épreuve, je l'avais chargée de contribuer à terroriser progressivement et subtilement Bélisaire, et elle s'en était admirablement tirée, lui répétant les plus effrayantes rumeurs sur mes intentions, feignant de craindre mes desseins. C'était elle qui m'avait proposé le stratagème final, cette audience dont Bélisaire devait repartir convaincu que j'avais ordonné son assassinat. A la réflexion, cette cruelle mystification avait surtout abouti à remettre en selle Bélisaire, et c'était là le but cherché dès le début par Antonina. Si elle était entrée de bon cœur dans mes plans les plus féroces concernant son mari, c'était, en définitive, pour le ramener en grâce. Bélisaire avait eu raison, Antonina le servait bien.

Je la vois encore pépiant, papillonnant, jouant les écervelées. A chaque parole, elle secouait son opulente chevelure au blond plus que suspect. Elle faisait voler ses longues boucles d'oreilles et tinter ses nombreux bracelets et colliers. Elle était persuadée que sa frivolité apparente m'avait abusée, que je n'avais rien compris, elle croyait avoir eu le dernier mot. Alors je lui déclarai qu'en signe d'amitié et de reconnaissance, j'avais décidé de lui offrir ce que j'avais de plus précieux, la chair de ma chair, en un mot de marier mon petit-fils Anastase à sa fille Ioanna. Elle réagit assez promptement pour dissimuler ses sentiments. Elle se précipita à mes pieds, couvrant mes mains de baisers et de larmes d'émotion, me répétant que jamais elle n'aurait espéré un honneur aussi inouï et une joie aussi absolue. Bien entendu, ajouta-t-elle, les promis étaient trop jeunes pour se marier, et il faudrait attendre quelques années. Je ne pus qu'en convenir. On m'avait arraché le retour en grâce de Bélisaire. En contrepartie, j'obtins de Justinien la permission d'inviter mon petit-fils à la Cour, et de le fiancer à la fille d'Antonina, la plus riche héritière de l'empire.

J'étais désormais en position d'avouer l'existence d'Anastase et de le préparer au brillant avenir auquel je le destinais. La régence avait consolidé ma position et je n'avais plus d'ennemis assez puissants pour l'ébranler en furetant dans mon passé. Je n'avais pas oublié la visite, quatre ans auparavant, de ma fille ni les reproches dont elle m'avait accablée. Les pénibles souvenirs auxquels elle était liée et sa propre personnalité m'éloignaient d'elle. Mais cet enfant dont elle m'avait accusée de ne même pas connaître l'existence, j'étais décidée à m'en occuper. Lui seul restait immunisé contre les miasmes qui avaient empoisonné mes relations avec ma famille. Et puis le portrait qu'en peignaient mes informateurs me plaisait.

J'envoyai donc un courrier impérial jusqu'en Carie pour le ramener. Il fit diligence, utilisant les relais de la poste impériale, et bientôt Anastase fut devant moi. J'avais décidé de le recevoir entourée de toute ma Maison afin d'éviter les démonstrations d'émotion. Il n'était pas grand mais puissamment bâti. Il paraissait plus âgé que ses quatorze ans, déjà un homme sorti de l'adolescence. Il n'était pas particulièrement beau mais ses cheveux blonds et frisés, son teint mat, hérité de moi, et ses yeux clairs qui me dévisageaient avec curiosité le rendaient attirant. Incontestablement, il avait dans son apparence quelque chose de Pharas, mais en moins furtif, en plus viril. Il ne paraissait pas le moins du monde décontenancé par ce qui lui tombait du ciel. Pourtant seule l'arrivée du courrier impérial qui venait réclamer sa présence à Constantinople avait forcé ses parents à lui révéler sa parenté avec l'impératrice. Jusqu'alors il l'avait ignorée, et, comme il me le confia, il s'interrogeait sur les raisons de cette discrétion. Il avait tenu tête à sa mère qui s'opposait à cette confrontation et était venu voir de près et par lui-même cette grand-mère si fameuse. Je le fis parler de son existence, dont je savais néanmoins à peu près tout par mes informateurs. Il aidait sa mère à administrer leurs fermes et bien qu'il atteignît le lyrisme pour raconter l'agriculture, c'était là un sujet qui ne me passionnait pas particulièrement. Anastase était un campagnard doué d'authenticité et d'aplomb, deux qualités qui me plaisaient. Lorsque j'évoquai ses parents, je sentis sa réticence à l'égard de sa mère, comme lui saisit la nuance de mépris avec

271

laquelle je l'interrogeai sur son père. Il aimait ce dernier mais il savait que c'était un faible sous la coupe de sa femme : « C'est ma mère qui commande », répéta-t-il. Il ne s'en plaignait pas, il constatait.

Je le logeai non loin du gynécée dans un appartement du palais de Daphné. Je dus reconnaître que ma fille avait trouvé le moyen, au fin fond de la lointaine Carie, de lui donner la meilleure éducation. Cependant, j'avais projeté de la parfaire. Sur les conseils de l'empereur, je l'entourai de professeurs remarquables. Il avait bien voulu trouver charmant ce petit-fils par alliance dont je lui avais réservé la surprise. Il appréciait, me dit-il, sa crânerie, sa franchise, et, après l'avoir interrogé, le déclara cultivé et intelligent.

Malgré sa jeunesse, je ne voulus pas lui travestir la réalité de notre existence et de nos soucis. Aussi, tout en évitant de l'étourdir par une grêle d'informations, je lui dispensai des cours de politique sur le vif. Peu après son arrivée, le hasard me fournit l'occasion de lui en faire digérer un important chapitre.

Si grand fut le scandale ayant eu lieu dans le chrysotriclinium que les remous en atteignirent aussitôt le gynécée. Envoyé par Bélisaire, un de ses généraux, Jean, le propre neveu de Vitalien, était arrivé à Constantinople. Selon l'usage, il était venu rendre hommage à l'empereur au cours d'une audience purement formelle. Dans le silence total imposé par la Présence Sacrée, il avait osé élever la voix devant le seigneur oint de Dieu, l'héritier des monarques prêtres, le Basileus supérieur au César païen, pour le supplier d'envoyer des secours à l'armée d'Italie. A ce blasphème, il avait eu l'insolence d'ajouter qu'il n'aurait trouvé d'autre occasion de parler à l'empereur, dont les ministres tronquaient les rapports. Justinien, dans sa grande bonté, l'avait excusé. Jean s'était alors lancé dans une mise en garde contre le roi des Goths. Totila n'était pas un roi comme les autres, car il avait su se gagner la faveur de la population locale, grâce à une véritable révolution. Il s'était acquis les paysans en divisant les grandes propriétés et en supprimant les corvées. Il avait enrôlé les esclaves en les libérant. Les marchands et les artisans, il en avait fait ses partisans en ajournant leurs impôts. L'Italie entière brûlait pour Totila. De son côté, Bélisaire, en débarquant, avait lancé une proclamation qui n'avait soulevé aucun écho, appelant la population à se soumettre à son légitime souverain, l'empereur. Par contre dans Rome, dont Jean était jusqu'ici le gouverneur, les proclamations étaient apparues partout, signées de Totila, déclarant que les Romains n'avaient rien à craindre des Goths. L'ennemi avait partout des complicités, nos soldats désertaient, nos garnisons se rendaient. En Émilie, le général commandant avait été laissé pratiquement sans effectifs. En Italie centrale, les Goths s'emparaient, l'une après l'autre, de nos forteresses abandonnées sans défense. La raison de cette débâcle était que nos troupes ne recevaient plus leur solde, que Bélisaire, dans un beau geste, s'était engagé à régler de ses propres deniers. Or, il jurait n'avoir plus un sou vaillant bien qu'il eût impitoyablement pillé la Sicile, Ravenne et autres lieux qu'il avait traversés, traitement qui avait jeté les riches Italiens dans les bras des Goths. Jean exigeait renforts et argent, et Barsyme répondit que l'empire n'avait ni l'un ni l'autre. Jean d'agiter alors la menace de voir Rome conquise par Totila et ses Goths. Barsyme remarqua fort justement que si Rome tombait, sa chute serait bien moins catastrophique que celle de Milan, sept ans auparavant, dont l'empire s'était pourtant relevé. Jean alors s'emporta. Rome, c'était le symbole de l'empire, le théâtre de nos gloires passées, l'héritage sacré. Pour défendre ce fleuron, nous devions fondre l'or des églises et des palais, lever des troupes jusqu'au fond des campagnes. Ses arguments n'ébranlèrent pas le ministre soucieux du bien de l'État. Jean osa alors faire une allusion à la haine que j'étais supposée porter à Bélisaire et qui empêchait qu'on lui envoyât des secours. L'empereur, outré, le chassa.

Peu après cet incident, Germanus et Passara me demandèrent audience, démarche hautement inhabituelle. Devant quelques égards au cousin de l'empereur, je ne les fis venir que quatre jours de suite avant d'accepter de les recevoir. Au lieu de la proskinisis, Germanus se contenta de mettre un genou en terre devant mon trône, et Passara enfreignit le silence protocolaire pour prononcer à haute voix « Salut, impératrice », négligeant de m'appeler « Votre Majesté ». Ils s'en tenaient au vieux cérémonial, négligeant les transformations que j'y avais apportées. Ils sollicitaient ma bénédiction pour les fiançailles de leur fille Justina. Elle avait dépassé largement l'âge coutumier du mariage et ses parents avaient eu le loisir de s'inquiéter de son sort, lorsque s'était présenté un candidat qui, tout de suite, avait réuni leurs suffrages. C'était Jean. L'usage voulait que l'impératrice donnât spontanément son assentiment à ce qui n'était qu'une formalité. Mais quoi ? Allais-je laisser la fortune de ces conspirateurs de l'ombre, la popularité de ces ambitieux féroces, l'ascendant de ces hautains prétendants s'allier au prestige et à l'autorité d'un jeune général ? J'arguai que l'origine de Jean ne le rendait pas digne de s'unir à une nièce de l'empereur, issue en outre par sa mère de la première famille de Rome. Passara, si fière de sa naissance, au lieu d'être flattée eut l'audace de me lancer :

— Personne de son rang n'a voulu de notre fille, et l'impératrice en connaît la cause mieux que quiconque.

Elle prétendait par là que mon antipathie pour elle et son mari avait écarté de leur fille les candidats les plus huppés. Cette allusion eut le don d'éveiller mon courroux et, selon un geste qui m'est familier en pareille circonstance, je tordis mon collier si nerveusement qu'une émeraude s'en détacha, roula sur le sol et alla se fracasser contre la paroi de marbre :

— Ce mariage ne doit pas se faire et ne se fera pas ! m'écriai-je.

Je vis l'étonnement puis la colère se peindre sur leurs

visages, et ils exécutèrent leur sortie comme s'ils me lançaient un défi.

Et défi il y eut. Sans perdre de temps, Jean épousa en secret Justina et la nuit même s'embarqua avec elle pour l'Italie afin de rejoindre son poste. Il avait cru prudent de mettre quelque distance entre lui et moi. Je ne pouvais laisser passer une telle outrecuidance. L'assassinat m'a toujours paru l'arme des faibles et je peux jurer n'en avoir ordonné aucun. J'ai fait jeter en prison, exécuter, disparaître des coupables, mais le meurtre, jamais. Contre Jean, je n'avais d'ailleurs aucun chef d'accusation : enfreindre la volonté de l'impératrice pour se marier ne suffisait pas à traîner l'audacieux devant les tribunaux. Cependant j'avais une réputation à soutenir. Beaucoup plus que ma prétendue cruauté, c'était la crainte de cette cruauté qui affermissait mon pouvoir. Je n'eus qu'à utiliser ma légende. Il fut facile à Arsénius de répandre, parmi les familiers de Germanus et de Passara, que l'impératrice avait décidé la perte de Jean, qu'elle avait envoyé ses instructions à Antonina, que cette dernière devait l'empoisonner dès son arrivée au camp de Bélisaire. Ces rumeurs, soigneusement attisées, devinrent certitude, franchirent les mers et parvinrent à Jean qui venait de débarquer au sud de l'Italie. La peur lui fit sauter le pas et entrer en dissidence. Il continua à se battre contre les Goths mais là où il voulait, et en refusant énergiquement de rejoindre Bélisaire. Il avait donc désobéi, sa réputation en pâtit et je reçus une nouvelle preuve que la psychologie est parfois une arme bien plus efficace que le poison ou le fer.

Aussi aiguë que fût mon intuition, elle n'était pas infaillible et m'égara quand il fut question de remplacer Jean. Bessas était un vieux militaire qui avait servi déjà sous l'empereur Anastase. Depuis l'avènement de Justinien, il n'avait reçu pratiquement aucun avancement, ce qui aurait dû m'alerter. Les mises en garde de Narsès aussi. Mais Bessas savait faire sa cour. Il protestait sans cesse de sa loyauté envers nous. N'affirmait-il pas porter autour du cou, en guise

275

de médaille pieuse, un solidus d'or, afin d'avoir toujours le portrait de l'empereur sur son cœur ? J'eus le tort de ne pas être insensible à cette niaiserie. Pour une fois, j'avais confondu la flatterie que j'exècre et la servilité qui ne me déplaît point. Bessas fut nommé gouverneur de Rome.

Après l'éclat provoqué par Jean, la vie de Cour avait retrouvé son rythme immuable, routine pour nous, nouveauté pour Anastase que je souhaitais initier à ses arcanes. C'est ainsi qu'il assista à l'Adoration de la Pourpre au palais de la Magnaure dans le chrysotriclinium, considéré à juste titre comme la plus belle salle du monde.

Je trônais conjointement avec l'empereur pour recevoir l'hommage des dignitaires au milieu de la très vaste coupole. Un gigantesque Christ en majesté, éclairé par seize fenêtres, rappelait que l'empereur ne tenait son pouvoir que de Dieu. Chacun des huit pans de mur, huit étant le chiffre sacré, était constitué par une sorte d'abside semi-circulaire, celle située directement en face de l'entrée abritant le double trône d'or incrusté de pierres précieuses sur lequel nous avions pris place. Deux victoires aux ailes déployées nous encadraient et un dais doré supporté par quatre colonnes d'argent nous surplombait. Lorsque l'immense portière de soie brodée d'animaux mystiques masquant l'entrée du chrysotriclinium se levait comme par magie, le premier dignitaire admis à l'audience était aussitôt pris sous les bras par deux eunuques de haut rang. Ceux-ci figuraient les anges, calices blancs d'immortalité, strictement hiérarchisés, qui entourent la gloire divine dont le basileus représente la forme périssable. Tels les séraphins, ils voilaient leurs yeux avec leurs manches longues, blanches et brillantes comme des ailes, et de leur voix claire de castrats, ils faisaient monter vers le dôme d'or leur hymne : « Nous qui symbolisons mystérieusement les chérubins, nous chantons le psaume trois fois divin de la Trinité qui donne la vie, et nous abandonnons les considérations humaines pour recevoir le roi de l'univers. »

Ils portaient littéralement l'élu jusqu'au trône pour signifier que la Majesté Sacrée était si redoutable que personne ne pouvait en approcher sans être assisté, et c'était en rampant que celui-ci gravissait les trois marches de porphyre précédant le trône, avant de baiser le sol, le pied ou le genou de l'empereur, selon son rang.

Nous nous raidissions tellement, Justinien et moi, que nous paraissions fondus dans notre gangue de joyaux et de brocarts. La poitrine de l'empereur se soulevant imperceptiblement pour respirer faisait de temps en temps bouger les pierreries de son pectoral qui, attrapant la lumière d'un cierge, lançait de brefs éclairs. Autour de nous, tout était silence et immobilité. Les membres de la Cour et du Comitatus étaient autant de statues multicolores et scintillantes. Du coin de l'œil, je remarquai qu'Anastase suivait, ébloui, le déroulement de la cérémonie. Néanmoins, les gestes des eunuques de service s'avançant deux par deux, jetant les dignitaires au pied du double trône, puis les relevant et les emmenant, avaient la précision de marionnettes et leur répétition m'hypnotisait. Je me trouvais donc dans un état de semi-stupeur lorsque le vélum fut brusquement écarté. Alors entra, visiblement sans y avoir été invité, un très grand et très maigre moine qui, du fond de la salle, hurla :

— Je viens t'admonester, Justinien, et toi aussi, Théodora !

Tous s'écartèrent comme atteints d'une terreur sacrée. Il s'avança à grandes enjambées vers le trône. Sa tunique était si rapiécée, si usée, que le plus pauvre d'entre les pauvres eût préféré aller nu que la revêtir. Barbe et cheveux n'étaient qu'une masse broussailleuse qui n'avait jamais connu le peigne. Son teint était rougi par le grand air, et son visage portait de nombreuses pustules. Le moine était sale à faire peur, il empestait. Mais il était sublime, car Dieu était en lui. C'était Marras.

Bien que nous ne nous soyons pas vus depuis la lointaine époque de mon adolescence, je le reconnus immédiatement à ses yeux. Profondément enfoncés sous les sourcils touffus, ils flambaient, ils transperçaient telle l'épée de la foi. Je descendis les marches du trône, me prosternai devant lui, baisai ses pieds noircis de crasse et lui demandai humblement sa bénédiction. L'empereur, aussi, s'agenouilla devant lui et courba la tête, signifiant que la porte de notre palais était toujours grande ouverte pour les messagers de Dieu. Marras refusa de nous bénir tant que nous ne nous repentirions pas, car nous avions péché par orgueil, par négligence, par tiédeur dans notre foi, par manque de zèle au service de Dieu. Il n'avait pas hésité à abandonner la sérénité de sa retraite pour nous reprocher de n'avoir pas rendu grâces à Dieu du témoignage qu'Il venait de donner de Sa puissance et de Sa bonté. Il faisait allusion aux Quarante Martyrs. De nombreux siècles plus tôt, quarante légionnaires romains étaient morts pour la foi, sans que le peuple de Constantinople eût jamais trouvé le lieu où ils avaient été enterrés. Or récemment, les maçons avaient mis au jour dans un des murs de la ville une caisse contenant des ossements. Une femme du voisinage, atteinte d'érésipèle, les ayant touchés, avait été aussitôt guérie. La rumeur s'était alors répandue que les reliques des Quarante Martyrs avaient été découvertes. Mais nous avions négligé de bâtir un sanctuaire sur le lieu de ce miracle, prétendant être retenus par les affaires de l'État.

Je promis à Marras de construire incessamment un sanctuaire, le plus beau, le plus riche pour accueillir les reliques. L'empereur, voulant s'excuser, s'abrita derrière l'Église qui n'avait toujours pas reconnu les ossements comme tels. Était-ce un argument à opposer à Marras qui, lui, savait « car Dieu lui parlait » ? Dans sa colère sacrée, il nous menaça des pires châtiments. « Homme de Dieu, homme de Dieu, ne pouvais-je que répéter, aie pitié de nous, aie pitié de nous. » En proie au désarroi, je me fis alors amener le sac d'or qu'on gardait toujours au chrysotriclinium pour d'éventuels solliciteurs, et je le lui tendis. Marras prit mon geste pour une insulte. Il m'arracha presque le sac des mains, et puisant des pièces à pleines poignées, il les jeta au pied de notre trône. L'or, en roulant sur le porphyre, résonna étrangement dans le silence pétrifié.

— Le Serviteur de Dieu ne veut rien de toi, tonna-t-il, sinon que tu apprennes à éprouver la crainte du Seigneur, si toutefois tu en es capable.

Une fois de plus, il lisait dans mon âme. Trop longtemps, j'avais été sûre de moi-même. Trop longtemps, je m'étais occupée exclusivement du temporel. Trop longtemps, j'avais oublié de plonger en moi-même pour interroger ma conscience.

L'empereur n'était pas comme moi familiarisé avec le langage des ermites du désert, ces fous de Dieu. Il voulut apaiser Marras, et se lança dans un de ces discours tortueux qu'il réservait aux négociations difficiles :

— Les plus grandes bénédictions de l'humanité sont les cadeaux de Dieu, le clergé et l'autorité impériale, qui ont été accordés par la grâce de la providence. Rien ne nous occupe plus grandement que la dignité et l'honneur du clergé, d'autant que celui-ci ne cesse de faire monter de notre part des prières vers Dieu. Si le clergé sait rester hors du blâme et plein de foi en Dieu, et si l'autorité impériale orne justement et dévotement l'État commis à sa charge, il s'ensuivra une concorde heureuse qui fera pleuvoir de bonnes choses sur l'humanité.

Marras ne se laissait pas circonvenir et répondit d'une voix grondante :

— Le jour où Dieu t'appellera à son jugement, alors tu auras des comptes à rendre pour tous les tourments auxquels tu soumets les vrais chrétiens...

Cette apostrophe suscita chez l'empereur une colère inhabituelle. Une douleur au genou qui l'irritait depuis plusieurs jours provoqua cette explosion qui me prit par surprise et que je ne pus calmer à temps :

— C'est vous les trublions, hurla-t-il, c'est vous les séditieux, et c'est le pape qui a raison ! Plus un mot, moine, tiens ta langue. Si tu as raison comme tu le soutiens, Dieu se manifestera à moi par un signe. Sinon, tous ceux qui osent se dresser contre le pape seront mis à mort.

Il est vrai que publiquement l'empereur se devait de défendre l'Église officielle. Mais il était maladroit de sa part d'imaginer qu'un monophysite aussi convaincu que Marras serait démonté par semblable menace.

— Même les anges du Ciel détestent ton pape, rétorqua-t-il, les vrais croyants n'ont pas besoin d'un signe du Ciel pour soutenir leur foi. Mais rassure-toi, Dieu t'enverra un signe destiné à toi seul.

Et majestueusement, il se détourna de nous et se dirigea vers le portail, sans que j'aie pu intercéder, la peur, l'horreur m'ayant transformée en statue de sel.

Le lendemain, des élancements au genou torturaient l'empereur, ne lui laissant aucun repos. Tel était le signe prédit par le saint homme du désert. L'empereur refusa de le reconnaître, refusa de s'admettre malade, refusa de se soigner. Il dormait et mangeait moins, travaillait jusqu'à épuisement et restait des heures debout lors des cérémonies, sans accepter de s'asseoir. Ses médecins baissèrent les bras, sa maladie empira. Il fut bientôt incapable de quitter son lit. Il se tordait sur sa couche sans pouvoir retenir ses cris de douleur. L'infection de son genou déclencha une fièvre si violente qu'il se mit à délirer. Son corps se couvrit d'eczéma, son visage enfla, une taie lui recouvrit les yeux, l'aveuglant temporairement. Les médecins, affolés, lui appliquaient tous les remèdes qui leur venaient à l'esprit, tous plus inefficaces les uns que les autres. Le gynécée était sens dessus dessous. La Cour grossissait les rumeurs et commençait à envisager le pire. L'angoisse régnait chez tous... sauf chez moi.

Marras avait brisé son vœu de rester jusqu'à sa mort dans le désert, afin de sauver nos âmes guettées par la damnation. Se pouvait-il, cependant, que notre péché se limitât à avoir tardé à bâtir un sanctuaire aux Quarante Martyrs ? Pour qu'il eût consenti un sacrifice aussi grand, il fallait que notre faute fût excessive. Il ne me la révélerait pas, je le savais. Je devais la trouver toute seule, au fond de ma conscience. Marras voulait que je réfléchisse, que je médite...

Animé par un esprit de tolérance et un désir d'unité, Justinien n'avait jamais abandonné l'idée de rapprocher l'Église officielle catholique et le monophysisme. Il avait cru pouvoir réaliser son vœu le plus cher quand le trône de saint Pierre avait échu à un pape choisi par nous. Après tant d'années passées à mettre au point une formule susceptible d'accomplir le miracle, il avait promulgué un édit dit des Trois Chapitres qui, selon lui, constituait un credo acceptable pour les deux parties. Il restait, simple formalité, à le faire contresigner par le pape Vigilius. Malheureusement, sa vraie nature se révéla. Il avait vendu son âme pour la tiare, mais à peine élu, il avait commencé, sournoisement, à abandonner les monophysites, contrairement à ce qu'il m'avait juré. J'avais pressé Antonina alors à Rome de lui rappeler ses promesses. En vain. Devenu pape, il s'imaginait ne plus devoir rien à personne. Il agitait même l'idée de prendre de nouvelles mesures pour restreindre et contraindre « l'hérésie ». Allais-je assister les bras croisés à la renaissance des persécutions contre les monophysites dont je restais l'obligée ? Allais-je laisser l'impunité au pontife qui les trahissait ? C'était donc ma mollesse que Marras était venu me jeter à la figure.

Le lendemain matin, l'empereur fut transporté le plus discrètement possible au pavillon de la Perle, dont je défendis l'accès à quiconque, et surtout aux médecins. Cette année-là, nous n'avions pas eu encore le loisir de déménager dans ce logement d'été, dont les portiques ouvraient sur des jardins touffus qui nous offraient la fraîcheur de leurs ombrages et de leurs fontaines. Situé à l'écart, il me permettait de cacher Justinien auquel la maladie avait donné un aspect repoussant. Car si l'on peut contempler un empereur mourant, il est interdit de l'apercevoir altéré. C'était un monstre chauve, boursouflé et pustuleux qui râlait dans le cadre le plus somptueusement raffiné de cette chambre nuptiale, à la voûte d'or soutenue par quatre colonnes de marbre, et aux murs recouverts de mosaïques représentant des scènes de chasse. Mon cœur saignait devant cette image de la souffrance, mais cette épreuve, nous l'avions attirée par notre faute.

J'envoyai chercher Marras. Il voulut bien se rendre à mes prières. Debout au pied du lit de Justinien, il contempla longuement son œuvre terrible pour finir par commenter :

— Maintenant tu as le signe que tu as demandé, car inexorable est la justice divine.

Je me jetai à ses genoux et lui jurai solennellement que les monophysites n'auraient plus rien à craindre et que le pape cesserait de les menacer.

Le saint homme ordonna qu'on lui amenât la caisse contenant les vénérés ossements des Quarante Martyrs. Lorsqu'il fut en présence des reliques, il s'agenouilla et pria. Puis il prit la caisse et la posa sur le corps de l'empereur prostré. Aussitôt, le miracle eut lieu. De l'huile sainte commença à suinter de la caisse, répandant un parfum merveilleux. A peine toucha-t-elle l'empereur qu'il sentit un soulagement immédiat. Il ouvrit les yeux et se souleva sur ses oreillers. Ses douleurs s'évanouirent, il reprit son aspect habituel, il était guéri. L'huile coulait en telle abondance qu'elle imprégna entièrement sa chemise de soie pourpre que je conserve encore à ce jour comme une relique.

Le jour suivant, Justinien apparut parfaitement rétabli et put quelques jours plus tard reprendre ses activités comme à l'accoutumée.

Le pape Vigilius avait l'habitude de célébrer la messe dans différentes églises de Rome par rotation. Le jour où il se rendit à Sainte-Cécile-du-Trastevere, l'église fut discrètement entourée par un cordon de troupes. Juste après la communion, le gouverneur de la ville, Bessas, fit enfoncer les portes du sanctuaire. Il monta à l'autel, mit sa main gantée de fer sur l'épaule du pape et lui ordonna de le suivre incontinent. Les assistants étaient trop horrifiés pour réaliser ce qui se passait, ce qui permit à Bessas d'escamoter Vigilius à ses ouailles. Il le traîna sans attendre jusqu'au port et l'embarqua sur une trirème qui leva aussitôt l'ancre et fit voile en direction de la Sicile. J'avais dicté à Arsénius les ordres à faire parvenir au gouverneur de Rome : « Arrêtez Vigilius n'importe où, excepté dans la basilique Saint-Pierre, et amenez-le-nous. Si vous ne procédez immédiatement, alors, par le Dieu vivant, je vous ferai écorcher vifs. »

Aiguillonné par cette menace, Bessas avait agi juste à temps. En effet, trois jours plus tard, le roi Totila, à la tête des armées goths, encerclait Rome et en entreprenait le siège. Vigilius aurait alors été hors de mon atteinte et aurait même préféré de tomber aux mains du plus féroce ennemi de l'empire qui, probablement, à ses yeux était moins redoutable que moi.

Chapitre 18

En cet automne 546, le sort de Rome s'aggrava très rapidement. La ville ne comptait plus que trois mille soldats de garnison qui n'étaient pas assez nombreux pour défendre sur toute leur longueur les remparts, par ailleurs en mauvais état. Bélisaire, accouru la délivrer, avait réussi à atteindre l'embouchure du Tibre mais le roi Totila, pour l'arrêter, avait élevé sur le fleuve des ponts et des tours de bois truffés de soldats d'élite et avait disposé aux endroits stratégiques des détachements d'archers goths les mieux entraînés. Sa flotte ayant coupé les arrières de notre armée l'empêchait de recevoir des renforts. Par manque d'approvisionnements, la ration des habitants de Rome avait été réduite au minimum.

A la froide lumière des rapports, cette situation perdait toute réalité. Les messagers nous rapportaient des faits dont l'insensible énumération recouvrait la brûlante réalité où me plongeaient les lettres de Ruderic. Des espions mettaient quotidiennement l'état-major de Bélisaire au courant de l'état de la ville assiégée. Ruderic se trouvait donc au premier rang pour observer, pour m'informer mais aussi éventuellement pour recevoir une flèche ou un coup d'épée. Secrètement, je tremblais pour lui et il tremblait pour les Romains :

L'ennemi encercle complètement l'ancienne capitale de l'empire, ne laissant filtrer ni denrées ni hommes. La famine y règne. Seuls les riches peuvent encore trouver quelque nourriture, car la poignée de farine atteint sept pièces d'or et un morceau de viande pourrie cinquante pièces d'or. Devant ces prix, les soldats de la garnison, pourtant mourant eux-mêmes de faim, préfèrent vendre leurs rations. Un mélange sans goût et malsain composé aux trois quarts de son et d'un quart de farine a pu apaiser pendant plusieurs semaines la faim des pauvres. Puis ils ont été graduellement réduits à se nourrir de cadavres de chevaux, de chiens, de chats et de souris. Ils n'ont plus désormais qu'à gratter l'herbe et arracher jusqu'aux chardons qui poussent dans les anfractuosités des ruines.

La situation est si désespérée que de nombreux habitants inclinent en faveur d'une reddition. De nombreux prélats, avec à leur tête le diacre Pelage qui remplace le pape Vigilius, lequel a mystérieusement quitté la ville, se dévouent entièrement à leurs ouailles et puisent sans compter dans leur propre fortune. Ils ont aussi, dit-on, engagé des négociations secrètes avec le roi Totila pour lui remettre la ville. On raconte qu'un père de famille, ne supportant plus d'entendre les cris de ses cinq enfants affamés, est allé jusqu'à un pont du Tibre, et là, se couvrant la figure, s'est jeté dans le fleuve, devant les siens et le peuple romain.

Certains habitants, parmi les plus nantis, ont essayé de fuir la capitale condamnée, mais ont été interceptés et massacrés par les soldats ennemis.

Cette famine atroce a pourtant un responsable qui n'est autre que le gouverneur de Rome. C'est lui qui a mis la main sur les quantités considérables de grain entreposées par le clergé romain, prévoyant, afin de le distribuer chichement à ses soldats ou le vendre extrêmement cher aux riches. La population n'a pas tardé à l'apprendre, aussi un cortège d'êtres squelettiques, minés par la maladie, au dernier stade de l'épuisement et du désespoir, est venu le trouver pour lui rappeler que le devoir du maître consiste à entretenir ses esclaves et pour le prier humblement soit de veiller à leur subsistance, soit de leur permettre de fuir, soit d'ordonner leur immédiate exécution.

L'imperturbable Bessas leur a répondu qu'il lui était impossible de nourrir, dangereux de laisser partir et illégal de tuer les sujets de l'empereur. Mais la requête lui a donné des idées car il s'est mis à vendre, toujours très cher et toujours aux riches, des permissions de sorties... Pour calmer le peuple bien trop épuisé pour se révolter, mais qui est capable d'ouvrir les portes de la ville aux Goths, il proclame quotidiennement l'arrivée imminente de flottes et d'armées imaginaires, chimères auxquelles les habitants ne croient pas plus que lui...

Ruderic m'apprenait tout ce que les rapports ne contenaient pas. J'avais su pouvoir compter sur son honnêteté, sur sa lucidité. Il n'en restait pas moins que Bessas était mon choix et mon erreur. Je répugnais à l'avouer en le destituant, mais à tout prendre, malgré ses abominables exactions, il n'était pas responsable de cette guerre, de ce siège. Son rôle nocif se limitait à accentuer le déclin d'une situation déjà tragique. Je choisis donc de ne rien faire, jugeant qu'en ce cas mieux valait s'entêter dans l'erreur qu'avouer sa faiblesse, ce qui ne m'empêchait pas de rester sur des charbons ardents. Aussi vibrai-je lorsque Ruderic m'annonça pour bientôt une tentative de délivrer Rome, Bélisaire s'étant résolu à jouer son va-tout. Si le généralissime réussissait à sauver la cité, et par là à effacer les délits de Bessas, je me promis de lui en être reconnaissante pour l'avenir. J'exigeai de Ruderic qu'il m'envoyât les nouvelles par courrier spécial à moi seule adressées, car je voulais être la première à apprendre la délivrance de Rome et de ma conscience. Ce fut avec fébrilité que je fis sauter le sceau et que je commençai la lecture de sa lettre :

Bélisaire n'a plus voulu attendre les renforts qui tardaient. Il a décidé de tenter une percée, déterminé à délivrer la ville.

Deux cents de nos navires chargés de soldats, d'armes et de munitions ont remonté le Tibre. Bélisaire, avec la moitié de son armée, s'est avancé parallèlement sur la rive sud. Il a jeté toutes ses troupes, toutes ses réserves dans l'entreprise. Il ne laissait derrière lui au camp impérial que de faibles forces sous le commandement de son second, le général Isaac. Bessas n'a pas bougé. Bessas n'a pas effectué de sortie. Bessas est resté dans Rome. Bélisaire a bousculé des forces dix fois supérieures. Il a gagné du terrain. Sa flotte a brisé les chaînes qui barraient le Tibre. Les postes de garde ont été pris d'assaut. Des armées goths ont été enfoncées. Bélisaire n'avait plus devant lui que le pont de bois édifié par le roi Totila et fortement défendu. Il savait qu'emporté par son élan, il détruirait cet ultime obstacle. Ensuite, c'était Rome. Rome à portée de la main sans même un rideau de soldats ennemis pour en défendre l'accès. Plus rien ne pouvait empêcher Rome d'être délivrée. Du haut des remparts, les habitants de la garnison hurlaient de joie.

C'est alors qu'un messager hors d'haleine le rejoignit. Des détachements goths avaient attaqué et emporté son camp. Ils avaient faits prisonniers tous ceux qui s'y trouvaient. Confronté à un choix dramatique qui ne souffrait aucun délai, il comprit que Rome devrait attendre. Le plus urgent était de reprendre son camp, de libérer les prisonniers, de rétablir la liaison avec ses arrières. Il a ordonné la retraite.

Non, cette explication était inacceptable, je ne voulais pas l'admettre. Ruderic péchait par excès de loyauté envers son chef, mais j'avais d'autres sources d'informations qu'il me plaisait de juger plus véridiques. Bélisaire avait appris que sa femme, restée au camp, se trouvait parmi les prisonniers des Goths. Son sang ne fit qu'un tour et l'armée... un demi-tour. La prise de Rome passait après son épouse. Celle-ci avait d'ailleurs montré un courage que je me réjouissais de reconnaître. En effet, les Goths avaient attaqué si brusquement et violemment qu'ils étaient arrivés en un rien de temps au cœur du camp impérial. Antonina, dans sa tente, avait entendu, juste de l'autre côté de la paroi de toile, le cliquetis des épées. Certaine d'être capturée, elle n'avait pas perdu son sang-froid et décidée à ne pas tomber vivante aux mains des Barbares, elle avait sorti la fiole de poison qu'elle gardait toujours avec elle et dont, si souvent, elle avait destiné le contenu à d'autres. Elle s'était tenue prête à mourir comme les héroïnes d'un autre temps. Seulement, elle n'avait jamais été faite prisonnière. La maigre garnison laissée par Bélisaire avait eu le temps de se ressaisir et avait pu, au dernier moment, repousser les assaillants. Le messager avait fait du zèle en énumérant les captifs des Goths, et Bélisaire aurait pu poursuivre son avantage sur Totila. Il avait manqué naguère d'envahir la Perse par haine d'Antonina, il venait de manquer de délivrer Rome par amour de cette même Antonina. Curieux et éclatant exemple de l'inconstance des hommes...

Un jour de janvier 547, l'empereur apparut à l'heure de mon petit déjeuner que je prenais toujours seule et me dit simplement : « Rome est tombée... le 17 décembre exactement. » Il s'était penché en avant, avait ouvert tout grands ses yeux ronds, puis les avait fermés, un peu comme un hibou effarouché par la lumière. Jamais il n'avait eu l'air si jeune. Du ton le plus détaché que je pus, je lui fis remarquer que la chute de Rome n'était pas une surprise car le destin de la ville était scellé depuis l'échec de la tentative de Bélisaire. D'ailleurs, son importance stratégique et militaire était nulle et sa perte sans la moindre importance pour l'issue de la guerre.

Il abonda dans mon sens mais ajouta que, psychologiquement, le coup était rude. Il avait en effet appris la nouvelle en plein Comitatus. Il y avait là les ministres accompagnés de leurs chefs de départements, les eunuques de la chambre sacrée, le maître des soldats de Constantinople, le comte des domestiques, les huissiers, les secrétaires qui tenaient le procès-verbal de la séance sous la surveillance du primiserius notarium, le chef du secrétariat gouvernemental. Ces réunions hebdomadaires se tenaient dans un de mes lieux préférés du Palais Sacré, la salle d'Iris, célèbre pour ses stalactites de bois doré. Ils semblaient des cascades d'or figées sur l'or des mosaïques. Le bas des parois et le sol étaient dans ce marbre de Carie, blanc et quasi transparent, qui semblait du cristal.

Lorsque le grand chambellan eut annoncé à haute voix que Rome était occupée par les Goths, il n'y eut aucun commentaire, aucun murmure, le protocole l'interdisait, mais Justinien avait vu les regards chavirés, les têtes soudain courbées, les mains crispées sur les appuis des sièges, et les larmes qui coulaient silencieusement sur le visage de ces hommes. Moi, je ne pleurais pas, je bouillais. L'histoire dont l'empereur était si féru venait de lui administrer une terrible gifle. Mais justement, l'histoire qui en avait vu d'autres, et pour laquelle semblables événements constituaient le pain quotidien, lui enseignait la patience. Moi, je n'étais pas imbibée d'histoire. Le moment seul suscitait ma réaction. Et sur le moment, j'éprouvai une humiliation intolérable qu'aucune explication ne pouvait apaiser. La première puissance du monde était-elle donc si faible qu'elle se laissait arracher des ruines par ces Barbares ? Sans nous le dire, Justinien et moi étions d'accord pour afficher un calme auquel j'étais d'autant plus contrainte que je me sentais responsable du désastre. Cependant l'attitude de Bessas, l'exemple qu'il avait donné, ainsi que me le rapporta Ruderic, me brûla comme un fer rouge :

Rome est tombée par la trahison de certains soldats commis à sa défense. Après s'être entendus avec les Goths, ils leur ont ouvert une des portes de la ville. Les ennemis s'y sont engouffrés avec la plus grande prudence, s'attendant à une embuscade et ne pouvant croire à tant de facilité. Ils étaient certains d'être surpris à tout moment par les régiments de la garnison menés par le gouverneur Bessas. En quoi ils se faisaient bien inutilement du souci. Bessas et tous les officiers s'étaient enfuis de la ville qu'ils n'ont pas défendue. Et lorsqu'on a proposé au roi Totila de les poursuivre, celui-ci a répliqué que nulle vision ne lui était plus agréable qu'un ennemi en fuite. Après un tel triomphe pour lui et une telle honte pour nous, il pouvait jouer les magnanimes. Lorsque le diacre Pélage, remplaçant le pape Vigilius, lui a demandé de suspendre le massacre des Romains réfugiés dans le sanctuaire de Saint-Pierre, il a interdit à ses soldats toute violence et les a menacés des pires châtiments s'ils s'en prenaient à la vertu de la moindre matrone ou jeune fille. Que de grandeur, que de générosité! Habile Totila, qui sait se rendre populaire, même chez les vaincus.

A ce que m'en rapportaient les services d'Arsénius, les rues de Constantinople connaissaient leur animation coutumière que l'hiver ne ralentissait pas, mais les visages s'allongeaient, les expressions étaient graves, et dans les tavernes circulaient sous le manteau les détails de la tragédie que Ruderic avait négligé de me rapporter. Sans autorisation de Totila, ses soldats avaient fait main basse sur le trésor accumulé par Bessas et avaient méthodiquement pillé les nobles demeures et les riches maisons. A travers la ville mise à sac, fils et filles de sénateurs, dont les parents avaient été jetés au cachot pour en obtenir rançon, erraient en haillons dans les rues et mendiaient un morceau de pain à la porte même de leur palais. « Si ce n'est pas une honte. Comment l'empire a-t-il pu tomber si bas? Quelle misère! », répétait le peuple, faisant ainsi écho à ma pensée. Rome était un symbole. L'émotion égarait les esprits. J'étais la seule à ne pas oublier les hasards de la guerre, tandis que le peuple, résolu à trouver un responsable à l'inexplicable, préférait s'en prendre à moi. C'était moi qui avais poussé Jean, le gendre de Germanus, à la rébellion. C'était moi qui avais arrêté l'envoi de fonds et de renforts au généralissime. C'était moi qui avais sacrifié

291

Rome pour transformer ce vainqueur en vaincu. Mon règne était une malédiction pour l'empire. Tant de signes le proclamaient, les tremblements de terre, les épidémies, les inondations. La comète de 531 n'avait-elle pas été le messager de catastrophes ? Humilié, malheureux, le peuple oubliait d'être raisonnable, il devenait injuste, il me prenait pour cible, parce que ma nature rejetait l'hypocrisie et qu'au lieu de tirer les fils depuis les coulisses, j'avais trop longtemps occupé le devant de la scène. On reprochait à la femme que j'étais d'empiéter sur le rôle d'un homme, de s'attribuer une autorité qu'en réalité j'étais loin d'avoir.

Je proposai à l'empereur de sacrifier Bessas, de le traîner devant les tribunaux, de le châtier durement. Non seulement il refusa, mais il lui accorda le rang de patricien et lui donna un important commandement sur la frontière arménienne. Par amour pour moi, il n'avait pas voulu désavouer l'auteur de la nomination de Bessas ni par amour de sa politique désavouer le signataire de ce choix, c'est-à-dire lui-même. Car chez Justinien, et c'est là un des traits de sa complexe grandeur, le calcul que s'imposait le souverain n'était jamais loin du sentiment auquel cédait l'homme.

Au printemps, le mécontentement ne s'était toujours pas apaisé et continuait à se répandre, sans origine ni but précis. La disette sévissait dans la capitale, provoquée par une mauvaise récolte en Égypte, grenier à blé de l'empire. Le quota de grain imposé par le gouvernement aux provinces n'enrayait pas la famine menaçante. Des hommes, des miséreux pour la plupart, mais aussi des artisans, des petits fonctionnaires descendirent dans la rue, enfoncèrent les portes des boulangeries, cassèrent, pillèrent. Parmi eux, il y avait de nombreux soldats qui réclamaient bruyamment les arriérés de leur solde. Après avoir traversé la révolte Nika, un tel incident ne m'impressionnait plus. Il se répéta cependant. Pendant plusieurs semaines, Constantinople connut quotidiennement des cortèges, des attroupements, des manifestations. Puis un beau jour, du concert de vociférations s'éleva un nom, celui du préfet de la ville : « A mort Barsyme ! », cria la foule. « A mort Barsyme ! », répéta-t-elle le lendemain et le surlendemain. Le mécontentement, jusqu'alors crépitant dans toutes les directions, s'était brusquement fixé sur l'homme fort du gouvernement et le chargeait de tous les maux de l'empire. Ce grand maître de la sorcellerie, initié dans sa Syrie natale, terre nourricière des arts occultes, avait envoûté l'impératrice et l'avait contrainte à lui céder. Telles étaient les absurdités que répandait le peuple, contenues dans les rapports que les informateurs personnels de l'empereur transmettaient à Arsénius. Cette générosité exceptionnelle contredisant la concurrence féroce entre nos services m'étonna jusqu'à ce que j'en comprenne la signification. Justinien avait trouvé ce moyen indirect de me faire savoir que l'heure était venue de se débarrasser de Barsyme puisque, depuis des temps immémoriaux la raison d'État imposait de sacrifier un ministre dont l'impopularité risquait de rejaillir sur le souverain. Mais je me moquais bien de la raison d'État et je refusais de m'y soumettre.

Un branle-bas me tira de mes réflexions. J'entendis mes courtisans, massés dans mes antichambres, s'écrier en chœur, comme le voulait l'usage : « Salut auguste, toujours auguste empereur et César. Salut Gothicus, Alemanicus, Franciscus, Germanicus, Vandalicus, Africanicus. Salut Basileus, pieux, heureux, illustre, victorieux, triomphant, et toujours auguste... » Apparut un cortège parfaitement ordonné d'officiers de la garde, de hérauts, de secrétaires, de praepositus, d'eunuques et de castriensis. L'empereur les suivait, précédé de deux porteurs d'encens qui l'entouraient d'un nuage odoriférant. A chacun de ses pas, les monstrueuses pierreries de sa couronne lançaient des éclairs. Il pénétra seul dans ma chambre à coucher. Mes eunuques et mes dames se prosternèrent front contre terre, bras et jambes écartés. Le mari rendait tout simplement une visite impromptue à sa femme. Il semblait indifférent à cette pompe comme si elle ne comptait pas. En dépit de tout cet appareil, il ne cherchait jamais à impressionner.

Il me demanda doucement à quoi je m'occupais.

— Je pensais à toi, César, et à ce que je pourrais inventer pour te plaire.

D'un geste, je chassai mes gens, et nous restâmes seuls. L'empereur commença par répéter les accusations contre Barsyme. Il ne payait pas la solde des militaires, avait supprimé les pensions dites consolatio, vendait les charges de l'État aux plus offrants, trafiquait sur les grains, pratiquait des ventes forcées de blé pourri, et bien entendu, à coups de pots-de-vin, de commissions et de corruption, il s'était constitué une fabuleuse fortune, fruit de ses illicites rapines.

L'empereur, pour dresser ce réquisitoire, parlait d'une voix suave, presque câline. Il marchait de long en large, s'arrêtant souvent pour fixer un détail d'une mosaïque, comme si le dessin ou la couleur le frappait profondément. Je lui répondis par un cri du cœur :

— Seuls mes ennemis ont des défauts. Ceux de mes amis, je ne les vois pas.

— Cependant, toute cette boue, insista-t-il, retombe sur toi, Théodora, car tout le monde affirme que c'est toi qui as inventé Barsyme, qui l'as fabriqué, qui le manipules.

— Les calomniateurs se trompent, César, car c'est toi qui as choisi Barsyme. C'est ton œil infaillible qui a su déceler le collaborateur hors pair, dénué d'autre ambition que celle de servir son maître. Tu es allé le chercher dans le milieu le plus humble, et c'est certainement pour cette raison que les aristocrates, « les médiocres », nos ennemis, l'accablent.

— Ils se gaussent de moi, Despina, et répètent à l'envi que Barsyme a tout pouvoir sur moi. Ils vont même jusqu'à ironiser sur le serment que j'ai prêté lors de notre couronnement, où je mettais tous mes espoirs dans la providence de la Sainte-Trinité. Cette Trinité, selon eux, est devenue un quatuor depuis que Barsyme est la providence de l'empire.

Ainsi Justinien voulait se débarrasser du ministre afin qu'on ne lui reproche pas d'être sous sa coupe. Et pourtant, il n'avait jamais songé à soulever le carcan que lui avait imposé naguère Jean de Cappadoce, parce qu'à cette époque personne n'osait murmurer ni insinuer quoi que ce soit.

— Je me demande, César, si les gens du peuple qui attaquent Barsyme réalisent le mal qu'ils s'infligent à eux-mêmes. Bien sûr, Barsyme a des défauts, car personne n'est parfait. Il a commis des erreurs, il a été plusieurs fois réduit à des expédients, peut-être critiquables en temps normaux, mais que justifiait la crise financière et que, sur le moment, nous étions trop contents d'accepter. Et qui a adopté les lois protégeant pour la première fois le civil contre le soldat et le contribuable contre l'État? Qui a publié la Charte des contributions répartissant les impôts avec justice? Qui a plus travaillé pour le bien du peuple qu'aucun ministre? Veux-tu donc, César, revenir au régime précédent et laisser à nouveau les petites gens sans défense face au fisc ou à la soldatesque?

L'empereur déployait généralement une incomparable habileté pour négocier avec les diplomates les plus retors, les politiques les plus chevronnés, mais il ne savait pas discuter avec une femme. Il ne trouva rien à me rétorquer. Alors, il céda du terrain. Il me pria d'accepter que Barsyme quitte le gouvernement, afin de me protéger des critiques qui pleuvaient sur lui, et il s'engagea à rendre cette mesure provisoire.

— Attention, César, car je te prendrai au mot, conclus-je.

Deux jours plus tard, à l'aube, Barsyme se vit notifier son renvoi. L'empereur ne m'avait pas prévenue. Que m'importait d'ailleurs, du moment que la décision avait été prise. Comme je l'avais prévu, mes adversaires se montrèrent unanimement enchantés. Tous voyaient dans la chute du ministre ma déconfiture. Une fois encore, mon pouvoir auprès de l'empereur paraissait écorné.

Le soir même, je devais présider la fête des Brumelias. Selon une coutume qui remontait à la plus haute Antiquité, Bleus et Verts, confondus dans une exceptionnelle harmonie, offraient ce spectacle de danses à l'impératrice. Il avait lieu habituellement dans la cour des Phiales, ainsi nommée à cause des deux grandes fontaines qui l'ornaient. Sur les gradins de marbre, ma Maison au grand complet avait pris place : dames d'honneur en drap d'or, eunuques en blanc, praepositus portant leurs colliers, gardes en uniformes rouge et or, et aussi introducteurs, secrétaires, hérauts. A cause de la saison encore fraîche, on avait jeté des couvertures de fourrure sur le trône de marbre. Je me rappelle que je portais une tunique de brocart raidi, formée de carrés d'or enchâssés dans leur centre de cabochons de toutes les couleurs. Les torches fichées sur plusieurs étages dans les colonnes autour de la cour répondaient à celles que les danseurs portaient d'une main, tandis que de l'autre ils brandissaient un croissant lunaire en argent. Ils avaient revêtu leurs singuliers costumes traditionnels aux couleurs alternées et aux bouffants à crevés. Sur la musique aigrelette des flûtes, ils évoluaient lentement autour des fontaines qui crachaient de l'eau colorée.

La première année, l'indescriptible beauté du spectacle m'avait captivée, mais il était long et lent et ce soir-là j'aurais tout donné pour en être dispensée. Je frissonnais de froid, la nuit s'avançait et j'avais envie de rentrer chez moi. Seule l'impératrice présidait aux Brumelias et l'empereur me manquait. J'aurais tant voulu l'avoir à mes côtés. La disgrâce de Barsyme étant l'objet de toutes les conversations, je savais que j'étais observée, scrutée, qu'on cherchait à percer mes réactions. Mais j'étais décidée à n'en rien laisser deviner. Au milieu du spectacle, je me contentai seulement d'adresser, comme en passant, quelques réflexions à Hilaria, ma grande maîtresse, debout à côté de moi :

— Mon salaire, vois-tu, c'est l'affection de mon mari. Il est tellement patient avec moi. Il supporte les déceptions que je lui cause. Il accepte ma façon désordonnée d'agir. Il ne m'en veut pas de ne pas passer assez de temps auprès de lui. Enfin, lorsque croyant lui être utile, je commets une erreur, il me la pardonne...

Telle fut l'épitaphe du tout-puissant ministre. Hilaria, cette vieille pincée, qui ne me portait pas plus dans son cœur que je ne la portais dans le mien, irait répéter partout dans Constantinople que je m'étais abjectement soumise à la décision de l'empereur.

J'éprouvais de plus en plus le besoin d'un refuge. Je quittais alors le palais de Daphné, suivais l'allée tapissée de mosaïques sinuant entre les massifs et les arbres, longeais des pavillons fermés qui avaient servi jadis à d'autres impératrices et atteignais le fond le plus isolé des jardins palatins où, derrière les buissons, se dissimulait l'abri que j'avais fait construire et que j'avais baptisé le pavillon de la Vertu. Mes saints préférés peints à fresque s'alignaient sur le mur de la garde-robe en marbre blanc du Proconessus et j'avais jeté plusieurs épaisseurs de tapis précieux pour rendre le plancher moelleux. Dans la chambre contiguë, la mosaïque du sol représentait une prairie fleurie, et des draperies bleu et jaune recouvraient les parois de porphyre. Il y avait aussi une minuscule chapelle au toit à bulbes surmonté d'une grande croix en or. Que d'heures n'ai-je passées à me recueillir devant l'icône de la Vierge plus grande que nature ou à méditer, la tête penchée à la fenêtre ! Comme je n'aimais pas rester enfermée, j'attendais impatiemment les beaux jours. Le printemps arrivé, je m'asseyais sur le banc semi-circulaire en marbre blanc ouvragé, installé devant le pavillon. Des coussins de brocart avaient été disposés pour mon confort. Mes eunuques m'apportaient sur d'énormes plateaux d'argent des fruits, mes sucreries préférées, ces gâteaux au miel et à la farine de sésame, des raisins secs, des confitures, des pâtes de fruits enrobées de sucre en poudre. Je buvais nombre de tasses de mes tisanes habituelles. Je regardais s'ébattre un peu plus loin les adolescents et les adolescentes que j'avais donnés pour compagnons de jeux à Anastase. Je les avais choisis parmi les enfants de hauts fonctionnaires, mais j'avais également été en chercher dans des familles humbles et méritantes qu'on m'avait signalées. Ma nièce Sophie, la fille de Comito, se trouvait parmi eux, une blonde aux joues rebondies, toujours attentive à me plaire, tout aussi fausse et calculatrice que sa mère. Le neveu de l'empereur se joignait au groupe, ce Justin à la gourmandise maladive et aux réactions bizarres. Bien entendu, à mes yeux de grand-mère, le plus beau, le plus sage, le meilleur était Anastase. Ces jeunes, qui couraient, se dépensaient, s'égosillaient, étaient déjà des hommes et des femmes. Souvent, ils discutaient calmement et sous les ombrages des couples s'ébauchaient. En eux, je puisais mon réconfort. En leur honneur, je déployais les grâces dont on m'accusait d'être si démunie, je réveillais la gentillesse dont on me reprochait d'être si avare, car je n'avais pas à me méfier ni à simuler.

En ces premiers beaux jours, mes eunuques, distraits, suivaient le vol des insectes puis disparaissaient derrière un buisson pour piquer un somme sur un banc. Mes dames, tout alanguies, se laissaient caresser par la brise, respirant le parfum d'une fleur et rêvant d'un amant. Hélas ! je ne connaissais pas ce repos de l'âme, je ne pouvais plus jamais le connaître. Il n'y avait pas de répit dans mes préoccupations. Le présent m'accaparait et le passé m'obsédait. Alors, j'appelais les jeunes. Ils accouraient, ils aimaient être auprès de moi et m'écouter pendant que je leur racontais un chapitre de l'histoire de Justinien et Théodora. Mes contemporains avaient fait de moi un monstre ou une sainte, mais aux yeux de la génération d'Anastase, j'apparaissais déjà comme un monument de l'histoire. Mon petit-fils se montrait le plus appliqué de tous. Il ne se déplaçait jamais sans ses tablettes et sa plume pour prendre des notes pendant mon récit. Il me donna l'idée de dérouler le fil de ma mémoire.

Chapitre 19

Très vite, la politique reprit ses droits et l'arrivée du pape à Constantinople m'obligea à suspendre ces moments de détente. Vigilius avait suffisamment médité au fond de son exil sicilien sur les inconvénients de l'obstination. L'empereur était optimiste : « Cette rencontre ne sera qu'une formalité, car il a bien appris sa leçon et ploiera l'échine. D'ailleurs, catholiques ou monophysites lui importent peu. Ce bon pape Vigilius vise uniquement à retrouver mes bonnes grâces. Or, il sait que le seul moyen d'y parvenir consiste à ratifier les Trois Chapitres. Il est le premier à répéter à son entourage que c'est mon idée fixe. » Depuis la chute de Rome dont on me rendait responsable et la disgrâce de Barsyme, je m'étais tenue volontairement en retrait. Les apparences demeuraient sauves, l'empereur me rendait visite et me consultait aussi fréquemment qu'auparavant. Je lui donnais mon avis qu'il était libre d'écouter, mais je n'avais plus dans le gouvernement ni porte-parole ni exécuteur de mes volontés.

Malgré sa tolérance, l'empereur était loin de soutenir inconditionnellement les monophysites. Cependant les Trois Chapitres étaient son œuvre idéologique, devenue son obsession sans que rien ne puisse l'en faire dévier. Et cet homme généralement souple s'était entêté. En l'occurrence, il comblait mes vœux et, sans lever le petit doigt, j'allais voir couronner l'œuvre de ma vie. Je m'étais battue pour que les monophysites soient protégés, autorisés à pratiquer leur culte, et même reconnus semi-officiellement. Et le pape Vigilius arrivait ici pour signer la réconciliation avec eux. Mon triomphe approchait. Il me suffisait d'attendre en continuant à ne pas intervenir.

Mais une poignée de gourdins et de poignards que mon grand chambellan jeta dans un geste éminemment dramatique à mes pieds allait m'obliger à renoncer à cette neutralité... Lorsque, quelques mois plus tôt, le moine Marras, que je n'hésite pas à appeler déjà saint Marras, était miraculeusement réapparu dans nos existences, il avait refusé l'hospitalité que je lui avais offerte au Palais Sacré, et préféré s'installer dans un des quartiers les plus misérables de la capitale. L'anecdote de l'or qu'il avait dédaigné s'était répandue en ville, c'est-à-dire qu'on calculait « de source sûre » qu'il avait empoché cent sacs d'or offerts par moi.

Une nuit, des brigands pénétrèrent dans la cahute où il avait élu domicile et exigèrent qu'il leur remît cette fortune, le menaçant en cas contraire de le tuer. Le saint homme resta parfaitement calme et déclara que s'il avait eu le moindre argent, il ne vivrait pas dans un lieu aussi misérable. Les brigands ne le crurent pas, sortirent leurs armes et s'approchèrent de lui avec l'intention de mettre leur menace à exécution. L'un d'eux lui donna un sérieux coup de gourdin. Alors, le moine, en un éclair, le jeta par terre, lui prit son arme et affronta les six autres brigands. Quand il les eut bien assommés tous les sept, il les attacha et les réprimanda pour ne l'avoir point cru. Il les garda ainsi toute la nuit, puis, trouvant que la punition suffisait, il les relâcha au matin se contentant de garder leurs armes, qu'il m'envoyait en souvenir.

Quelles affres, quelle terreur rétrospective n'éprouvai-je pas à ce récit ! Ma décision fut aussitôt prise. Jamais ce terrible quartier de Saint-Basile, où même la police ne pénétrait pas, n'avait assisté à pareil déploiement. Tous les habitants étaient accourus au passage de l'interminable

300

cortège des cavaliers rutilants et des chariots aux roues d'or. Entre les rideaux de ma litière pourpre et or, je voyais des alignements de taudis en planches à demi pourries d'où jaillissaient des familles en haillons, des femmes noires de crasse, des enfants couverts de mouches. Les hommes, la mine farouche, se tenaient en retrait. Mes eunuques jetaient à la volée des pièces d'or sur lesquelles ils se jetaient comme des fauves. Et des larmes me vinrent aux yeux que je dissimulai pour répondre aux acclamations.

Nous atteignîmes le plus pouilleux, le plus branlant de ces galetas dans lequel je pénétrai seule. L'obscurité et la puanteur avaient de quoi faire reculer. Je me jetai aux genoux du saint Marras et je le suppliai, pour notre bien à tous, d'accepter désormais mon hospitalité. Il daigna se rendre à mes raisons.

— Je serai plus près de toi, tonna-t-il, pour t'empêcher de tomber dans le péché et te rappeler ton devoir.

Peut-être le saint homme voulait-il surtout surveiller de plus près les tractations avec Vigilius, pour nous guider, nous éclairer. Car, tout mystique qu'il fût, il savait aussi veiller au sort de ses frères dans la foi. Je lui abandonnai le palais Hosmidas, qui avait abrité les débuts de ma liaison avec Justinien. Cette demeure m'était précieuse entre toutes et je désirais que ce cadeau prît toute sa signification et son importance. En un rien de temps, l'ascète transforma ce temple du luxe et de la volupté en monastère et le remplit de pieux moines à son image. Tout d'abord, Constantinople regarda avec méfiance s'implanter cette forteresse de l'« hérésie ». Puis l'intense dévotion des religieux monophysites y attira les curieux, qui racontèrent à l'entour n'avoir jamais vu d'hommes si proches de Dieu. Alors les dévots accoururent. Ils voulaient connaître ces saints dont toute la ville parlait et recevoir leur bénédiction. Parmi les visiteurs se pressaient de nombreux catholiques qui, bouleversés par l'extraordinaire atmosphère de foi, se convertissaient au monophysisme. Dieu avait marqué de son sceau le palais Hosmidas.

Un matin, nous entendîmes soudain un craquement retentissant et terrifiant, semblable au fracas d'un tremblement de terre. Puis un nuage de poussière s'éleva jusqu'au ciel, là-bas du côté du palais Hosmidas. Comme tous les jours, une foule, dont beaucoup de femmes et d'enfants, avait assisté à la messe des monophysites et la chapelle était comble. Or, au moment de la communion, toute la voûte, brusquement, s'était effondrée. Des hurlements s'étaient élevés des ruines et les victimes devaient se compter par dizaines. Les secours s'étaient aussitôt portés pour sauver les malheureux survivants. J'attendais au gynécée, l'angoisse au cœur, d'apprendre le sinistre bilan. Le héraut de deuil arriva avec un sourire radieux. Le miracle avait eu lieu. Lorsque les pierres de la chapelle furent soulevées, les colonnes écartées, tous ceux qui avaient été écrasés s'étaient relevés sans une égratignure, indemnes. Il n'y eut ni mort, ni blessé. Alors les yeux des plus opiniâtres s'ouvrirent. L'empereur déclara qu'il paierait de ses deniers la reconstruction de la chapelle et voulut, pour la première fois, se rendre au couvent. Je me réjouis de l'y accompagner.

La grande salle de réception, où un soir j'avais écouté Bélisaire mettre en garde Justinien contre moi, avait été transformée en chapelle provisoire. Mon oratoire, où j'aimais tant me tenir, servait de réfectoire. Les appartements avaient été découpés en cellules. Dehors, dans les cours, sous les portiques, se serraient les cahutes de bois aux simples toits de paille. Là vivaient les plus vieux, les plus illustres des anachorètes qui avaient su recréer autour d'eux le désert qu'ils avaient abandonné. Cinq cents moines s'entassaient dans l'ancien palais. Au milieu du murmure des prières et de la psalmodie des hymnes sacrés se tenaient des moines à barbe blanche prosternés au pied des autels. Rien de cette demeure n'évoquait l'amour humain auquel elle avait servi d'écrin. Tout y proclamait l'amour divin dont elle était devenue un buisson ardent. Et l'empereur de s'extasier devant « ce grand et merveilleux désert de saints », ainsi qu'il l'appela.

Je fus heureuse de constater que, malgré les réticences qu'il avait eues, il ne regrettait pas d'être venu. Je l'entraînai dans chaque cellule distribuer des aumônes aux cénobites et solliciter leurs prières. Dans l'une d'elles, au lieu d'un octogénaire agenouillé et marmonnant, il se trouva face à un homme, grand, beau, à la peau sombre, aux yeux en amande, drapé dans des voiles immaculés brodés d'or et portant un lourd turban blanc qui accentuait son noble port de tête. C'était le prince Harith, de la tribu des Ghassanides, ce souverain du désert connu pour ses exploits lors de la campagne de 540 contre Chosroes, que j'avais fait récompenser du titre de patrice. Depuis, il continuait avec un zèle accru à monter la garde face à nos éternels ennemis, les Perses. Converti, non par les moines catholiques qui refusaient de quitter la sécurité des villes, mais bien par d'audacieux monophysites qui avaient déjà évangélisé le Yémen et l'Éthiopie, l'Arabie et la Nubie, ainsi que le royaume lointain d'Aksoum, il était venu à Constantinople demander qu'on lui envoie un évêque monophysite pour diriger son Église. A l'audience de l'empereur auquel il avait rendu l'hommage de vassalité, le protocole lui avait interdit de parler. Regrettant mon impuissance à satisfaire son émouvante requête, je lui avais promis de lui ménager une entrevue. L'occasion se présentait. Justinien voulut bien ne manifester aucune surprise et il écouta avec bienveillance le prince des sables, saisissant immédiatement l'enjeu immense de la proposition. Consentirions-nous à lui donner satisfaction que nous nous l'attacherions définitivement, lui et ses tribus. Refuserions-nous que nous provoquerions une scission, que cette charnière de l'empire, jusqu'alors solidement verrouillée, deviendrait un ventre mou, dans lequel s'enfoncerait le Perse. L'empereur s'engagea à transmettre la requête du Ghassanide au pape dès son arrivée. Nul doute que Vigilius acceptât, dans l'intérêt de l'empire.

Une semaine plus tard, j'assistai de la terrasse du gynécée à un spectacle qui me ramena onze ans en arrière. Le pontife débarquait au port privé du Palais Sacré, entouré d'une pompe inouïe, semblable à celle qui avait fêté naguère l'arrivée de son prédécesseur Agapetus, lequel brûlait depuis en enfer. Seulement, aujourd'hui la concorde remplaçait l'intransigeance et Vigilius non seulement offrit sa main à baiser au patriarche Ménas, catholique convaincu passé depuis au monophysisme, mais le releva de sa génuflexion pour l'étreindre. Décidément, son exil en Sicile l'avait assoupli.

Le lendemain, la première conférence s'ouvrait au palais de la Magnaure. Construit du temps de l'empereur Constantin, ce bâtiment gardait le vieux style de l'Empire romain. La salle de réunion était ronde, sa coupole soutenue par de grosses colonnes en marbre probablement arrachées à quelques temples païens. Des marbres rares de tons différents recouvraient les parois. La lumière avare qui filtrait des ouvertures percées dans la voûte laissait croire qu'on se trouvait dans un tombeau. D'ailleurs, les lustres d'argent devaient être maintenus allumés en permanence. Les deux maîtres du monde, entourés de leurs conseillers, étaient assis face à face sur deux trônes d'ivoire sculpté. L'empereur, comme il était convenu, demanda au pape de souscrire à la déclaration des Trois Chapitres. Non seulement Vigilius s'y refusa catégoriquement, mais il excommunia incontinent le patriarche Ménas et tout prélat soupçonné d'encourager le monophysisme. Il se leva alors, imité par l'empereur. Ils se prosternèrent l'un en face de l'autre, puis le pape se retira.

Justinien interrompit brusquement son récit. Il était venu en fin d'après-midi m'exposer sa... déconvenue. Le silence s'installa. J'observais Justinien. Il réfléchissait profondément. Sa mâchoire inférieure s'était avancée, ses épais sourcils qu'il fronçait se touchaient presque et, signe de concentration, il louchait très légèrement. Allions-nous retrouver, me demandais-je, avec un pape à notre botte les obstacles que nous avions surmontés avec Agapetus, puis avec Sylvérius ? J'interrogeai Justinien :

— N'as-tu pas affirmé, César, que Vigilius serait docile ? Après tout, n'est-ce pas toi qui l'as fait pape ? Pour quelles raisons a-t-il oublié ses promesses ? N'as-tu vraiment eu aucun indice de ses intentions ? Est-il possible que tu n'aies rien soupçonné ?

J'utilisai ce jour-là une tactique qui ne m'était pas habituelle. Je posai vingt fois la même question. Je réclamai des détails impossibles à fournir. Délibérément, je tâchais d'embrouiller ainsi l'empereur dans ses réponses et de le forcer à se contredire. Je souhaitais qu'il perde pied afin de sous-entendre qu'il pourrait être finalement le complice de Vigilius. Il tenta de défendre le pape pour se protéger lui-même :

— Si Vigilius exécutait à la lettre ce que tu veux, il soulèverait un tollé parmi son clergé. Peut-être un schisme s'ensuivrait-il, d'autant plus qu'avant d'arriver à Constantinople, il a reçu d'innombrables messages des évêques d'Afrique, de Sardaigne, de Milan, d'Alexandrie, de Patras, de Salonique, qui l'ont mis en garde contre toute indulgence envers les hérétiques monophysites. Le pousserait-on à bout que nous risquerions de le voir déposé et remplacé par un pape bien moins accommodant.

Le lendemain, l'empereur crut habile de déléguer Narsès pour me raconter la deuxième séance avec le pape. Sa dignité, son intégrité, mais aussi sa fermeté m'empêchaient de m'emporter avec lui... Narsès me trouva en train de prendre mon repas, seule selon mon habitude, dans une des plus exquises salles du gynécée, toute ronde, aux parois entièrement recouvertes de feuillages en mosaïques, qui donnaient l'impression de se trouver au milieu d'une forêt.

Les eunuques de la bouche et les eunuques échansons me servaient et caviar, œufs à la coque, jambons, artichauts, poissons, chevreau farci d'ail et d'oignon s'offraient à ma gourmandise. Au milieu de ces plats luxueux se trouvait, présentée dans la splendide argenterie impériale, la nourriture des pauvres, que je n'avais jamais cessé d'apprécier : la soupe à l'oignon, le maquereau séché et le fromage de chèvre. Contrairement à feu l'impératrice Eudoxie qui n'avait jamais pu manger qu'avec ses doigts, je me servais d'une cuillère d'agate au manche d'or. Trouvant les mets insuffisamment relevés, j'y rajoutais souvent du poivre et des épices, contenus dans des récipients de cristal de roche, taillés en Égypte. Des flacons de verre frappé de l'aigle bicéphale doré contenaient un vin doux de Samos que beaucoup jugent écœurant mais que je préférais à tout autre et que mes serviteurs me versaient dans une coupe en or ouvragé. On me pardonnera d'énumérer si complaisamment ces gâteries, mais puisqu'elles me sont désormais interdites, leur seule évocation, qui me fait venir l'eau à la bouche, est l'un des rares plaisirs qui me restent.

L'empereur, selon Narsès, avait de nouveau insisté ce matin-là pour que le pape contresignât la déclaration des Trois Chapitres. Le colloque se déroulait en latin, idiome officiel de l'empire et de l'Église, que d'ailleurs l'empereur maniait bien mieux que le pape, lequel avait gardé un fort accent grec. Vigilius, brusquement, abandonna le langage cauteleux et la manière doucereuse qui étaient la marque de son style. Il se crut assez fort pour menacer Justinien :

— Je suis décidé à abattre tous ceux qui encouragent l'hérésie, et particulièrement les plus pernicieux parce que les plus proches du trône impérial et les élus de ton intimité. En conséquence, j'excommunierai, quels que soient le rang et le sexe, quiconque distille dans ton cœur le poison monophysite.

Après le camouflet qu'avait été le renvoi de Barsyme, après la responsabilité qu'on m'attribuait dans la chute de Rome, devrais-je subir l'excommunication de la part d'un pape que j'avais « créé » ?

— Bâtard du diable ! hurlai-je, en balayant d'un geste coupes, flacons et plats qui allèrent s'écraser sur le sol.

La vassilissa aimée de Dieu se souvenait soudain de la fille du peuple qu'elle avait été pour cracher cette injure de bas-fonds à l'encontre du successeur de saint Pierre, notre saint-père le pape. Je n'avais pu, je l'avoue, contrôler ma réaction, et d'ailleurs Vigilius méritait bien cette épithète. Pour une fois, je vis mes eunuques abandonner leur légendaire contrôle d'eux-mêmes et se voiler la face de leurs longues manches blanches. J'en fus amusée, ma rage du coup se calma mais je me gardai bien de le montrer.

— Hors de ma vue, tous, et vite ! hurlai-je à nouveau sans relever la tête.

Praepositus, huissiers et dames s'écrasèrent aux portes, impatients à me fuir. Narsès sortit derrière eux mais avec componction. Seuls les eunuques qui assuraient le service de mon repas restèrent, ne sachant trop quoi faire :

— Tous dehors ou sinon je vous fais empaler, grondai-je, provoquant un envol de grands oiseaux blancs.

Restée seule, je courus vers une porte de bronze, si petite qu'on la remarquait à peine dans la paroi. Je tirai de dessous ma tunique une clé et je l'ouvris. Le chambranle était si bas que je dus me pencher pour passer. Je m'engageai à l'arrière de mes appartements dans un dédale dont peu connaissaient l'existence et personne le plan. Des petites pièces étouffantes, poussiéreuses, abandonnées succédaient à des segments d'étroits couloirs. Je frappai à une porte, doucement. Nul ne répondit. Je tournai délicatement la poignée et j'entrai dans une pièce minuscule, austère et dépouillée. Dans un coin, de très grandes icônes, devant lesquelles brûlaient veilleuses et cierges, formaient une sorte d'oratoire. Assis à même le sol nu, un vieillard à barbe blanche et en froc de moine méditait sans que mon entrée interrompît ses pieuses réflexions. Je m'agenouillai à côté de lui, mes soieries étalées en corolle sur la poussière du sol.

— Saint père..., commençai-je.

— La bénédiction sur toi, ma fille, répondit le vieillard sans ouvrir les yeux, puis ses lèvres continuèrent à remuer quelque silencieuse prière.

C'était le patriarche Anthimus. Depuis onze ans, le monde entier avait cherché en vain celui que j'avais soustrait à la vengeance d'un pape et à la faiblesse d'un empereur en lui fournissant l'asile le plus inviolable de la ville, le gynécée de l'impératrice. J'ouvris mon cœur au vieux patriarche : Vigilius me menaçait, voulait m'excommunier et, dans des termes peut-être un peu crus, je lui dis ce que je pensais du pape. Anthimus ne bougeait pas, ne paraissait pas m'entendre. Lorsque j'eus achevé, il ouvrit néanmoins les yeux, fixa un instant leur candeur bleue sur moi et me dit :

— La colère est mauvaise conseillère. Calme-toi. Oublie la haine pour trouver la solution. Si tu pries, Dieu t'éclairera sur ce que tu dois faire. Puise ta force dans la conviction que tu te bats pour la vraie foi, et alors tu vaincras.

La simple conviction suffirait-elle ? Je me permis de lui rappeler que Vigilius, par sa traîtrise et son intransigeance, risquait d'anéantir tous nos efforts pour étendre l'ombre de la croix sur le monde.

— Amène-moi cette nuit le moine Marras, m'enjoignit Anthimus. Et maintenant, ma fille, laisse-moi.

Il écarta les bras et entonna d'une voix chevrotante un psaume. Lorsque je me retirai, l'apaisement était descendu en moi.

Cette nuit-là, à l'heure où les impératrices du temps passé recevaient leurs amants, j'entrouvris ma porte sur Arsénius qui introduisit Marras. Je n'avais voulu confier à personne d'autre le soin de cette mission. Il avait suivi un itinéraire de passages à demi dérobés, de couloirs désertés, de terrasses écartées, que cet amoureux du secret connaissait par cœur. Je pris alors la relève et conduisis le moine. Je tenais une torche dont les flammes faisaient danser les ombres, déplaçaient les parois, rendaient vivant le silence épais et jouaient sur les sombres satins de mon ample tunique. La porte d'Anthimus était ouverte. Il nous attendait, à peine éclairé par les veilleuses des icônes, debout, très grand, décharné, sa longue barbe clairsemée. Il avait passé sur son froc délavé une étole brodée de croix noires que le temps avait effilochée. Il symbolisait la clarté, la majesté, l'humilité.

Face au patriarche, l'ermite, grand lui aussi, mais sale et puant, brûlant du feu de Dieu, incarnait le mystique. Le moine voulut baiser la main du patriarche qui esquissa une génuflexion, chacun demanda à l'autre sa bénédiction, l'un respectant le rang de l'autre, l'autre rendant hommage à la sainteté du premier. Puis Anthimus, d'une poigne dont je ne soupçonnais pas la force, mit Marras à genoux devant lui. Il étendit sa main sur la tête hirsute, et, d'une voix forte, il commença :

— Par la grâce des pouvoirs que je tiens de Dieu, je t'ordonne pasteur de la foi. Va où la providence t'appelle. Répands le verbe divin et multiplie les serviteurs du Seigneur...

Le texte admirable prenait tout son relief dans la langue grecque, que notre âme utilise pour communiquer avec Dieu au lieu de ce latin réservé au jargon des fonctionnaires. Le patriarche Anthimus consacrait Marras évêque, et en le dépêchant chez Harith le Ghassanide, il lui donnait mandat de consacrer d'autres évêques et des prêtres. Il ressuscitait le clergé monophysite au moment où celui-ci était menacé d'extinction par l'intransigeance d'un félon. Il passait outre son ancienne excommunication, il envoyait promener le pape et l'Église officielle, les réduisant de ce fait à l'impuissance. Seules sa vertu et sa piété avaient pu le pousser à cette audace dont je n'aurais osé rêver. Il jeta dans l'encensoir quelques grains de résine dont la fumée parfumée monta vers Marras. Il n'y eut ni ornements de brocart, ni mitre endiamantée, ni chorale, ni concert d'orgues, ni cortège de diacres pour honorer le nouvel évêque. Il n'y eut que l'impératrice pour éclairer le chemin qui le ramenait de la cachette du patriarche à son humble cellule.

Ce ne fut pas sans arrière-pensée de défi que, le lendemain, je mis au courant l'empereur. L'absence de toute surprise lorsque je lui révélai la présence d'Anthimus durant ces années au gynécée me convainquit qu'il ne l'ignorait pas, bien qu'il ne m'eût jamais fait ni allusion ni reproche. Quant à l'ordination de Marras et à son envoi en Arabie, il m'en félicita chaudement. Le politicien n'était certainement pas mécontent de voir des « hérétiques » à la piété trop voyante s'éloigner de la capitale et porter leur zèle ailleurs que dans les murs qui accueillaient le pape. Ce dernier pouvait désormais tout à loisir s'entêter, menacer, tenir tête à l'empereur, refuser de signer les Trois Chapitres, je l'avais pris de vitesse.

En l'an 547, après un hiver peu fertile en distractions, les habitants de Constantinople accueillirent avec joie l'entrée de diverses ambassades. Friands de ce spectacle de choix, ils se pressèrent sur le passage des étrangers.

Au palais, c'était le déploiement des grands jours, et les envoyés du roi Totila défilaient depuis le vestibule de la Chalke jusqu'à la Magnaure entre deux rangées de militaires, drapeaux multicolores au vent.

Pendant ce temps, dans la salle dite du métatorion, l'empereur revêtait la tenue prescrite. Ses jambes avaient été enveloppées de bandelettes pourpres, il avait chaussé les souliers rouges ornés d'aigles d'or. Sur sa chemise de lin blanc brodée d'or au col et aux poignets, il avait passé une tunique pourpre ornée d'une large bande d'or brodée de motifs géométriques et d'oiseaux, retenue à l'épaule par une agrafe enchâssée d'énormes pierreries et de perles. D'autres perles d'une grosseur extraordinaire, des diamants, des émeraudes, des rubis scintillaient sur sa couronne à pendeloques.

Puis il était allé prendre place dans la salle centrale de la

Magnaure, une véritable basilique à trois nefs séparées par des colonnes et éclairées par sept lustres gigantesques.

Au signal donné, les immenses vélums de soie tendus au-dessus des portes de bronze furent tirés. Les orgues se mirent à jouer, accompagnant les chœurs des deux factions, Bleus et Verts, qui chantaient les louanges du souverain. A ses côtés, je regardais s'avancer les Goths. Grands, blonds, les yeux bleus, la mine farouche, plusieurs générations en Italie n'avaient pas altéré la rudesse nordique de ces nobles, de ces militaires. Les contemplant, je pensais à un de leurs frères de race qui combattait dans la lointaine Italie, payant ainsi le prix d'avoir été aimé par une impératrice. Leurs longues barbes s'étalaient sur leurs cuirasses grossièrement façonnées, et ils brandissaient les plus lourdes épées qu'il m'ait été permis de voir. Ils entouraient un personnage bien connu et familier de l'empire, le diacre Pélage. Remplaçant le pape après son enlèvement, il avait intercédé en faveur des Romains auprès de Totila qui, conquis par sa personnalité, lui avait confié cette mission diplomatique auprès de l'empereur.

Les ambassadeurs foulèrent des tapis persans jusqu'au trône orienté à l'est et surélevé de six marches. Un platane à feuilles d'or l'ombrageait, qui portait perchés sur ses branches des oiseaux d'or. Ils se prosternèrent trois fois aux emplacements indiqués par des cercles de porphyre et attendirent le front au sol que l'empereur leur ordonnât de se relever.

Alors seulement, le diacre Pélage délivra le message dont il avait été chargé. Le roi Totila acceptait d'oublier le passé et d'enterrer son ardeur guerrière car il ne voulait que la paix, une paix octroyée par l'empereur. Évoquant toutes les années où Byzantins et Goths avaient vécu dans la plus parfaite harmonie, il souhaitait être considéré comme un fils par l'empereur et lui offrait l'alliance des Goths, ses sujets.

Bien que la magnanimité du roi barbare m'humiliât et m'exaspérât, les conditions qu'il offrait éveillèrent mon espoir, tant elles étaient inattendues dans leur générosité.

L'homme qui tenait l'Italie à sa merci se proposait de nous en rendre la suzeraineté. L'empereur, malgré son impénétrabilité, devait en tressaillir de joie. Il commença par répondre avec les circonlocutions dont il était coutumier :

— L'empire embrasse des nations conquises au-delà de l'Adriatique et qui atteignent les frontières de l'Éthiopie et de la Perse. Nous régnons sur soixante-quatre provinces et neuf cent trente-cinq cités. Nos domaines sont bénis par la nature grâce aux avantages du sol, de la situation géographique, du climat, et les progrès de l'art humain se sont perpétuellement répandus le long des côtes de la Méditerranée sur les rives du Nil, depuis l'ancienne Troie jusqu'à l'égyptienne Thèbes...

Il conclut que l'empire voulait et cherchait la paix mais n'acceptait de traiter qu'avec ses égaux. Pélage, vieux routier de notre Cour, comprit que l'empereur ne daignait pas négocier avec les Goths et reprit la parole. Le roi Totila l'avait autorisé à annoncer qu'un rejet de ses conditions entraînerait immédiatement la destruction de Rome, le massacre de ses sénateurs et l'invasion de l'Illyrie. La Parole Sacrée résonna à nouveau :

— Notre généralissime Bélisaire possède les pleins pouvoirs de plénipotentiaire et c'est avec lui que toute discussion concernant les affaires d'Italie doit être menée.

L'empereur se moquait des Goths : maître de l'univers, n'était-il pas habilité à passer au-dessus de son généralissime ? Nous n'eûmes pas le loisir de connaître les réactions des ambassadeurs, car l'empereur fit les trois signes de croix signifiant que l'audience était terminée. Le maître des cérémonies s'avança et prononça d'une voix retentissante le rituel « keleusate », mot qui veut dire « ordonnez », mais en réalité signifie clairement « décampez ». Les Goths se retirèrent les mains croisées sur la poitrine et marchant à reculons comme l'exigeait le protocole...

L'empereur refusait de reconnaître un royaume barbare bâti sur des provinces arrachées à l'empire qu'il s'était solennellement juré de lui rendre. Encore fallait-il qu'il eût les moyens de les reconquérir. Or il n'avait plus qu'une armée décimée, démoralisée, vaincue, des armements insuffisants, des approvisionnements inexistants et des caisses vides. Orgueil? Foi? Inconscience? Ou bien avait-il conçu quelque tactique secrète dont il ne m'avait pas fait l'honneur de m'informer...

Le banquet offert quelques semaines plus tard à Izdah Gushnasp, l'ambassadeur du Grand Roi des Perses, fut certainement la fête la plus somptueuse que je vis. Dignitaires en tout genre, nobilissimi, fiorentissimi, clarissimi et minentissimi, en tout deux cent vingt-neuf invités — chiffre traditionnel — avaient pris place autour des dix-neuf tables du triclinium. Sur les nappes de pourpre s'étalait le fameux service en or massif commandé par l'empereur, dont les vases et plats célébraient les victoires, et les assiettes portaient son effigie sculptée. D'innombrables chandeliers d'argent suspendus par des chaînes de même métal reflétaient leur lumière sur les marbres multicolores des murs cimentés par une matière qui semblait de l'or vitrifié. Les tables étaient rangées en demi-cercles autour de celle que présidait l'empereur. Les invités n'étaient pas assis, mais couchés sur des lits à la façon romaine — ce que je trouvais extrêmement inconfortable, tandis que Passara, digne descendante des matrones antiques, se tenait avec une grâce que chaque convive lui enviait.

En ces occasions solennelles, on négligeait cuillères et couteaux pour manger avec ses doigts comme dans les temps anciens. L'ordonnance de ce banquet trouvait son origine dans la Rome impériale et c'est à ce titre que j'en rapporte les détails, pour en conserver témoignage, car les coutumes dans notre empire, à la fois si jeune et si vieux, changent vite.

Lorsque l'empereur était apparu, les invités avaient baissé la tête et voilé leurs yeux avec leur manche. Le maître des cérémonies avait mené le souverain à sa place à la table de treize couverts dite des Apôtres qu'il présidait — autre évocation de la sainte cène — en tant qu'isapostolos, c'est-à-dire égal des Apôtres.

Le premier service, des plats froids — caviar, olives, sauces au poisson, salades et autres hors-d'œuvre — présentés sur des tables roulantes, s'était déroulé au son de deux orgues accompagnant deux chorales. Suivirent en guise d'intermèdes des danses exécutées par les troupes des Bleus et des Verts, des acrobates, des mimes. Pendant qu'on passait les plats chauds, poissons, viandes et venaisons, un moine lut à voix haute les homélies de saint Jean Chrysostome. Constamment l'empereur faisait porter à l'ambassadeur les meilleurs morceaux, et le malheureux passait la moitié de son temps à se lever pour le remercier du terpnos, c'est-à-dire de la bonne bouche.

Par une entorse inouïe au protocole, Justinien avait souhaité ma présence et m'avait priée de partager la couche de l'ambassadeur, tant pour honorer le représentant d'un pays ami que pour sonder ses intentions. Le Perse prétendait être venu discuter de certains points du traité signé deux ans plus tôt entre l'empire et son royaume, mais cette explication n'avait pas convaincu Justinien. Pendant que l'ambassadeur me couvrait de ces flatteries fleuries dont son peuple est prodigue, je détaillai avec curiosité sa tenue. La tunique courte sur un pantalon serré aux chevilles me parut ridicule et le bonnet conique donnait à sa tête l'apparence d'un pain de sucre. Quant à la barbe frisottée et parfumée, elle ressemblait au postiche d'une courtisane perverse lors d'une orgie de carnaval. Par contre les bijoux — agrafe et colliers exquisement ciselés et travaillés dans différents tons d'or — témoignaient d'un surprenant raffinement. Les artifices étant inutiles avec cet Oriental tortueux, je lui demandai de but en blanc l'objet de sa mission.

— Resserrer la paix entre l'empire et la Perse, me répondit-il.

314

— Alors, pourquoi avez-vous voulu prendre au passage notre bonne ville de Dara ? lui lançai-je.

On nous avait en effet rapporté ce bizarre incident, au cours duquel un ambassadeur, chemin faisant, avait tenté d'emporter une ville appartenant au souverain auprès duquel il était accrédité.

— C'est à moi de me plaindre des autorités de Dara qui n'ont pas autorisé l'entrée dans leurs murs de ma suite, que j'avais voulue nombreuse pour honorer l'empereur.

Sa réponse exprimait la plus authentique indignation. C'est avec ménagement que je lui répliquai :

— L'expérience nous pousse à une méfiance peut-être exagérée envers le roi Chosroes et ses serviteurs.

J'avais à mon tour marqué un point et nous restâmes silencieux pour déguster les chefs-d'œuvre des cuisines palatines.

Tout en dévorant, l'ambassadeur lançait de nombreux regards en direction du diacre Pélage, lui aussi invité.

— J'espère de tout cœur, me dit-il en désignant l'ambassadeur du roi des Goths, que vos négociations se déroulent de façon satisfaisante.

— Le mieux du monde en effet.

— Je m'inquiète seulement pour la paix qui, je le répète, est notre unique souci.

— Que l'empire désire établir sa prééminence ne signifie pas un recours aux armes.

— Sans aucun doute l'empire est la première nation du monde... jusqu'à la frontière perse.

Je ne pus m'empêcher de rire, car j'aimais qu'on me tînt tête. Mais restant convaincue que les Perses mentent toujours, je soupçonnais bel et bien l'ambassadeur d'avoir voulu s'emparer de Dara et d'être enchanté de notre dispute avec les Goths. Je compris à ce moment que sa présence à Constantinople, en même temps que les ambassadeurs de Totila, n'était pas fortuite.

Au signal donné, tous les invités se levèrent et burent du vin de Nafpaktos à la santé de l'empereur. Après les ablutions, vinrent encore les gâteaux, les tartes, les bonbons avec du vin de Chios, pendant que des jongleurs indiens, des acrobates chinois exécutaient leurs numéros et que des monstres humains étaient exhibés. Des fruits, venus de toutes les parties de l'empire, furent enfin servis sur des plateaux à trois étages en or, si larges et si lourds que nul esclave ne pouvait les porter et qu'ils devaient être roulés entre les tables. En guise de conclusion à ces agapes, on apporta à l'empereur du pain et du vin symboliques, qu'il consomma selon les gestes sacramentels, inspirés de la dernière cène.

L'empereur me raccompagna dans ma chambre et je lui donnai mes impressions sur l'ambassadeur.

— Je ne veux ni lui céder ni le heurter, observa-t-il, ni tendre le fil ni le rompre. Il me faut du temps, uniquement du temps. Mon Dieu, accordez-moi du temps, répéta-t-il avec une détresse sincère, qui m'intrigua assez pour que je ne lui en demande pas la cause.

Justinien ne savait comment retenir le Perse sans que celui-ci s'en rende compte, comment l'endormir, pour gagner ce temps précieux après lequel il courait désespérément.

— Débauche-le, lui conseillai-je.

Comme tous les étrangers, l'ambassadeur m'avait paru enchanté à l'idée de se trouver dans la cité la plus brillante, la plus amusante, la plus libre de mœurs de l'univers. Ses goûts, je l'avais compris, le portaient vers les lieux de perdition. Justinien avança le nom de plusieurs de ses courtisans qui pourraient mener l'ambassadeur dans des maisons de plaisir. Je me montrai persuasive.

— Les lupanars sont bien trop huppés, César. Le Perse veut découvrir les bas-fonds où aucun de tes familiers n'a jamais mis les pieds ; laisse-moi être son guide par personne interposée, et permets-moi de dresser la carte de ses jouissances. Ainsi sera-t-il trop épuisé pour négocier et trop ensorcelé pour songer au départ.

Pendant que pour le bien de l'État, je me lançais sur les traces d'un passé oublié, l'épineuse question religieuse revint sur le devant de la scène.

Chapitre 20

Un beau matin, une femme, une de ces folles habitées de Dieu qui errent dans les rues et vivent de la charité publique, monta sur une grosse pierre près de la Porte d'Or et commença à vaticiner sur l'avenir. La foule, toujours curieuse, s'agglutina autour d'elle. La femme, dans un paroxysme de délire, prédit que dans les trois jours, la mer, sortant de son lit, submergerait dans un monstrueux raz de marée Constantinople, l'empire et l'univers entier.

Grande étant la crédulité de notre peuple, la foule, paniquée par la prophétie, se précipita dans les églises, se prosterna devant les autels, pria, supplia, se confessa et attendit la catastrophe. Les ministres eurent beau hausser les épaules et les courtisans se gausser du phénomène, j'y décelai, quant à moi, un signe. D'un nouveau déluge, peut-être pas. En effet, les trois jours s'écoulèrent sans que nous fussions ensevelis sous les eaux. Mais il était incontestable que Dieu voulait nous châtier. Quelle était notre faute? Nous donnions asile à l'Antéchrist. Qui était l'Antéchrist? Le pape Vigilius.

La semaine sainte approchait. Pour rendre hommage au félon, en dépit de ses rebuffades, l'empereur décida que la Pâque serait célébrée le 1er mai, selon le calendrier catholique, et non pas le 8 mai selon le calendrier alexandrin que notre Église suivait. Mes protestations, les admones-

317

tations de notre clergé, la colère du peuple, rien n'y fit. Pour marquer notre désapprobation, les habitants de Constantinople et moi-même en tête, nous inaugurâmes ostensiblement le jeûne pascal une semaine avant le pape. Que l'empereur ait dérogé à notre tradition la plus antique m'ancra dans la conviction que Vigilius, en l'honneur de qui cette abomination était commise et qui probablement l'avait inspirée, devait être neutralisé pour éviter les cataclysmes en série.

La semaine sainte commença. Matin et après-midi, nous assistions aux interminables et splendides offices. Quotidiennement, aux côtés de l'empereur, je visitais les vieillards, les infirmes, les orphelins, les nouveaux baptisés. Je présidais les banquets offerts au clergé. J'écoutais les concerts donnés par la chorale impériale. Je distribuais des cadeaux, je faisais la tournée des oratoires du palais, je trônais lors des deux grands défilés de prosternation des dignitaires.

Le vendredi saint, nous n'avions au palais, pour toute nourriture, que deux pommes et de la cannelle que l'empereur nous avait distribuées la veille. Cependant, l'incomparable magnificence de l'office à Sainte-Sophie m'aidait à oublier la rigueur de ce régime. Nous y pénétrions les derniers, par le passage qui communiquait avec le Palais Sacré. L'empereur prenait place sur l'ambon, cette tribune où nous avions été couronnés, tandis que je montais, suivie de mes dames d'honneur, dans la tribune qui m'était réservée. Le luxe étalé par la Cour en grande tenue, les éblouissants bijoux, la splendeur des ornements du clergé, ces brocarts bleus, roses ou jaunes, éclairés par des centaines de milliers de cierges fichés dans les chandeliers d'or ou les lustres d'argent, offraient aux yeux le plus scintillant chatoiement. Les rites compliqués, qui se déroulaient dans des nuages d'encens, la beauté céleste de la musique des chorales et des orgues m'émerveillaient. Mes yeux, ma pensée montaient vers ces séraphins qui ornaient les coins de la coupole phénoménale et vers l'immense image du Panto-crator, à l'expression à la fois redoutable et bienveillante, juge sévère et dispensateur de la vie éternelle. Je communiquais avec lui, je lui parlais. Je lui racontais qu'au début de mon règne, grisée par le pouvoir, je ne m'étais attachée qu'à ses apparences. J'avais couru après un prestige superficiel. Plus tard seulement, engagée dans la défense de la foi, j'avais cherché mon salut à travers cette grande cause. Ce n'était pourtant pas la vocation qui m'y avait poussée. Seuls mes sentiments m'avaient préparée à affronter ce champ de bataille. Les circonstances m'avaient ouvert la voie et j'étais plus que jamais prête à lutter de toutes mes forces pour le salut de l'Église, de notre Église. Je demandais à Dieu de m'absoudre d'avance de ce que je m'apprêtais à commettre pour sa plus grande gloire.

Le moment solennel de l'office des Ténèbres était venu. Nous suivions en procession autour de la basilique l'epitaphio, représentation du Christ mort, cadavre brodé avec réalisme au milieu d'arabesques d'or sur fond de velours pourpre. L'empereur était le premier à s'agenouiller à chaque station, le maître du monde voulait affirmer qu'il n'était rien devant le corps torturé de Dieu, notre Sauveur.

Lorsque, après six heures d'église, je revins au gynécée au milieu de la nuit, ce ne fut pas pour me coucher. Le devoir m'appelait à une autre liturgie qui ne pouvait se dérouler qu'en ce jour saint entre les saints, commémoratif de l'ensevelissement de l'homme-Dieu.

Je ressortis, suivie de la seule Indaro. Par des escaliers connus de moi seule, j'atteignis les jardins du palais. L'air, en cette nuit de printemps, gardait la chaleur, les parfums et la gaieté du jour. Je ne reconnaissais mon chemin qu'au dessin des mosaïques dans les allées. J'arrivai au pavillon de la Vertu, mon refuge. J'entrai dans la chapelle, à vrai dire le plus harmonieux des sanctuaires. Quatre colonnes de marbre délicatement ouvragées soutenaient une minuscule coupole. Les murs étaient entièrement peints en fresques et une mosaïque de marbres multicolores ornait le sol. Des icônes représentant la Vierge, le Christ et les saints s'enchâssaient dans un inconostase de marbre.

Barsyme m'attendait. Depuis sa disgrâce, je le recevais le plus discrètement possible pour ne pas éveiller les soupçons. J'avais besoin de ses conseils. Cette nuit-là, il avait revêtu une chape en velours noir, brodée des signes du zodiaque et d'emblèmes astrologiques èn or. Deux acolytes, syriens comme lui, vêtus de longues robes noires, l'entouraient. Ils firent monter de divers brûle-parfum des nuages d'encens, auxquels se mêlait une senteur inconnue, au premier abord désagréable, mais prenante et puissamment envoûtante. Indaro alluma les bougies devant les icônes, déboucha un flacon d'huile sacrée, et en répandit des gouttes autour de chacun de nous. Puis elle dessina avec le liquide bénit une croix sur nos fronts. Les acolytes se mirent alors à tourner, d'abord lentement, puis de plus en plus vite sur eux-mêmes, tantôt poussant des cris gutturaux, tantôt marmonnant des paroles incompréhensibles. Les bras levés, les yeux révulsés, ils ressemblaient à deux monstrueuses corolles noires renversées. Barsyme, debout dans l'encadrement de la porte royale de l'iconostase, se mit à chanter. Cet homme si laid avait la plus belle voix de basse qu'il m'ait été donné d'entendre. D'une langue où je crus reconnaître de l'hébreu, il passa au grec. Il appelait un démon terrestre en lui donnant tous ses titres et vocables. Il l'insultait, le suppliait, le sommait, dialoguait véritablement avec lui. Il s'arrêtait brusquement et regardait droit devant lui, comme s'il avait vu une apparition, avant de reprendre son étrange discours. Il discutait, s'emportait, réclamait l'aide de Dieu et des saints. Je savais que ce démon vivait dans le grand sarcophage en marbre blanc, orné de masques et de figures magiques, qu'on avait déterré lorsqu'on avait construit le pavillon de la Vertu. J'avais alors ordonné de n'y point toucher et de le laisser au milieu des buissons fleuris, car je n'ignorais pas l'existence de son puissant et terrifiant occupant.

Barsyme avait entonné un des hymnes de l'office du vendredi saint qui s'était achevé peu avant. Le démon approchait, ange aux ailes noires, corps informe et fluide tel un nuage, entité nourrie de fumée et de sang, capitaine aux dix mille guerriers selon la hiérarchie infernale. Indaro suivait la scène, les yeux exorbités, à la fois surexcitée et terrorisée. Elle n'osait bouger, appuyée contre la paroi si fortement qu'elle semblait vouloir s'y enfoncer et y disparaître. Les yeux de Barsyme me paraissaient rouges, aussi rouges que les énormes rubis enchâssés dans son pectoral de grand prêtre. Je le soutenais de tout mon esprit, de toute mon énergie, de toute ma volonté.

Soudain Indaro, poussant un cri, désigna d'un doigt tremblant la fenêtre. Une forme gigantesque et ténébreuse en obstruait l'encadrement. C'était un monstrueux chien noir, prêt à bondir. Une odeur effroyable de pourriture se répandit dans la chapelle. Le démon que nous avions appelé était venu. Je lui ordonnai, par la voix de Barsyme, d'entrer dans le corps du pape Vigilius, de dévorer sa volonté et d'en faire un esclave docile de la mienne. Indaro continuait à hurler et se débattait comme une possédée. Elle sentait les succubes engendrés par le démon sous la forme de vers qui rampaient sur tout son corps. Elle suppliait qu'on les lui enlève. Barsyme s'approcha d'elle, lui effleura le front de son pouce, et instantanément elle cessa de crier et se calma. Puis il souffla les veilleuses et renversa les cierges sur le sol. Nous restâmes dans l'obscurité la plus totale et le silence le plus épais, je ne sais combien de temps. Lorsque, finalement, Indaro alluma une bougie, il n'y avait plus de démon, plus de Barsyme, plus d'acolytes. Je m'aperçus que la pestilence, elle aussi, avait disparu, et que régnait à nouveau l'incomparable arôme d'encens froid.

Deux jours plus tard, lors de l'office de la Résurrection, la plus grande solennité de notre année religieuse, ce fut Ménas, notre patriarche, qui, du portail de Sainte-Sophie, annonça à la foule de bons chrétiens que le Christ était ressuscité. Le pape avait eu un empêchement bien qu'on eût déplacé pour lui la date de cette cérémonie. Il était atteint d'étranges faiblesses, de défaillances, d'absences d'esprit qui confondaient les médecins et qui lui interdisaient de se montrer.

On me raconta qu'un moine exorciste avait été appelé pour tenter de tirer de son corps l'esprit du mal qui l'habitait. Au cours d'une séance particulièrement violente, Vigilius s'était tordu sur le sol de marbre, déchirant ses vêtements, lacérant son visage, s'arrachant les cheveux pour tomber finalement inconscient. Au moins, n'ignorait-il pas le genre de maladie qui le frappait et peut-être se doutait-il de l'identité de son instigatrice. Le démon matérialisé par Barsyme exécutait le contrat que nous avions passé avec lui. Mais les puissances chtoniennes, une fois débarrassées de leurs chaînes souterraines, frappent impitoyablement, loin dans les mémoires, au plus profond des cœurs.

Le matin de la Pâque, j'avais reçu une courte lettre d'Antonina envoyée de Ravenne. Elle m'annonçait en termes mesurés la mort de Ruderic. Il n'était pas tombé au combat comme il l'avait tant souhaité, il avait succombé à une simple fièvre, une stupide fièvre.

J'accueillis cette nouvelle sans émotion car j'avais perdu la faculté de m'attendrir, mais je pleurai cette jeunesse cassée, cet avenir éclaté, cette vie manquée peut-être par ma faute. Il était difficile d'imaginer sa force, sa gaieté, sa blondeur, sa vitalité réduites en cendres. Peut-être avait-il fallu une victime aux puissances de l'au-delà pour que fructifient mes desseins. Une victime innocente et jeune, cet homme qui emportait dans la tombe la partie vivante de moi-même. S'il me fallait offrir un sacrifice aussi coûteux, fût-ce celui d'un membre de mon propre corps si tel était le prix, je l'acceptais pour voir triompher la vraie Église. J'avais beau être cuirassée contre les blessures de la vie, contre les attaques traîtresses du sentimentalisme, je n'en passai pas moins la journée de la Résurrection dans un état anormal. Je plongeai dans la nostalgie. Je me promenai dans les coins les plus reculés de ma mémoire... Le soir venu, je réalisai un caprice pour conjurer le souvenir.

Après mon coucher, mes femmes et mes eunuques retirés, je me relevai et revêtis une tunique de lin brun, sans aucune broderie, et un long voile noir. Qui d'autre qu'Arsénius aurait pu m'accompagner là où j'avais décidé de me rendre ? Il se fit reconnaître des sentinelles qui le laissèrent passer. Comme les paysannes, je tenais le bout de mon voile entre mes dents, cachant ainsi une partie de mon visage afin de n'être point reconnue. Nous sortîmes du palais et empruntâmes le char d'Arsénius jusqu'au forum de Théodose, d'où nous poursuivîmes à pied.

C'était la première fois que je déambulais sans courtisans pour m'entourer ni gardes pour me protéger. En ce soir de fête, la foule était dense qui me pressait, me bousculait et me donnait le vertige. Arsénius devait me soutenir pour m'empêcher de tomber. Je reconnus à peine le quartier de mes débuts. De nouvelles maisons avaient poussé et les rues s'étaient élargies. Grâce à l'empereur, elles étaient désormais propres et éclairées. Le théâtre où je m'étais produite avait été détruit. Par contre, le bâtiment croulant au fond duquel Photini la sorcière avait son taudis tenait encore debout, je ne sais par quel miracle. Et puis surtout, il y avait toujours *les Anes du Paradis*. Le décor en restait intact mais le propriétaire avait changé. Il me lança un long regard craintif, comme si la petite femme voilée de noir lui semblait une figure infernale, et peut-être d'ailleurs l'étais-je. Arsénius et moi, nous nous assîmes au bout de la longue table où nous avions l'habitude de prendre place avec nos compagnons de plaisir. La taverne était comble et les dîneurs se serraient autour de nous. Des familles et des couples respectables comme le nôtre se régalaient, car l'heure des fêtards n'était pas encore venue. Les filles, pourtant, étaient déjà là, ces Zoé, ces Vérina, ces Bérine, ces Placidia qui cherchaient le client attendaient déjà désespérément. Trois ou quatre d'entre elles entouraient l'ambassadeur Persan Izdah Gushnasp, que je ne fus pas surprise de trouver dans ce lieu. Deux courtisans de l'empereur, visiblement exténués, l'accompagnaient. Une des filles me parut plus délurée, plus vive que les autres. Elle avait ramassé ses cheveux en un gros chignon où elle avait piqué une fleur rouge comme je le faisais à son âge. L'ambassadeur l'avait visiblement remarquée aussi. Ce retour à un passé obscur m'entraînait involontairement à croiser les chemins de la politique. De la main, je fis signe à la fille d'approcher. Intriguée, elle obéit. Elle s'appelait Técla. Prétendant vouloir gagner un pari, je lui demandai de provoquer les confidences de l'ambassadeur, et de lui soutirer la véritable raison de sa venue à Constantinople. Il était visiblement ivre et il ne devrait pas être trop difficile de le faire parler. A la vue de l'or que je lui offrais, les yeux de la fille s'agrandirent et la convoitise brilla au fond de ses pupilles. Peu après, elle s'éclipsa avec Izdah Gushnasp.

Sans que j'en comprenne la raison, soudainement la mélancolie de cette nuit et de ce lieu me prit à la gorge. Un accès subit, imprévisible de tristesse m'accabla. Je haïssais cette taverne, et je compris que je l'avais toujours haïe. Arsénius s'aperçut de mon brusque assombrissement. Il avait commencé à bavarder avec nos voisins de table et nous avait présentés comme des commerçants de Nicée venus voir comment les choses se passaient dans la capitale :

— Et cette Théodora, alors, elle ne pense qu'à acheter des robes et des bijoux, commença-t-il.

— Pas un mot contre notre Théodora, l'interrompit un épicier en gros, pendant que son épouse roulait des yeux furibonds.

Malgré les coups de pied que je lui assenai sous la table, Arsénius, me sachant amusée et surtout curieuse, poursuivit :

— Elle prend des grands airs, notre impératrice, elle ne pense pas au peuple.

— Tais-toi, ou je t'écrase mon poing sur la figure. Théodora, si elle prend des grands airs, c'est avec les aristocrates. Elle est une des nôtres, elle aime le peuple et le peuple l'aime.

Un gros moine, rubicond, qui s'empiffrait en rajouta :

— Notre Théodora est une sainte. Sans elle, les vrais croyants seraient décimés. Ils lui doivent la vie. Sois damné si tu la critiques.

Arsénius piqua du nez dans son bol de soupe, faussement contrit. Moi, j'étais émue aux larmes. Ces gens me soutenaient au moment où je vacillais, ils me redressaient et m'ancraient dans mon devoir. Mon découragement se dissipa. Ils m'avaient montré la voie. Grâce à eux, je continuerais sans hésitation ni faiblesse. Je ne l'avouais pas, j'étais venue aux *Anes du Paradis* dire adieu à mon passé. Je ne savais combien de temps l'avenir m'accorderait, mais au moins étais-je décidée à l'utiliser pleinement.

Arsénius ayant attiré l'attention de l'hostilité de nos voisins par ses propos, nous ne voulûmes pas nous attarder. Nous quittâmes discrètement la taverne et nous marchions rapidement dans la ruelle, lorsque nous entendîmes derrière nous le bruit d'une course légère. Técla nous rattrapait. Elle ne voulait pas perdre l'or que nous lui avions promis. Heureusement car je l'avais presque oubliée. Profitant de l'alanguissement qui succède à l'accouplement, elle était parvenue à ses fins. Il faut dire que l'ambassadeur perse était très ivre et qu'elle l'avait adroitement flatté sur ses prouesses sexuelles, moyen infaillible de tout obtenir d'un homme, je le savais autant qu'elle. Puis elle avait longuement vanté son intelligence, son esprit. Le Perse s'était gonflé comme un dindon avant de bafouiller : « Tu as bien raison. Pauvres Byzantins qui s'imaginent plus malins que les autres et qui méprisent les étrangers. Je les laisse croire que je suis venu en ami, mais si je suis ici c'est pour négocier une alliance avec leurs ennemis... » La fille s'excusa de n'avoir pu en apprendre davantage. Elle avait pourtant amplement gagné son or. Arsénius et moi échangeâmes un regard effaré. Le Perse négociait une alliance au nom de son maître avec les ambassadeurs du roi Totila. Contrairement à ce qui avait eu lieu en 539, cette fois-ci, c'était Chosroes qui prenait l'initiative d'un rapprochement avec les Goths. Mais, comme par le passé, l'empire risquait d'être pris dans un étau. Il n'y avait pas une seconde à perdre.

Nous courûmes plus que nous marchâmes jusqu'au char d'Arsénius et nous rentrâmes au galop. Six heures venaient de sonner et le portier ouvrait toutes grandes les portes de bronze. Arsénius m'accompagna jusqu'au palais de Daphné. Je me précipitai, sans me changer, jusqu'au cabinet où je savais trouver l'empereur. Il était déjà depuis une heure attablé devant ses dossiers. Ma tenue inattendue ne parut pas éveiller sa curiosité, et il eut la bonté de remarquer qu'elle m'allait fort bien. Je lui annonçai l'alliance imminente entre les Perses et les Goths. Cette nouvelle sembla l'amuser prodigieusement. Il eut ce large sourire innocent et juvénile qui faisait son charme :

— Trop tard, s'écria-t-il joyeusement, nous les avons battus d'une mesure. Un courrier est arrivé au milieu de la nuit pour m'annoncer que Bélisaire avait repris Rome.

La stupéfaction le disputa en moi à la joie. Je n'éprouvais plus ni fatigue ni sommeil et je le pressai de questions. Ils me résuma de bonne grâce les événements de ces dernières semaines en Italie, et c'est ainsi que je pris connaissance des hauts faits d'armes de mes adversaires.

Jean, le général rebelle, avait des mois durant sillonné le sud de la péninsule, levant des bandes et reconquérant province sur province contre les Goths.

Maître de Rome, le roi Totila n'avait plus supporté ses

insolences. Il avait dirigé ses armées vers le sud non sans avoir auparavant entièrement vidé la ville. La population avait été reléguée à la campagne et il avait disposé des forces considérables en prévision de toute attaque éventuelle de Bélisaire. Jean avait laissé Totila s'enfoncer dans le sud jusqu'au cœur des provinces insoumises et alors seulement avait lâché ses combattants pour le harceler. Sur ces entrefaites, un maigre détachement de nos troupes, par un succès inespéré, reprit Spolète, au nord de Rome. Totila, comprenant en un éclair qu'il s'était jeté dans un piège, abandonna promptement le sud pour foncer vers le nord. Trop tard ! En chemin, il apprit que Bélisaire, bousculant les forces massées contre lui, avait mis le pied dans Rome. Il eut beau changer de cap, courir vers l'ancienne capitale et y déclencher un furieux assaut contre ses remparts, il échoua. Bélisaire avait eu le temps de la repeupler, de la fortifier et il la tenait bien en main.

Justinien m'avait tu les manœuvres secrètes de l'armée d'Italie afin d'éviter que je sois affectée en cas d'échec. Il avait toujours senti combien la chute de Rome et la responsabilité qu'on m'en attribuait m'avaient coûté. Sa délicatesse me comblait. Les larmes coulaient sur mon visage et je ne tentai pas de les retenir. J'eus une pensée fugace pour Ruderic qui n'assisterait pas à ce triomphe qu'il avait appelé de tout son cœur.

Lorsque je revins au gynécée et que j'ouvris mes fenêtres sur cette glorieuse aube de mai 547, ce fut pour apercevoir au loin les grandes barques impériales qui transportaient l'ambassadeur persan et sa suite de l'autre côté du Bosphore. Informé de la reconquête de Rome au retour de sa nuit de débauche, il avait compris que l'empereur, en gagnant du temps, en l'endormant dans les plaisirs, avait soigneusement et secrètement tendu ses filets. Chosroes ne voudrait plus d'un vaincu pour allié, et l'empereur reprendrait les négociations en position de force. La rage du Perse avait été telle qu'il repartait pour Ctesiphon avec une hâte tenant de la grossièreté.

Le retournement de la situation donna à l'empereur l'occasion de frapper Bessas, l'ancien gouverneur de Rome qui avait contribué à sa chute. Il fut destitué de son commandement en Arménie, dépouillé de son rang, ses propriétés confisquées, et banni dans un village lointain sur la côte du Pont-Euxin. Je n'intervins pas car il méritait son sort.

Bélisaire venant d'accomplir, de l'avis général, son plus glorieux haut fait, il était temps de hâter les fiançailles de sa fille Ioanna avec mon petit-fils. S'ils étaient trop jeunes pour le mariage, au moins pouvait-on favoriser dès maintenant un attachement juvénile propre à se transformer un jour en amour.

Un après-midi, je préparai une rencontre impromptue au pavillon de la Vertu. A mon grand étonnement, Ioanna me plut d'emblée. Malgré son très jeune âge, ses formes ravissantes étaient déjà celles d'une femme. Sa petite taille était compensée par un port de tête très droit et par la fière allure qu'elle avait héritée de son père. Le nez était à peine busqué, et les yeux dorés largement ouverts avaient un regard franc et chaleureux. Sous sa courtoisie, elle me parla avec une réserve que j'attribuais à de la timidité. Je l'envoyai rejoindre les jeunes qui s'amusaient sur les pelouses et l'accueillirent joyeusement. Du coin de l'œil, je constatai qu'Anastase se montra fort assidu auprès d'elle et la réciproque dut être vraie, car j'entendis son rire résonner souvent et sans contrainte.

Le surlendemain, lorsque l'empereur me rejoignit dans ma chambre pour notre déjeuner matinal, il tira de sa poche un parchemin et, sans un mot, me le tendit. C'était la déclaration des Trois Chapitres, au bas de laquelle s'étalait à l'encre violette la signature tant attendue : VIGILIUS PONTIFEX MAXIMUM. Le pape l'avait approuvée le matin même. Non seulement il avait cédé, mais il avait accepté de se reconcilier avec Ménas, le patriarche de Constantinople, et de lever l'excommunication qu'il avait lancée contre lui. Comme seule grâce, il avait demandé que la nouvelle demeurât secrète jusqu'à ce qu'il ait pu convaincre ses prélats, afin de donner une apparence d'unanimité à sa décision.

L'empereur affectait de considérer ce revirement spectaculaire comme une issue parfaitement naturelle. Tant mieux si les explications logiques suffisaient à contenter les esprits étroits. L'empereur m'avait offert la reconquête de Rome, en retour je lui offrais la déclaration des Trois Chapitres, mais il ne le saurait jamais. Le monophysisme était sauvé une fois encore, et Dieu avait voulu que ce fût par mes soins. Je ne triomphais pas. D'autres tâches m'attendaient.

Dans l'euphorie de ces multiples succès, je demandai à l'empereur la faveur de remplacer le comte des largesses sacrées, Jean. Depuis que celui-ci était venu m'annoncer l'arrivée du pape Vigilius, source de tant de tracas, j'étais convaincue qu'il portait malheur. Je n'osais ni m'approcher de lui ni lui parler. Chaque fois qu'il baisait ma mule lors de l'adoration de la pourpre, je touchais frénétiquement mes amulettes et mes médailles sacrées. La Cour entière connaissait sa réputation et vivait dans les mêmes affres que moi. L'empereur daigna agréer ma requête et me pria de l'aider à choisir un remplaçant à Jean. Là, je réservai une surprise à ceux qui pariaient sur ma perte d'influence.

Une fois par semaine avait lieu, dans la grande salle d'audience du chrysotriclinium, la cérémonie de la proskinisis, destinée à permettre aux dignitaires et fonctionnaires nouvellement nommés de recevoir les insignes de leurs fonctions. Ce matin le défilé s'éternisait, la routine s'appesantissait, l'attention s'envolait, lorsqu'un frémissement agita les courtisans. Qui donc s'avançait soutenu par les deux praepositus de service ? Qui se jetait au pied du trône ? Qui, sinon le disgracié, l'homme le plus impopulaire de l'empire, le ténébreux sorcier, le Satan voleur, le prétendu amant de l'impératrice : Barsyme en personne.

— Au nom du père, du fils et du saint-esprit, ma majesté, par la grâce de Dieu, t'élève à la fonction de comte des largesses sacrées, proféra l'empereur.

Et il lui tendit le collier d'or, marque de son rang, qu'il reçut les mains voilées par un pan de ses manches afin d'éviter que la Majesté Sacrée ne se profanât au contact de sa peau. Ensuite, le nouveau ministre s'avança vers un autel portatif sur lequel il déposa son collier que le chapelain du palais bénit avant de le lui rendre.

Je n'avais pas voulu exiger que l'empereur rendît à Barsyme la préfecture de la ville, le poste le plus important du gouvernement. Comte des largesses sacrées, à la place du malchanceux Jean, il n'en saurait pas moins dominer le gouvernement. Son retour fit l'effet d'un séisme à la Cour et dans la capitale. Il n'y avait pourtant pas de quoi être surpris outre mesure. Justinien n'avait jamais pu se passer d'un esprit fort à ses côtés. Autrefois, c'était Jean de Cappadoce, pour le plus grand mal de l'empire et de moi-même. Aujourd'hui, c'était Barsyme pour le plus grand bien de nous tous.

Toutes les batailles ne s'emportaient pas aisément. A peine avais-je gagné sur ce front que je subissais un revers sur un autre, tant il est vrai que l'exercice du pouvoir se résume à une monotone succession de hauts et de bas.

Chapitre 21

Pas un jour ne s'était écoulé sans que vienne me hanter Jean de Cappadoce, le favori naguère infernalement puissant. Pas un jour sans qu'afflue la crainte que l'empereur ne le rappelle auprès de lui.

Quand l'évêque Phrygien de Cyzique avait été assassiné en plein jour sur le forum, j'avais vu dans ce forfait atroce qui avait grandement horrifié l'opinion l'occasion de me débarrasser à jamais du monstre.

J'avais diligemment dépêché sur les lieux du crime une commission d'enquête. J'en avais soigneusement choisi chaque membre. Jean de Cappadoce, exilé à Cyzique, avait été notoirement au plus mal avec l'évêque assassiné, ils savaient donc tous ce que j'attendais d'eux. Dès leur retour, je tins à écouter leur rapport.

Le président de la commission relata qu'à peine arrivé, il avait fait emprisonner et fouetter le principal suspect. Avait-il avoué? Pas le moins du monde. Avait-on interrogé ses complices? Ils avaient refusé de parler. Les preuves suffisantes pour l'incriminer n'avaient pas pu être réunies.

La commission avait cru me satisfaire en condamnant le suspect au fouet. Certes j'avais éprouvé une profonde satisfaction à l'idée de l'ancien dictateur si douillet, si voluptueux, cinglé comme le plus ordinaire des voleurs. Mais c'était loin de suffire. Je couvris l'incapable d'insultes et le chassai brutalement. Dieu veuille que l'empereur n'en profite pas pour pardonner à son favori. J'avais réveillé un péril qui pouvait m'être fatal.

Alors Dieu m'envoya un signe. Nous reçûmes en effet des nouvelles de Marras. Depuis que nous lui avions dépêché l'évêque qu'il réclamait, Harith le Ghassanide s'était montré le plus zélé défenseur de nos frontières. Mais le nouveau pasteur n'avait pas limité aux nomades du désert ses activités sur lesquelles les moines restés au palais Hosmidas me fournissaient des informations que l'empereur préférait garder pour lui. Aigle solitaire que j'avais contribué à libérer de sa cage, saint Marras voyageait à la vitesse de la lumière, déguisé en mendiant, caché par ses adeptes, pour éviter la trop grande curiosité des autorités. Il volait ainsi de ville en ville, étendant ses ailes protectrices sur la Syrie, l'Égypte, l'Arménie, l'Asie Mineure, Rhodes, Chypre. Il ressuscitait une foi mourante, rétablissait la hiérarchie de son clergé, ordonnait trente évêques, des milliers de prêtres et de diacres. Anthimus, à qui je racontais fidèlement ses exploits, avait bien raison de dire que Marras « faisait couler la prêtrise comme un large fleuve dans tout l'empire ».

L'Église officielle protesta, et Vigilius, le pape caméléon, joignit sa voix hypocrite à celle des intransigeants. L'empereur, de son côté, se crut obligé de lui donner satisfaction et mit la tête de saint Marras à prix. Mais probablement, dans le fond de son cœur, espérait-il qu'il échapperait. Dieu l'exauça. Marras déjoua tous les pièges : « N'est-ce pas la preuve que Dieu lui-même le protège ? » remarquait Anthimus. On le signalait un jour ici, l'autre jour là, toujours en mouvement, infatigable, inaltérable dans sa soif de Dieu, sans cesse « sur le sentier de la justice », comme disait Anthimus. Les miracles ne se comptaient plus. Il ressuscitait des morts, exorcisait des possédés, prédisait l'avenir et grâce à lui la véritable foi se répandait sur le monde entier « tel le plus délicat des parfums », selon la belle expression du vieux patriarche.

Sa vigueur et sa fermeté me montrèrent l'exemple. Il avançait droit vers le but, sans perdre de temps, et ses prouesses me rendirent encore plus impatiente d'aboutir. Depuis des jours, je trépignais en vain. Ce matin-là, j'avais demandé vingt fois si Arsénius s'était montré. Il parut enfin, essoufflé, haletant.

— Ont-ils avoué ? lui criai-je.

— L'un refuse de parler, l'autre accepte.

— Je veux l'entendre, allons-y, décidai-je.

J'ordonnai à l'un de mes notarii de nous suivre.

Nous nous enfonçâmes dans cette partie du gynécée, la plus écartée, la plus ignorée qui abritait la retraite secrète du patriarche Anthimus. Nous étions loin du luxe et du raffinement qui donnaient le renom du palais de Daphné. Des couloirs tournaient fréquemment à angle droit, mal éclairés par quelques lentilles de verre au plafond. Nous descendîmes un étroit escalier en spirale, jusqu'au sous-sol. Devant nous s'ouvrait un passage voûté, long, large et droit, au sol de terre battue. Des portes s'y alignaient, épaisses, grossièrement équarries, percées d'un petit guichet, des portes de cellules. Au fond de la sinistre galerie, une porte était entrouverte. Des gémissements de souffrance s'en échappaient. On a beaucoup parlé de catacombes sous le Palais Sacré, insoupçonnables, introuvables, où l'impératrice, le plus discrètement du monde, emprisonnait, torturait, engloutissait ceux qui lui avaient déplu. Longtemps, j'ai pensé taire ce secret mais je ne puis garder le silence plus longtemps, au nom de la sincérité que j'ai promise à ces Mémoires, afin de les rendre crédibles. J'ai ouvert jusqu'ici les portes de mon passé, de mon cœur, de mon palais. Il me reste à entrouvrir celle de ce souterrain.

La pièce où nous pénétrâmes était très vaste. Des tables présentaient une variété extraordinaire d'instruments de torture. Du plafond pendaient chaînes et poulies. Trois ou quatre bourreaux se redressèrent à mon entrée. D'un geste, je leur intimai l'ordre d'oublier ma présence. Ils recommencèrent à s'activer méthodiquement, rangeant et nettoyant. Sur des tables étaient étendus deux hommes, nus, saignant de mille plaies, qui ne cessaient de gémir. Ils devaient être jeunes. C'étaient les complices de Jean de Cappadoce dans le meurtre de l'évêque de Cyzique, transférés ici sur mon ordre. Malgré le spectacle atroce et l'odeur insoutenable, je m'approchai de l'un d'eux, me penchai sur le visage couvert de sueur et de sang :

— Avoue que Jean de Cappadoce a ordonné l'assassinat de l'évêque de Cyzique.

La souffrance et l'épuisement empêchaient l'homme de répondre. J'attendis patiemment qu'il retrouvât son souffle... et lui reposai la même question. L'homme put tout juste secouer la tête dans un mouvement qui se voulait ferme... et négatif.

— Coupez-lui la main droite, ordonnai-je, pour lui apprendre à s'associer à l'assassin d'un pasteur de l'Église.

Puis je me tournai vers l'autre homme qui paraissait à peine en moins mauvais état. Il avait entendu le sort réservé à son compagnon. Lorsque je l'interrogeai, il murmura dans un souffle qu'effectivement Jean de Cappadoce avait ordonné le meurtre de l'évêque de Cyzique. Je commandai au notarius que j'avais amené à cet effet de prendre en note sa déposition que je le forçai à répéter. Il pouvait à peine parler. Je lui enjoignis de prendre son temps pour articuler. J'attendis calmement qu'il vînt à bout de sa pénible confession. Puis j'ordonnai qu'on lui coupât la main comme à l'autre.

Le prisonnier trouva assez de force pour protester qu'Arsénius lui avait promis de le gracier et de le rétribuer contre un témoignage incriminant Jean de Cappadoce. S'il ne subissait pas le même châtiment que son acolyte, expliquai-je à Arsénius, on croirait que nous l'avions corrompu, et son témoignage serait suspect.

Dans ce décor ignoble de saleté, de bestialité et d'horreur, l'impératrice, avec ses brocarts, ses soies à ramages et ses bijoux offrait un contraste saisissant. J'en étais consciente mais cela m'indifférait. Le spectacle de la souffrance humaine m'a toujours émue, et pourtant la vision de ces hommes jeunes, abominablement torturés, me laissait impavide. La vie humaine ne comptait plus du moment qu'elle entravait mes desseins, c'est-à-dire la grandeur de l'empire, la gloire de la vraie religion et le bien-être de l'empereur. L'obstination de ces hommes, qui refusaient de témoigner contre Jean de Cappadoce, risquait d'avoir des conséquences incalculables et devait donc être brisée par n'importe quel moyen et vite. Je ne les voyais plus comme des êtres humains mais comme des ennemis du peuple, de mes enfants, et qui n'avaient pas droit aux ménagements et à mes scrupules. La raison d'État, si souvent brandie contre moi, ne connaît pas la pitié. Il fallait choisir entre deux routes incompatibles. L'humanité suscitait l'amour, mais la grandeur sculptait les figures de l'histoire. J'avais épousé la seconde.

Je jetai à la figure des sénateurs de la commission la déposition du complice de Jean de Cappadoce. Ils n'osèrent protester et courbèrent l'échine pendant que je rendais mon arrêt : « J'ordonne qu'il soit immédiatement dépouillé des possessions qu'on a eu jusqu'ici la faiblesse de lui laisser. Il gardera uniquement les vêtements qu'il porte et sera embarqué sur le premier navire en partance pour Alexandrie. Je le condamne à l'exil perpétuel en la ville d'Antinoé, en Moyenne Égypte. Le capitaine du navire chargé de l'escorter le débarquera à chaque escale et l'obligera à mendier son pain, afin que le peuple voie cet homme qui l'a fait trembler tendre la main pour un quignon. » Je n'eus pas besoin de retirer la vie à Jean de Cappadoce. L'empereur, même s'il le souhaitait secrètement, n'aurait jamais rappelé auprès de lui un meurtrier.

La victoire laissait un goût amer dans la bouche qui allait de pair avec la perte de l'enthousiasme. Pour le retrouver, je me réfugiais au pavillon de la Vertu, au milieu des jeunes, mes amis. Peut-être ne le demeureraient-ils pas, car, chaque jour, ils étaient un peu moins adolescents et un peu plus adultes. Il n'y avait qu'à voir Anastase et Ioanna debout sous un platane, la main dans la main. Assise sur mon banc préféré entouré de cyprès, je me délassais à les observer à la dérobée.

Un mouvement, au loin, dans les jardins, attira mon attention. Le cortège de l'empereur sinuait à travers les arbres. Entre les troncs séculaires défilaient les tuniques de toutes les couleurs, bleu, vert, jaune, rose, les robes blanches des chapelains, les parasols rouges à crépine d'or qui abritaient les dignitaires. Justinien marchait si vite que son manteau de pourpre flottait derrière lui et les diamants de sa couronne étincelaient comme un seul morceau de soleil. A son approche, les jeunes gens se prosternèrent, telles des fleurs géantes écloses au milieu des allées de mosaïques, sur les terrasses de marbre et les pelouses. Il ne leur prêta pas attention et se planta devant moi. Malgré son pouvoir de dissimulation, je saisis dans son regard une lueur de fureur et d'animosité. Il avait sans doute appris le sort que j'avais réservé à son ancien favori. Je ne baissai pas les yeux et nous nous défiâmes pendant un long moment.

Puis d'une voix tendue mais en prenant soin de ne pas être ouï de notre entourage, il me lança :

— Tu l'as donc, ta victoire, Théodora.

— Qui n'est pas la mienne mais la tienne, César.

— Tu as pourtant encouru mon déplaisir.

— C'est pourquoi je suis prête à en subir les conséquences. Tu peux me répudier, m'exiler, m'emprisonner, mais je ne me rétracterai pas et je serai toujours heureuse d'avoir pu agir pour ton bien.

Je le sentis ébranlé par ma sincérité et convaincu par ma fermeté. Les sentiments qu'il lut dans mes yeux l'émurent, il se détendit, et à voix haute, il me demanda ce que je faisais.

— Je m'apprêtais à raconter notre première rencontre à ces jeunes avides de passé, lui répondis-je.

Il fit alors approcher ceux-ci avec sa bonne grâce retrouvée et s'adressa à eux :

— L'impératrice me permettra d'être aujourd'hui votre maître d'histoire à sa place.

Une lumière intérieure sembla éclairer son visage. Son esprit voyagea dans le passé que, d'une voix douce, il se mit à évoquer pour son jeune auditoire captivé.

— Je n'ai rien oublié de cette scène, comme si c'était hier, le soir où l'impératrice m'est apparue. Sa silhouette penchée sur le rouet s'encadrait dans la fenêtre. Elle portait une modeste robe de lin et un voile blanc. Elle gardait ses longs cils baissés sur son ouvrage. Je la fixais intensément, en espérant qu'elle lèverait les yeux. Elle le fit et m'ensorcela à l'instant même. Je le suis encore. Depuis le premier jour, et jusqu'à aujourd'hui, l'impératrice n'a cessé de me soutenir. C'est en elle que je puise la force d'assumer les responsabilités qui pèsent sur moi. Comme son prénom l'indique, elle est le cadeau que Dieu m'a donné...

Je l'écoutais, étonnée, ravie. Étrange Justinien, déconcertant Justinien. Un instant, prêt à lancer ses foudres contre moi, le suivant me dédiant le plus bel hymne qu'un homme ait adressé à une femme. C'était sa façon à lui de me signifier qu'il avait changé d'avis ou tout simplement d'humeur, qu'il acceptait la perte de Jean de Cappadoce et peut-être même qu'il l'approuvait. Je fus ainsi confirmée dans le bien-fondé de mes agissements et absoute de ma cruauté. L'amour de Justinien lavait le sang que j'avais versé pour lui. Je voulus lui exprimer ma reconnaissance, en commentant à mon tour notre première rencontre :

— Je n'étais à cette époque rien de plus qu'un moineau au milieu d'une nuée de moineaux. Lui, le prince, le neveu de l'empereur, il était le phénix qui volait haut parmi les sommets près de Dieu. S'il n'était descendu m'apprendre à m'envoler, je n'aurais jamais été en mesure de contempler le merveilleux, le magnifique, l'immense. C'est pourquoi ni ma vie ni mon cœur ne m'appartiennent. Tout ce que je suis et tout ce que j'ai, tout ce que je pense, tout ce que je ressens appartient à l'empereur. Il a, a-t-il dit, élevé une église sur l'emplacement de l'humble demeure où nos vies se sont croisées et soudées. J'aurais dû bâtir, non pas un, mais dix sanctuaires sur le théâtre de ce miracle qui a transfiguré ma vie.

Anastase ayant atteint ses dix-huit ans, je le fis nommer silentiaire, fonction qui consistait dans les audiences impériales à veiller à ce que les participants respectent le silence. Malgré sa position subalterne, il voyait s'ouvrir devant lui la porte des honneurs qui le conduiraient rapidement au Sénat et encore plus haut. En écartant la longue liste d'attente de candidats de bonne famille, je suscitai les jalousies et le courroux des « médiocres », ce qui ne m'étonna aucunement. Par contre, la réaction de ma nièce Sophie me surprit par sa violence. A son arrivée à la Cour, elle avait accueilli chaleureusement Anastase dont elle était devenue l'inséparable amie. Elle se démena néanmoins pour empêcher sa nomination. Peut-être par jalousie. Elle se plaignit à sa mère, et Comito alla jusqu'à approcher Justinien, qui me le répéta, probablement d'ailleurs pour me détourner de mon projet. En vain, car la promotion d'Anastase était une étape nécessaire.

Un après-midi, je reçus Anastase et Ioanna dans la minuscule chapelle du pavillon de la Vertu, car ce lieu saint convenait à la solennité de ce que j'avais à leur dire. Les rangées de cierges allumés devant les icônes, le parfum d'encens flottant dans l'air, les rayons de lumière pénétrant par les étroites fenêtres pour éclairer la figure, les mains, le drapé d'un saint, créaient l'atmosphère appropriée. Je révélai aux deux adolescents que, quatre ans plus tôt, les parents de Ioanna et moi-même avions décidé de les marier. J'avais depuis assisté à la naissance de leur inclination l'un pour l'autre, puis à son épanouissement. Ils avaient atteint l'âge de convoler, et je n'étais que trop heureuse de bénir cet hymen. Anastase, je le savais, rêvait de Ioanna. Sa mine extasiée le proclamait. Ioanna voulait-elle d'Anastase?

— Non!

La réponse avait fusé, qui me renversa presque de surprise.

— Comment, non?

— Je n'épouserai pas Anastase.

— N'en es-tu pas amoureuse?

— Si, j'en suis amoureuse, proclama-t-elle en criant presque avec un sanglot dans la voix.

— Alors, pourquoi ne veux-tu pas l'épouser?

Silence.

— Aimes-tu ta mère, Ioanna?

Elle émit un petit oui timide.

— Aimes-tu ton père?

Cette fois, le oui fut franc et net.

— Tes parents souhaitent cette union, irais-tu contre leur volonté?

Silence.

— Moi aussi je veux ce mariage et j'ai su contraindre de bien plus entêtés que toi.

Silence toujours. Les larmes aux yeux, elle resta inébranlable. Je ne comprenais pas son attitude, je ne devinais pas ses raisons. Cette adolescente était le seul être humain qui m'ait jamais résisté : si elle vivait encore, c'est que je vieillissais. Anastase, lui, était cramoisi, il étouffait de honte, il aurait voulu être très loin d'ici. Voyant l'inutilité de prolonger cette scène ahurissante, je les renvoyai tous les deux.

J'écrivis lettre sur lettre à Antonina en Italie. Flattée à la perspective de ce mariage, elle au moins saurait forcer sa fille à l'accepter. Les lenteurs du courrier qui mettait plusieurs semaines à aller et venir m'exaspéraient, et la réponse d'Antonina me déconcerta : elle affirmait n'avoir d'autre désir que cette union, mais elle tenait à tout prix à y assister et me suppliait d'attendre sa venue pour y procéder. Je l'adjurai d'accourir. Presque deux mois s'écoulèrent encore avant que je ne reçoive ses excuses. Elle se voyait obligée de rester aux côtés de son mari qui avait besoin d'elle en Italie.

Mes soupçons s'éveillèrent enfin, ou plutôt se concrétisèrent, et je m'apprêtais à insister, à contraindre Bélisaire et Antonina à tenir leur promesse, lorsque des rumeurs qui commencèrent à circuler m'en détournèrent. Elles m'accusaient de vouloir ce mariage prestigieux pour mon petit-fils dans l'unique intention de lui ouvrir la route du trône. Il fallait me dépêcher de désarmer la méfiance de l'empereur. Je pris les devants, en lui proposant de choisir pour lui succéder son neveu Justin. Anastase, en vérité, eût été un héritier bien plus convaincant que ce gros garçon aux yeux de fou, sujet parfois à d'étranges crises, mais mille fois Justin plutôt que Germanus, dont l'idée qu'il pût succéder à Justinien me hérissait. J'obtins en échange que le successeur désigné épouserait ma nièce Sophie. Cette blonde dodue cachait une ambition féroce et un caractère impérieux. En la mariant à l'héritier du trône, je protégeais Anastase, j'assurais à mon sang la couronne et enfin, cette monophysite déclarée saurait continuer mon œuvre et veiller sur les vrais croyants. L'empire s'accommoderait parfaitement d'un couple comme Justin et Sophie, même s'ils ne devaient ressembler en rien à leurs prédécesseurs. D'ailleurs, pouvait-il exister des successeurs à Justinien… et à Théodora ?

Grande était mon amertume contre Antonina, qui m'avait si complètement trompée que j'avais mis longtemps à m'en apercevoir. Elle me privait de ma plus belle victoire. Je me doutais bien que la perspective de voir sa Ioanna adorée épouser mon petit-fils révoltait Bélisaire et que seule la fin de sa disgrâce avait pu lui arracher la promesse d'une telle union. Entre son mari et moi, Antonina avait depuis le début choisi le premier. Elle l'avait trompé mais elle n'avait cessé de le soutenir, d'autant mieux qu'elle prétendait me servir. Elle était entrée dans mes projets de mariage pour mieux les contrecarrer. Elle avait sacrifié sa vanité de devenir la belle-mère d'Anastase à l'amour conjugal. C'était peut-être elle qui avait lancé ces absurdes rumeurs sur mon intention de pousser Anastase au trône, afin d'empêcher ce mariage abhorré. En tout cas, elle était la responsable du brutal refus de Ioanna, qui avait rendu mon petit-fils mélancolique comme peut l'être un amoureux de dix-huit ans. Son humeur correspondait à la mienne et, au lieu d'écouter ses confidences comme j'aurais dû, je lui fis les miennes. Mon passé entier défila devant moi et je mis à jour les comptes de toute une vie. J'avais gagné le pari engagé dans ma jeunesse, je m'étais échappée du taudis. J'avais réussi aux yeux de tous au-delà du possible. Mais effacer les traces de mon enfance, toutes les couronnes du monde n'y seraient pas parvenues. Les circonstances m'avaient fabriquée telle que j'étais, les expériences malheureuses avaient progressivement desséché mon cœur au point d'en faire ce fruit racorni, noirci, pourri par un soleil trop brûlant. Je tenais encore debout simplement par devoir. Je pensais en femme, mais j'agissais en homme, plus coriace même qu'un homme. J'avais érigé un système pour satisfaire mon appétit de pouvoir, et j'en étais devenue prisonnière, aussi je m'étais réfugiée dans l'apparat. Je savais que je ne pouvais compter sur personne. Alors, j'avais creusé ma propre solitude qui me coûtait cher. J'avais atteint une sorte de désespoir et, pour le combattre, je continuais à tourner comme un corps sans âme. Je ne pouvais plus m'arrêter de manipuler, d'entreprendre, de décider, alors que j'avais perdu le sens de ce mouvement perpétuel.

Je sentais qu'Anastase ne comprenait pas mon malaise. La femme la plus riche, la plus puissante, la plus célèbre du monde ne pouvait pas être dégoûtée de la vie. Je voulus lui en expliquer les raisons mais, pour ce faire, je devais lui raconter ma vie et non plus seulement en évoquer quelques bribes. Je décidai donc de lui dicter mes souvenirs. Avant d'être l'héritier de ma fortune, il le serait de ma mémoire :

— Tout a commencé un soir où, bafouée par des parents indignes de ce nom, je me suis enfuie. Battue, humiliée, je me suis retrouvée dans un autre lieu où j'ai dû réapprendre à manger, à vivre, entourée d'êtres infâmes. J'ai dû me battre encore et encore pour affirmer ma dignité ou ce qui en restait après tant et tant de jours d'humiliation. De ce voyage au bout de la nuit, de cette récolte d'amertume, je décidai de faire mon jardin, que je planterais à ma guise, où chaque buisson, chaque arbre représenterait une partie de moi-même qui aurait été frappée, tronquée, trompée, trahie, mais que par fierté je ferais fleurir. Pour chaque larme versée, je verrais éclore une fleur triomphante. C'est dans ce cimetière, au pied de cette tombe qui bientôt s'ouvrira pour moi, c'est en ramassant mes larmes que j'égrènerai le chapelet de ma vie. Le premier grain minuscule a grossi, s'est développé, a disparu, et à la fin je l'ai retrouvé en toi. La boucle est désormais bouclée...

L'automne me donna envie de passer quelques jours à Hiéra, le palais de plaisance que j'avais construit sur la rive asiatique du Bosphore, non loin de l'embouchure du Pont-Euxin. J'y effectuais de fréquents séjours que les courtisans détestaient, tout en se battant dans l'espoir d'y être conviés. Ils se plaignaient des difficultés d'approvisionnement en ce qu'ils appelaient ce trou perdu ; ils craignaient les caprices de la mer, particulièrement imprévisible et dangereuse en ces endroits, et surtout, comme tout un chacun à Constantinople, ils redoutaient Porphyrion, un monstrueux cétacé égaré dans nos eaux, qui, depuis une cinquantaine d'années, apparaissait, disparaissait, terrorisait les voyageurs et coulait les navires.

J'invitai Anastase avec plusieurs de ses amis ainsi que Ioanna, pour bien montrer que je pouvais oublier ma rancune envers une si jeune fille. Ils m'accompagnèrent sur la trirème impériale pourpre et or, aux voiles pourpres brodées d'immenses aigles dorés, pourvue d'un luxe et d'un confort inouïs.

Le voyage fut considérablement rallongé par les nombreux arrêts que je décrétais dès que j'apercevais un couvent, une institution bénéficiant de ma protection, un village dont les habitants massés sur la rive m'acclamaient de loin, afin de donner le temps à mes gens de leur distribuer de ma part des largesses en espèces sonnantes et trébuchantes.

Nous avions accompli plus de la moitié du chemin, lorsqu'une barque détachée du rivage vint annoncer une nouvelle qui me parut un hasard extraordinaire. Porphyrion venait d'être capturé. Je parus sur le pont pour apprendre tous les détails. La mer calme avait attiré dans le Bosphore une troupe de dauphins. Porphyrion, se jetant sur eux, en tua et en dévora plusieurs. D'autres parvinrent à s'enfuir en remontant la rivière Sangarius. Porphyrion les y poursuivit, se rapprochant dangereusement de la terre. Il se heurta à une masse de limon, voulut s'en détacher et ne le put. Il se débattit furieusement avec pour seul résultat de s'y enfoncer plus profondément. Puis la marée descendante laissa Porphyrion hors de l'eau, prisonnier de la boue qui séchait.

Je voulus absolument voir le monstre. Le navire se dirigea vers le Sangarius à l'embouchure duquel il ancra. Les barques furent mises à l'eau et toute la Cour me suivit à terre. Sans souci, j'enfonçai mes brodequins d'or et de velours dans la vase et j'y traînai le bas merveilleusement brodé de ma tunique. Les paysans du voisinage, que j'avais interdit à mes gardes de repousser, applaudissaient à tout rompre. J'étais ravie. Je tournai lentement autour du cétacé blanc marbré de noir qui, avec ses quarante-cinq pieds de long et ses quinze pieds de large, m'apparut vraiment monstrueux. Les paysans lui avaient porté d'innombrables coups de hache, mais, pour achever une pareille montagne, il en fallait plus. Saignant de partout, dépecé vivant, le monstre respirait encore car son flanc se soulevait de temps à autre. Je pataugeais dans le sang, indifférente à cette horreur. Après avoir vu des hommes torturés, un animal agonisant ne m'impressionnait pas.

Je cherchai Anastase parmi mes courtisans chamarrés qui affectaient le même sang-froid que moi en cachant haut-le-cœur et nausées et l'interpellai :

— Tu t'étonnes certainement de ma curiosité envers Porphyrion, mais ce monstre, vois-tu, c'est moi.

Je lui laissai le temps de se pénétrer de cette entrée en matière avant de poursuivre :

— Pendant des années, il a fait peur à tant de monde, et pourtant vois combien il est vulnérable maintenant. Il est percé, blessé, découpé par les hommes comme je l'ai été, comme je le suis chaque jour par mes ennemis. Il a été décrié, et, pourtant, il se révèle bien utile. Regarde là-bas ces paysans qui emportent sa chair pour s'en repaître pendant des semaines. Et lorsqu'il sera mort, ceux qui l'auront le plus maudit seront bien forcés de considérer la nourriture qu'il aura fourni à tant d'affamés comme un don de la providence. Tout comme moi, lorsqu'un jour, bientôt, je mourrai, on reconnaîtra mes mérites et on me bénira. Ouvre bien les yeux, ce monstre, Anastase, c'est ta grand-mère.

Plutôt qu'un palais, j'avais voulu à Hiéra une grande villa dont péristyles et colonnades déguisaient la rusticité. Ma suite, trop nombreuse, était logée dans des pavillons disséminés dans le parc, véritable forêt arrosée par de multiples sources, ornée de très grands arbres et de prairies fleuries dévalant jusqu'à la mer.

Lors de ce séjour, les invités étaient si serrés qu'Anastase et Ioanna logèrent dans deux minuscules chambres en enfilade dans le grenier d'un pavillon isolé, plutôt une cabane, dont le rez-de-chaussée ne comportait qu'une pièce de repos pour promeneurs égarés. Quant aux amis d'Anastase, ils furent installés fort loin de là. Ces jeunes n'étaient pas à Hiéra pour tenir compagnie à la vieille génération et sacrifier au protocole. Je leur interdis donc de me rendre visite et ne leur demandai que de s'amuser et d'être heureux. Des esclaves apportèrent à Anastase et à Ioanna les nourritures les plus délicieuses et veillèrent à leur confort de mille façons ingénieuses. Chaque jour, Arsénius me relatait leurs faits et gestes. Ils se promenaient longuement dans les bois, ils se baignaient dans le Bosphore, ils rêvaient sur la terrasse... ils voyaient fort peu leurs amis.

Un soir, Ioanna ne rejoignit pas sa chambre et resta dans celle d'Anastase. Au moins, les vins capiteux que j'avais choisis pour leur être servis et les aphrodisiaques que j'avais ordonné de verser dans leurs plats n'avaient pas été inutiles. Ils se montrèrent encore moins qu'auparavant et cachèrent leur amour comme les cerfs au fond des bois. Quelques jours plus tard, je les surpris, un eunuque, stipendié par Arsénius, m'ayant indiqué où ils se trouvaient. Suivie de quelques dames seulement, je me dirigeai vers leur cachette lorsque, pour la première fois, je m'aperçus que je ne pouvais plus plier la jambe et que je boitais légèrement. Sur le moment, trop heureuse d'avoir protégé leur histoire d'amour, je n'y prêtai pas attention. Dans le parc se dressait un minuscule temple rond, ouvert à tous les vents, bien antérieur à la construction de ma villégiature. Des haies, très hautes et très sombres, le protégeaient des regards. J'y arrivai sans bruit et trouvai les jeunes amants tendrement enlacés. A ma vue, ils bondirent, penauds et radieux à la fois. Je les rassurai :

— Laissez donc parler votre cœur. Obéissez à ses ordres, profitez de ses décrets. Je ne vous dérangerai plus.

Ostensiblement, je les absolvais et je les encourageais.

L'heure du retour sonna et je quittai Hiéra, comme toujours, à regret. Pendant que le bateau s'éloignait du rivage, je reçus Anastase et Ioanna sous le dais de toile où, étendue sur des coussins, j'aimais à respirer l'air marin.

— Ce séjour, leur dis-je, m'a confirmé que toi Anastase tu aimes Ioanna, et m'a prouvé que tu étais payé de retour. Il ne reste plus qu'à consacrer vos sentiments.

— Je ne serai pas la femme d'Anastase.

Voilà que Ioanna recommençait.

— Tu ne comprends pas, mon enfant, lui répondis-je le plus doucement du monde, ta décision ne dépend plus de ton caprice. Tu es devenue sa maîtresse, tu as vécu avec lui aux yeux de toute la Cour. Tu t'es si bien compromise qu'aucun autre homme ne voudra désormais de toi. Ou tu épouses Anastase, ou tu passes pour une fille de mauvaise vie. D'ailleurs, je sais qu'en dépit d'un refus qu'on t'a imposé, tu désires épouser mon petit-fils. En réalité, je n'ai œuvré que pour ton bonheur.

Je n'allais tout de même pas laisser Antonina me prendre pour une imbécile et avoir le dessus. Anastase semblait aussi désemparé que Ioanna. Je l'avais pourtant prévenu. Toute desséchée que je fusse, je ne pouvais m'arrêter d'entreprendre et de manœuvrer.

Chapitre 22

L'hiver s'abattit sur l'empire et cette année ma santé n'y résista pas. Je commençai par être atteinte de fièvres fréquentes et en ressentis une faiblesse persistante, inexplicable. Torturée par des brûlures d'estomac, je perdis mon robuste appétit. De menue, je devins frêle. J'avais toujours eu horreur d'être malade, et encore plus d'en parler. J'ordonnai le secret absolu sur mes maux. Je commis une erreur car les rumeurs les plus extravagantes coururent la capitale. On assurait, par exemple, que Jean de Cappadoce, du fond de son exil égyptien, m'avait fait verser un poison sans remède. Au palais de Germanus et de Passara, on affirmait que ma maladie n'était qu'un simulacre, inventé pour apitoyer l'empereur et obtenir de lui l'adoption de mon petit-fils Anastase.

Ma vie de Cour se ralentit. J'accordais moins d'audiences et je sortais fort peu. Familiers et courtisans crurent bon d'afficher des mines de circonstance. Ils parlèrent bas, marchèrent sur la pointe des pieds. L'empereur me demandait vaguement et rapidement de mes nouvelles, se contentant d'une réponse rassurante et évasive, et me recommandait d'écouter les médecins dont lui-même n'avait jamais suivi les avis. Il affectait de ne rien voir, mais écourtait ses visites au gynécée. Pour cacher leur désarroi, les hommes cherchent leur salut dans la fuite. J'avais toujours été soucieuse de mon apparence, exigeant qu'elle fût impeccable en toutes circonstances, or il m'arrivait désormais de passer des journées entières en tenue négligée, prenant simplement la précaution de condamner ma porte. Seul mon petit-fils Anastase avait le droit d'être introduit. C'est ainsi que je trouvai le temps de lui dicter le récit de ma vie. Plonger dans le passé ne me consolait pas du présent, mais évoquer l'apparence que j'avais eue me permettait d'oublier, ne fût-ce qu'un instant, celle qui était désormais la mienne. Cependant, ma nature n'était pas de demeurer longtemps dans le souvenir et la passivité. Je voulus réagir et, en mars, je retournai à Hiéra pour changer d'atmosphère. Mais le vent aigre soulevant des vagues qui battaient le quai de marbre, les arbres dépouillés, les nuages noirs courant dans le ciel, la lumière grise dans le calme de la campagne déchirèrent mon optimisme par lambeaux, et comme les courants d'air qui circulaient dans cette demeure estivale me meurtrissaient, je ne tardai pas à revenir en ville.

Mes douleurs empirèrent, me privant bientôt de sommeil. Lorsque, vaincue par la fatigue, je sombrais dans une sorte de torpeur, j'étais la proie de terribles cauchemars. Je me réveillais haletante, encore plus épuisée, et il me fallait un certain temps pour me remettre de ces égarements. Des moines du palais Hosmidas vinrent dans ma chambre allumer des cierges bénits et répandre des huiles saintes. Mes médecins, grecs ou juifs, demeuraient persuadés que ma vieille maladie d'estomac me jouait des tours. A les entendre, un régime bien équilibré me remettrait sans tarder sur pied. Je ne demandais pas mieux que de partager leur optimisme, car je me sentais en pleine possession de mes facultés. Mon esprit restait aux aguets, impatient de travailler, gourmand de problèmes.

Pour me débarrasser de l'incertitude, je fis venir Photini la sorcière. Elle était très vieille, très décrépite et impotente. Je vis arriver, portée par deux eunuques, une sorte de tas de soies bariolées et criardes, couverte dans le plus grand désordre de dorures ternies. La tête n'était plus qu'une masse quasi indistincte de cheveux gris et de plis de graisse. Le ramollissement et l'obésité lui fermaient presque complètement les yeux. On la déposa accroupie à mes pieds. Je me penchai sur elle. Elle empestait un parfum bon marché au jasmin. Je lui demandai combien de temps j'avais encore à vivre. Elle croassa :

— Une vie longue, longue, longue...

Étonnée, je voulus savoir ce que me réservait l'avenir.

— Après juin, je ne vois plus rien... plus rien...

Elle dodelina de la tête, et des larmes se mirent à couler sur ses joues adipeuses. Je la fis emporter...

Je n'eus aucune difficulté à interpréter sa voyance. La vie longue, très longue qui m'attendait... c'était la vie éternelle. Et si elle n'avait pu voir mon avenir trois mois plus tard, c'est que la mort me guettait. J'avais espéré pourtant avoir encore plus de temps devant moi. Je ne pus refréner un frisson d'appréhension, un sentiment inhabituel m'envahit, puis j'eus l'impression d'arriver enfin au port. Ma tristesse d'abandonner l'empereur était compensée par un soulagement intense, absolu. Je laissais la Maison en ordre. Sur tous les fronts, nos armées étaient victorieuses. Elles battaient les Goths, contenaient les Perses, repoussaient les Slaves, écrasaient les Maures de l'Afrique. Enfin, les évêques convoqués par le pape pour approuver sa décision concernant les Trois Chapitres, votaient dans le sens voulu. L'empereur avait rendu à l'empire son intégrité, son unité et sa grandeur, ainsi qu'il l'avait juré. Et moi j'avais accompli ce que ma foi et ma conscience m'avaient dicté.

L'heure des adieux allait bientôt sonner. Je voulus l'anticiper pour être encore en état de jouer ma dernière représentation. Je pris mon temps pour choisir une tenue dans la salle des armoires. J'y avais passé tant de longues heures heureuses à inspecter régulièrement mes vêtements et mes bijoux ! Lentement, je pris congé de mes trésors. Mes eunuques ouvrirent les vastes coffres cerclés de cuivre travaillé et en sortirent les tuniques, les chlamides, les voiles, les chemises, les sandales et les mules de cuir d'or ou de couleur, incrustées ou non de joyaux. J'étais insatiable de toilettes, disait-on. On m'accusait d'en commander tant que j'étais dans l'incapacité de les porter toutes. Coquette, je l'avais été, non pour un homme mais pour un peuple. Mon inépuisable garde-robe constituait les costumes de scène d'une impératrice. Je plongeai dans les coffres en ivoire sculpté ouverts sur les tables d'argent pour en sortir les bracelets ornés de fleurs et d'oiseaux en émail, les pectoraux enchâssés de lourdes médailles d'or, les diadèmes ornés de camées antiques, les bagues, les boucles d'oreilles, les ceintures, les croix en or filigrané. Les pierreries ruisselaient entre mes mains.

En ce 11 mai 548, des courses de chars à l'hippodrome fêtaient l'anniversaire de la dédicace de Constantinople. Après ces longs mois de réclusion, je décidai d'y assister. Je devinais la joyeuse excitation qui régnait en ville. Les files interminables de spectateurs s'alignaient aux portes de l'hippodrome, passaient sous les porches, s'écoulaient sans fin sur les gradins de marbre blanc. La piste embaumait le sable parfumé dont on l'avait recouverte. Déjà les détachements de la garde impériale prenaient place, fanions et oriflammes en main, sur la stama, l'estrade située au-dessous de la loge impériale. Les cochers de chars, après avoir allumé leurs cierges devant l'icône de la Vierge, revêtirent leurs tuniques sans manche, serrèrent leur large ceinture, et se coiffèrent de leur bonnet d'argent descendant bas sur le front. Bientôt, ils monteraient sur leurs véhicules, alignés derrière les barrières qui les séparaient de l'arène.

Mes femmes m'avaient passé une très ample tunique en soie légère et vaporeuse brodée de fruits, de fleurs et d'oiseaux en or, ainsi qu'un long manteau de pourpre à larges galons d'or. Au-dessus de cette merveille chatoyante se dressait une tête de mort que je découvris dans mon miroir en grimaçant de dépit. Le seul signe de vie restait la prunelle ; enfoncée, cachée, elle brillait comme la lointaine lueur d'un phare. Mais le voudrais-je que je ne pourrais tirer les yeux du fond des orbites ni rembourrer les joues creuses. J'étalai pourtant sur mon visage de la poudre, du rouge et du khôl, et bientôt je ressemblai à une de ces poupées grotesques et naïves qu'on vend dans les marchés populaires. Je lus dans le regard de mon petit-fils Anastase la désapprobation, l'horreur, et je lui expliquai :

— Le peuple me verra de loin ; quant aux courtisans, ils me tiennent déjà pour morte.

Mourante peut-être, mais lucide... telle je me voulais jusqu'au dernier moment. Mes femmes m'attachèrent aux oreilles des perles aussi grosses que des œufs de pigeon, et passèrent à mon cou un carcan enchâssé d'émeraudes énormes. Je craignais d'être incapable de bouger sous le poids, et lorsqu'elles posèrent sur ma tête la couronne hérissée de pointes en saphir, toute ma volonté dut venir au secours de mes muscles défaillants pour que je parvienne à me redresser.

L'empereur m'attendait dans l'antichambre.

— Tu es belle, Despina, me dit-il, lorsque je le rejoignis.

Ce mensonge me tira un sourire et m'infusa l'énergie nécessaire. Nous nous mîmes en marche.

Le cortège s'avança lentement, à pas cadencé, le long des galeries, à travers les cours et les passages qui conduisent du palais de Daphné à l'hippodrome. Les gardes du corps, symphonie d'or et de blanc, les officiers des spathiaires au collier d'or et de pierreries, les excubitors, tous des géants terrifiants avec leur hache à double tranchant, les praepositus et les cubiculaires, les silentiaires et les référendaires, masses de brocarts multicolores, les hérauts aux trompettes d'argent, les dames d'honneur nous entouraient, Justinien et moi. Il me vint à l'esprit que cette escorte aurait pu être celle d'un condamné à mort. Plusieurs fois, en effet, je dus m'arrêter, l'empereur s'immobilisant aussitôt, imité par la foule des courtisans et des gardes. Haletante, je cherchais à reprendre mon souffle et tâchais de ne pas tomber. Malgré la température clémente, la sueur ruisselait sur mon visage, aussitôt essuyée par Hilaria avec un mouchoir de soie. Chaque fois, je rattrapais la force qui me fuyait ou plutôt je l'inventais. Chaque fois, je repartais. Je ne me demandais pas si j'arriverais au bout, je le savais. Le contraire serait impensable. Les courses ne peuvent pas être décommandées.

Nous gravîmes les larges degrés de marbre, en haut desquels nous fîmes halte. Alors, les immenses portes de bronze s'ouvrirent très lentement devant nous. Le flot de lumière crue, la rumeur grondante de la foule innombrable me montèrent à la tête comme la plus excitante des drogues. Nous nous avançâmes sur le devant du kathisma. En un instant, le silence le plus total s'établit. Les trente mille spectateurs se levèrent, baissant la tête et joignant les mains en geste de prière. L'empereur, levant le bras, bénit l'assistance par trois fois. D'abord les Bleus à sa droite, puis les Verts à sa gauche, enfin le peuple massé en face de lui. Les dignitaires, avec à leur tête le patriarche Ménas, passèrent l'un après l'autre devant nous et s'inclinèrent profondément avant de prendre place sur leurs sièges. Lorsque le dernier fut assis, Justinien resta un long moment, raide et immobile sur le trône d'or, entouré de ses eunuques à longues manches, les uns agitant des éventails de plumes, les autres portant des sabres, puis il se dressa. Tenant un carré d'étoffe, il garda quelques instants le bras tendu pendant que la foule retenait son souffle, puis laissa tomber le chiffon.

A la seconde même, les barrières qui contenaient les attelages se soulevèrent, les chars s'élancèrent sur l'arène, et au silence succéda le plus assourdissant concert d'acclamations, et d'encouragements. Tous les spectateurs s'étaient levés comme un seul homme, trépignant et vociférant. Même l'empereur crispa les mains, tendit le cou, son visage s'anima, et je l'entendis grommeler dans sa barbe des encouragements aux Bleus. J'étais la seule à ne pas participer à l'excitation générale.

Je cherchai du regard mon petit-fils Anastase. Il vint s'asseoir sur la marche de mon trône. Son empressement me toucha.

— Mes Mémoires ne sont pas seulement celles d'une vie, mais aussi celles d'une époque. Au moins, reporte fidèlement mes paroles. Car je suis entièrement, intégralement sincère. Si j'ai décidé de tout dire, c'est par honnêteté.

— Non, Despina, c'est par orgueil.

L'audace du garçon m'ébahit. Je pris un air sévère pour lui intimer de s'expliquer.

— Rien de ce que vous avez fait dans votre vie ne vous a laissé de honte, me répondit-il tranquillement. Vous ignorez le doute. Vous ignorez la culpabilité. C'est là votre force...

Le pire est que cet effronté avait raison. Ma tendresse se teinta d'estime. Il le perçut et osa m'interroger sur ce que j'avais ressenti en ce jour terrible de la révolte Nika où je m'étais tenue à la même place, face à la foule déchaînée réclamant notre mort. Jusqu'alors, j'avais refusé de lui avouer ma faiblesse.

— Je tâchais de paraître imperturbable pour cacher que je tremblais. J'étais incapable de bouger, j'étais paralysée par la peur, je défaillais...

Une brusque douleur enfonça une pointe rougie au feu dans mon ventre. De la main, je signifiai à Anastase de suivre la course, car je ne voulais pas qu'il voie la souffrance déformer mes traits.

La troisième course s'achevait. Du haut de leurs chars légers et élevés, les conducteurs tenant dans chaque main les rênes de leurs quadriges semblaient littéralement voler. Chaque fois qu'ils passaient dans un des tournants en épingle à cheveux qui marquaient les extrémités de l'hippodrome, la foule poussait un sourd grondement comme ceux qui annoncent les séismes.

Les étrangers non familiarisés avec nos coutumes étaient

médusés devant tant de tapage. L'empire pouvait être en paix ou en guerre, les Barbares menacer nos frontières, la seule question qui agitait la population entière était de savoir qui gagnerait des Bleus ou des Verts. Incontestablement, il y avait plus de folie que de plaisir dans ce spectacle.

Quand la roue d'un char heurta une pierre et cassa le char qui le suivait immédiatement, voulant l'éviter, alla s'écraser contre la paroi de pierre. Ceux qui étaient derrière n'eurent pas le temps de s'arrêter ou de dévier leur trajet. Ils montèrent littéralement sur les débris de leurs prédécesseurs. En une seconde, trente chevaux et quadriges formèrent un monceau sanglant, tandis que les trente mille spectateurs se levaient et poussaient un seul cri d'horreur et de plaisir. La course dut être interrompue et les préposés de l'hippodrome se précipitèrent pour dégager les victimes de cet inextricable magma. Au passage des cadavres portés sur des brancards, je me penchai : « Aucune importance... Tous des Verts. »

De nouveau, la douleur me poignarda, cette fois si forte que je me sentis blêmir sous l'épais maquillage. Je fermai les yeux et me renversai légèrement en arrière. Je luttai contre l'évanouissement. La quatrième course se déroula comme dans un brouillard, l'entracte allait me permettre de m'éclipser. Selon l'usage, nous nous retirerions dans le salon derrière le kathisma pour nous mettre à table avec nos familiers, pendant que l'hippodrome entier deviendrait une gigantesque taverne en plein air.

L'empereur me présenta son poing sur lequel je pris appui pour me lever lentement. Une fois debout, je me sentis si faible que je restai dressée face à la foule, la main sur celle de Justinien, paralysée, statufiée. A ce moment, quelque part, en face du kathisma, dans les derniers rangs, une voix, une seule, cria très fort : « Vive Théodora », comme on crie « Vive Célès ou vive Koutzès », pour les cochers vainqueurs d'une course. Alors, tout l'hippodrome, Verts et Bleus confondus, hurla d'une seule voix « Vive Théodora ! vive Théodora ! », ce qui ne s'était jamais vu.

Avait-il deviné, le peuple, que l'impératrice allait se retirer, qu'elle avait décidé de ne pas assister aux courses de l'après-midi ? Avait-il pressenti que c'était la dernière fois que je viendrais à l'hippodrome ? Qui le lui avait dit ? Ces acclamations agirent sur moi comme un coup de fouet. Je descendis lentement les marches du trône... A peine passées les portes du kathisma, à peine hors de la vue du peuple, je m'affaissai. Si l'empereur ne m'avait retenue, je serais tombée à terre. Ma couronne glissa, heurta le sol et roula de marche en marche dans un affreux bruit de ferraille. Je regardais, fascinée, les pierreries s'en détacher et s'éparpiller. L'empereur me proposa de me raccompagner, ce que je refusai :

— Non, César, tu te dois au peuple. Il ne faut pas qu'il s'inquiète. Mon petit-fils m'aidera.

Anastase me souleva dans ses bras, et me porta jusqu'à mes appartements du palais de Daphné. Je pesais à peine plus que quatre-vingts livres.

Pendant plusieurs semaines, je ne quittai pas mon lit, recouvrant péniblement une énergie qui me fuyait. Une dernière démarche me tenait à cœur, et je patientai jusqu'à ce que j'aie réuni assez de forces pour être transportée à l'église des Saints-Apôtres. Onze ans s'étaient écoulés depuis que j'en avais décidé la construction. Tout l'empire, je le savais, parlait de ce qui devait être le sanctuaire le plus somptueux du monde. Des sommes fantastiques avaient été englouties. On chuchotait que les seules colonnes du chœur, en marbre veiné d'or apporté par caravane de Hiéropolis, équivalaient au revenu annuel de l'Égypte. Pour une fois cependant, ces dépenses engagées au nom de la foi n'étaient pas critiquées mais supportées comme un sacrifice béni par Dieu.

Maintenant encore je regrettais de n'avoir pu m'occuper de tous les détails de la réalisation et de n'avoir pas eu le loisir de laisser parler ma passion des arts, mais aurais-je pu entreprendre cette lourde tâche sans l'aide de l'Éternel ?

Quand je n'avais plus eu un sou en caisse, une nuit, saint André, saint Luc et saint Timothée, en l'honneur de qui je bâtissais ce sanctuaire, m'étaient apparus en rêve et m'avaient dit : « Ne te trouble pas, Théodora, et ne demande pas à l'empereur Justinien de l'argent. Va plutôt sur le rivage, près du quai de Dexiocratus. Tu trouveras là douze urnes pleines de pièces d'or enterrées dans le sol. » Le lendemain, à mon réveil, j'avais obéi aux saints Apôtres, et au lieu indiqué j'avais trouvé le trésor. Preuve du miracle, les pièces, au lieu de porter comme d'habitude l'effigie d'un empereur, étaient toutes frappées du visage des saints Apôtres. Ce sanctuaire portait la marque du Dieu éternel et il était mien.

Ma promenade parut agiter Constantinople entière. Une infinité de voitures tirées par des mules transportant mes femmes, un nombre incalculable de dignitaires à cheval et de gardes à pied bloquèrent pendant des heures la Mésé. La ville entière semblait être descendue dans la rue pour me voir passer, mais je gardai les rideaux de ma litière fermés. Je tenais à ce que le peuple conserve de moi une autre image que celle d'une mourante.

Nous arrivâmes sur une colline derrière l'Amastriamum, non loin des vieux remparts de l'empereur Constantin. Nous franchîmes les hautes palissades de bois qui entouraient le chantier interdisant le sanctuaire aux regards. L'extérieur, très simple, dont le seul ornement était le jeu subtil des coupoles et les motifs géométriques des briques orangées, intentionnellement, ne laissait rien prévoir de ce qu'était l'intérieur. Dès l'entrée, la triple impression d'espace, de splendeur et de lumière me transporta. La richesse de la décoration n'avait à coup sûr nul équivalent sur terre. Chaque province de l'empire avait été mise à contribution pour envoyer ses matériaux les plus rares, la pierre noire striée de blanc du Bosphore, le marbre vert de Karistos en Grèce, la pierre polychrome de Phrygie, le porphyre d'Égypte, le marbre vert émeraude de Sparte. Celui d'Isaurie, rouge veiné de blanc, la pierre jaune de Libye, ainsi que l'onyx, le jaspe... dont la juxtaposition était un art en soi et le jeu des couleurs un triomphe d'harmonie. Entre les deux colonnes qui, sur deux étages, montaient jusqu'aux coupoles, pendaient des lampes d'or, d'ailleurs partout l'or et l'argent brillaient. Les pierreries étincelaient sur les auréoles des saints, sur les croix, sur les calices et autres vases sacrés. Les saphirs rehaussaient les ailes des séraphins et les rubis la reliure des missels. La partie supérieure des parois et les demi-coupoles étaient recouvertes des plus délicates mosaïques, dominées par le Christ triomphant qui occupait le centre de la voûte entouré de ses apôtres et de la Vierge.

Un jour lointain, l'empereur m'avait montré Sainte-Sophie, lors de la dédicace de la basilique, et je m'étais juré en mon for intérieur d'en dépasser la perfection. L'empereur restera dans l'histoire comme le plus grand bâtisseur. A Constantinople seulement, il a construit vingt-cinq églises, à Éphèse, à Jérusalem des cathédrales, dans chaque province des monastères. Tous les saints du calendrier ont eu grâce à lui les honneurs d'un sanctuaire. Moi, je me suis contentée de bâtir une seule église, mais c'est la plus belle du monde. Au moins ai-je prouvé, à défaut d'autres réalisations, qu'au nom de Dieu j'étais capable de créer un incomparable chef-d'œuvre qui raconterait à la postérité la véritable Théodora. En attendant, il me donnait un avant-goût de l'éternité dont je m'approchais à grands pas.

Pour donner le change aux courtisans qui, ne m'ayant pas vue depuis un certain temps, déchiffraient sur mon visage le progrès de la maladie, j'annonçai à la cantonade que la dédicace du sanctuaire aurait lieu à la fin de l'année, cérémonie à laquelle je me réjouissais d'avance d'assister et dont je décrivis longuement le déroulement. Personne n'était dupe que mes jours étaient comptés. Mais je traitai la mort selon la tactique avec laquelle j'avais toujours traité mes adversaires. Elle me mettait des bâtons dans les roues, je ne pouvais l'écraser, donc j'affectais de l'ignorer. Elle me rappela son imminence par ces douleurs qui, désormais, me torturaient plus sûrement et plus obstinément que le meilleur de mes bourreaux. Parvenue à ma litière, j'en fermai les courtines comme j'aurais tiré le rideau de scène sur la resplendissante tragédie de ma vie.

Récit d'Anastase

La curiosité m'avait attiré à Constantinople, l'affection que je sentais croître pour ma grand-mère m'y retenait. Elle ne me l'inspirait que parce qu'à la différence de tant d'autres, je n'avais pas peur d'elle, car en dépit de son âme torturée, elle restait juste et généreuse. Les vétérans de la Cour avaient beau m'assurer que je n'aurais pas fanfaronné si je l'avais connue autrefois, j'étais certain qu'elle m'appréciait parce qu'elle ne m'impressionnait pas. Elle avait cristallisé sur moi tous les sentiments avortés, amputés, étouffés de son passé, et j'éprouvais pour ce monstre sacré, réputé sans cœur, un sentiment que même ma mère n'avait pas insufflé en moi. Ses contemporains la considéraient encore comme le centre du monde alors qu'elle m'apparaissait déjà comme une héroïne du passé et en filigrane de l'idole qu'elle s'était voulue, je tenais à peindre l'émouvant portrait de la femme.

La visite à l'église des Saints-Apôtres avait enlevé ses dernières forces à ma grand-mère. Depuis quelque temps, je m'étais préparé à remplir la tâche à laquelle elle me destinait, et ce fut en accord avec ses désirs que je pris la plume qu'elle ne pouvait plus tenir. Revenue au Palais Sacré, elle se mit au lit — toutes ses audiences et engagements officiels furent annulés — et elle ne se leva plus que pour la visite quotidienne de l'empereur. Elle était parfois si épuisée qu'il

359

fallait le double de temps pour la préparer, mais c'était admirablement fardée, coiffée et parée qu'elle recevait Justinien. Ils partageaient leur rituel repas matinal, bien qu'elle ne touchât plus aux plats qu'on lui présentait, ils discutaient de l'actualité politique, échangeaient des nouvelles. Tout paraissait normal, à ce détail près qu'ils étaient soudain devenus extrêmement formels l'un avec l'autre, s'appelant constamment César et Despina par exemple, afin de ne pas succomber à l'attendrissement. Le reste du monde savait désormais que l'impératrice se mourait, mais eux affectaient d'ignorer la séparation prochaine.

On cachait à Théodora les nouvelles qui auraient pu la contrarier. Notre offensive en Calabre qui tournait court, la garnison de Rome qui s'était mutinée. La perte de Pérouse enlevée par les Goths. Le fait que Bélisaire aux abois nous expédiait pour réclamer des renforts sa propre femme Antonina, attendue impatiemment par tous et avec appréhension par moi. Je craignais qu'elle ne vînt anéantir le dernier espoir de notre hyménée à laquelle Ioanna ne consentirait jamais sans son assentiment. Je croyais que Théodora avait renoncé à l'imposer lorsque un jour, elle nous convoqua tous deux. Perdue dans le vaste lit aux couvertures de pourpre, je la trouvai encore plus petite et plus frêle. Elle ne quittait plus la robe noire des nonnes et le voile noir qui lui entourait le cou et le visage ne laissait pas échapper un seul cheveu. Les yeux fixés sur la mosaïque religieuse du plafond, sans nous regarder, elle parla à voix lente et posée :

— J'ai rêvé que j'étais morte.

A côté de moi Ioanna frémit.

— Je marchais sur une plage qui ne semblait pas avoir de fin. C'était un matin de printemps, la mer était calme, l'air était empli de senteurs de fleurs. Mes douleurs m'avaient quittée. Je me sentais légère. Curieusement, j'assistais à ce qui se passait après ma mort. Certains me regrettaient. L'empereur, enfermé dans sa pièce de travail, pleurait. Je devinais qu'il était très seul. D'autres se réjouissaient de ma mort : « les médiocres ». Et vous, je vous voyais mariés et vous connaissiez la félicité... Savez-vous que vous avez le pouvoir de transformer ce rêve en réalité... Mariez-vous avant que je ne meure... Dépêchez-vous, car je n'en ai plus que pour très peu de temps... Je vous en supplie, mariez-vous afin que je puisse partir en paix...

Ioanna, à côté de moi, éclata en sanglots et, désireuse de ne point se donner en spectacle, elle s'enfuit de la chambre.

L'impératrice regarda autour d'elle et me fit un clin d'œil, avant de me dire d'une voix nettement plus alerte :

— Si tu n'avais pas ta grand-mère, mon garçon, jamais tu ne serais marié.

Elle sourit de me voir tellement abasourdi et poursuivit :

— Tu ne penses tout de même pas que j'ai des rêves aussi sots. Pourquoi crois-tu qu'Antonina se dépêche de venir ici ? Tu t'étonnes... Tu te figurais que j'ignorais sa venue ou nos revers en Italie. Ce n'est pas parce qu'on ne me dit rien que je ne sais pas tout. Cette demande de renforts n'est qu'un prétexte... Il me faut prendre Antonina de court.

Son regard se voila et elle esquissa un sourire mélancolique, bien rare chez elle :

— Je veux la paix avec Bélisaire. Il n'aurait tenu qu'à lui, mais qu'importe le passé... Ce mariage, même s'il le rejette, c'est ma façon de lui tendre un rameau d'olivier. Ce bonheur, auquel je n'ai jamais eu accès, son enfant et mon enfant le connaîtront ensemble.

Et elle retomba, inerte, sur ses coussins. Elle venait de me donner un superbe exemple de sa vivacité, de sa rouerie, de sa détermination et j'admirai qu'au seuil de la mort, elle demeurât égale à elle-même.

Cependant, je ne voulais pas, même pour combler mes vœux, tromper de façon indigne celle que j'aimais.

Ioanna m'attendait dans le jardin. Je l'appelai, prêt à lui révéler la vérité sur le rêve si opportun de ma grand-mère. Elle se retourna, le visage baigné de larmes. Je courus vers

361

elle. Avant que j'aie pu ouvrir la bouche, elle se précipita dans mes bras :

— Ne me dis rien, tu n'en as pas besoin. Je ne peux croire que cette horrible femme pourrait un jour me faire pleurer. Et pourtant elle a réussi. Anastase, veux-tu de moi ?

Allais-je refuser ?

Le lendemain, je trouvai la chambre à coucher de l'impératrice emplie de courtisans pétrifiés, d'eunuques égarés, de médecins affolés et de moines agenouillés. Elle reposait parfaitement immobile, les yeux clos, les mains croisées, le teint cireux comme celui d'une morte. Cependant, elle respirait encore, et elle dut même m'apercevoir car elle me fit un signe imperceptible de la main. Je m'agenouillai à côté de sa couche :

— Je fais semblant d'être inconsciente, me murmura-t-elle, pour qu'on me laisse tranquille. Sinon les courtisans me répètent que je vais de mieux en mieux, croyant m'abuser ; les médecins m'obligent à ingurgiter force médicaments qui ne servent strictement à rien, et les prêtres usent leur salive à me promettre le paradis, mais je sais mieux qu'eux si j'irai.

— Vous n'en doutez pas ? m'étonnai-je.

— Pourquoi douterais-je ? J'ai aimé Dieu, et je l'ai servi.

Je n'osai lui répondre que Dieu n'était pas l'empereur et que peut-être Il n'accomplirait pas ses quatre volontés. Je préférai lui dire que Ioanna et moi, nous nous étions décidés. A cette nouvelle, elle eut un mince sourire :

— Enfin, chuchota-t-elle. Célébrons le mariage maintenant, tout de suite ! s'écria-t-elle brusquement, à l'ébahissement ravi de son entourage.

Elle voulut faire venir sur l'heure un prêtre, envoyer chercher Ioanna, nous servir de témoin, expédier la cérémonie. Je repoussai ses offres. Nous ne nous marierions pas avant plusieurs semaines. Je ne tenais pas à ce que Bélisaire crût à un ultime coup de sa vieille ennemie. Son excitation retomba. Déjà, la douleur reprenait ses droits. Des

362

larmes perlèrent au coin de ses yeux. Cette manifestation de faiblesse si inattendue chez elle m'atterra. Elle le comprit :
— Va-t'en, je ne veux pas que tu me voies souffrir.

J'aurais dû lui obéir, car hideuse fut la victoire de la maladie sur cet esprit puissant et cette âme indomptable. Néanmoins, bien que l'émotion le disputât chez moi à un involontaire dégoût, je revins chaque soir : je sentais que, du fond de l'inconscience où elle baignait le plus souvent, elle devinait ma présence et s'y raccrochait.

Elle sombrait rapidement et l'altération de son apparence était impressionnante. Incapable de s'alimenter, elle était devenue un squelette aux os apparents sous la peau jaunâtre. Elle restait repliée sur elle-même, sa minuscule et noire silhouette au bord du grand lit qui semblait une mer de pourpre. De temps en temps, elle émergeait de sa somnolence et ouvrait ses grands yeux qu'elle promenait sur tous. Leur éclat semblait devenir de plus en plus intense au fur et à mesure que la maladie dévorait son corps.

Parfois, elle lançait à l'adresse d'un interlocuteur invisible des bribes de confession où affleuraient des remords, des regrets que je ne transcrivais pas, certains sujets ne regardant qu'elle et Dieu.

Une dernière fois, elle trouva l'énergie de nous exhorter et ses paroles tirèrent bien des larmes, incontestablement sincères. Ses courtisans voyaient disparaître avec elle une époque, la leur, mais surtout cette femme, impérieuse, exigeante, dure, avait su inspirer mieux que le dévouement, la dévotion.

Depuis qu'elle était incapable de se lever, de s'habiller, de se farder, de se travestir, elle avait entièrement condamné sa porte à l'empereur. Celui-ci s'était enfermé dans ses appartements pour cacher son chagrin. Il s'abrutissait le jour et presque toute la nuit sur ses dossiers, éclatant souvent en sanglots. L'état alarmant de son épouse le poussa néanmoins à braver l'interdit, mais Théodora, du fond de sa torpeur, entendit les acclamations qui saluaient sa venue.

Brusquement, elle retrouva un semblant de vigueur et sa voix ferme parvint jusqu'à l'antichambre où Justinien venait de pénétrer :

— Dites à César que je lui défends absolument d'entrer.

C'était la première fois dans l'histoire de l'empire que quiconque donnait un ordre à l'empereur, mais qui résistait à Théodora, même privée de ses forces ? Retombée sur ses coussins, je l'entendis murmurer :

— Il ne me reverra que lorsque je serai à nouveau belle. Morte, mais belle.

L'empereur s'inclina devant sa volonté et rebroussa chemin. Dans un souffle à peine audible, les dernières paroles de l'impératrice furent pour Indaro :

— Je veux que ce soit toi qui me fermes les yeux... et cesse de pleurer, cela te vieillit...

Oubliait-elle que son amie des premiers jours était une vieille femme, elle qui si longtemps avait fait oublier son âge à l'empire ?

Elle avait déjà perdu conscience lorsque le moine Marras vint lui apporter la consolation suprême. Il débarquait de Syrie, aussi répugnant et puant qu'à son habitude. C'était l'Orient entier rendu au monophysisme qu'il déposait au pied du lit de l'agonisante. Pour une fois, il parut sincèrement ému et je l'entendis prononcer :

— Meurs en paix, Théodora, tu as bien aidé la vraie Église.

Malgré le secret absolu qui entourait la maladie de l'impératrice, les Constantinopolitains avaient d'abord envoyé au Palais Sacré des quantités inimaginables d'amulettes, de pierres magiques, d'icônes, de reliques, de bouteilles d'eau bénite. Puis ils étaient venus et, nuit et jour, ils attendaient sur l'augusteum. Ils avaient déposé le long des murs du Palais Sacré des petites icônes bon marché devant lesquelles ils avaient allumé des bougies qui semblaient entourer la demeure impériale d'une traînée de lueurs tremblotantes. En silence, le peuple agenouillé priait.

J'avais passé deux nuits blanches à veiller l'impératrice avec sa Maison. Les prières marmonnées par les prêtres, la chaleur des cierges, le parfum de l'encens eurent raison de ma résistance. Je m'assoupis, appuyé contre un mur de l'antichambre. Lorsque je me réveillai, le vélum de soie pourpre brodé de grands griffons en or avait été tiré entre les deux portes en argent ouvertes sur sa chambre. Je compris qu'elle avait rendu son dernier souffle. C'était l'aube du 29 juin 548.

Lorsque je revis l'impératrice, elle reposait, embaumée, dans la grande salle des banquets, le triclinium à dix-neuf couches. On lui avait enlevé son humble vêtement de nonne, pour lui passer sa robe la plus somptueuse. Elle était couchée dans une bière d'or, drapée dans la pourpre, chaussée de brodequins brodés d'or, et couronnée de son plus riche diadème. On avait disposé sur les marches du catafalque tous ses bijoux qu'elle avait tant aimés. C'était donc d'une montagne de perles, de diamants, de calcédoines, d'émeraudes, de rubis, d'hyacinthes, d'améthystes, d'opales que se détachait nettement son admirable profil, le nez busqué, le front haut et droit, le menton volontaire. Elle avait d'avance réglé chaque détail de son apparence et elle avait retrouvé la beauté de ses jours glorieux. Désormais, l'empereur pouvait la contempler.

Des centaines, des milliers de torches brûlaient, fixées aux colonnes par des attaches d'or et d'argent. Des nuages d'encens se mêlaient au parfum de jasmin et de rose. Tous les membres de sa Maison lui constituaient une garde d'honneur, et je vis défiler le monde entier pour lui rendre un dernier hommage. Le patriarche Ménas, entouré de son clergé. Le pape Vigilius qu'elle avait tant humilié, avec ses évêques. Le Sénat, qu'elle avait méprisé. Les patriciens de grandes familles qu'elle avait haïs. Les magistrats dont elle s'était moquée. Les généraux qu'elle avait traités en subalternes. La Cour et le gouvernement qu'elle avait dominés. Tous s'agenouillèrent devant son cercueil et baisèrent sa mule de velours.

Sophie et le neveu de l'empereur, Justin, Germanus et Passara vinrent se recueillir aussi. Enfin parut l'empereur. Il trébuchait, la démarche hésitante, secoué de sanglots, courbé par le chagrin. Jamais auparavant je n'avais songé à son âge mais, pour la première fois, il me parut pour ce qu'il était, c'est-à-dire un vieillard de soixante-quatre ans. Gravissant péniblement les marches du catafalque, il se pencha sur le corps de l'impératrice, le prit dans ses bras, et le serra longuement contre lui avant de le reposer délicatement.

Sur un signe du grand maître des cérémonies, les porteurs impériaux soulevèrent le cercueil d'or. Une fois formée, la longue et chatoyante théorie de dignitaires sinua entre les bâtiments du Palais Sacré. Lorsque, passant sous la voûte du palais de la Chalke, nous débouchâmes dehors, le spectacle me saisit. L'immense surface de l'augusteum n'était plus qu'un tapis de têtes. Des bannières de pourpre flottant en haut des mâts délimitaient notre itinéraire. Le clergé menait le cortège de prélats barbus en pâles brocarts et de diacres portant croix et icônes saintes. Nous foulions un sable doré, nous humions des bouffées d'encens et d'essence de rose. Les hymnes que psalmodiaient les chorales impériales étaient traversés de hurlements de femmes. Cheveux dénoués en signe de deuil, elles pleuraient, elles criaient, elles défaillaient. Il fallut en retenir certaines qui voulaient se jeter de l'étage. En bas, dans les rues, sous les portiques, le long des colonnades, des hommes, uniquement des hommes, serrés à s'écraser, immobiles, bouche cousue, mais sur le visage de la plupart, des larmes silencieuses coulaient.

Alors, tout en avançant lentement et en m'appliquant à rythmer mon pas sur celui de la personne qui me précédait, je réfléchis à cet extraordinaire phénomène. Je voyais un

366

empire pleurer comme à l'égale d'une sainte une ancienne courtisane qui n'avait reculé devant rien. L'orgueil, la dignité, la cruauté et la grandeur avaient forgé sa popularité. Sa disparition avait désorienté le peuple, qui, sans son joug de fer, se sentait perdu. Elle m'avait dit un jour qu'elle en était la mère et j'en avais douté... mon dernier hommage fut de lui donner raison. Elle avait désiré être enterrée dans sa bien-aimée église des Saints-Apôtres qui, à défaut d'une cérémonie de dédicace, s'inaugurait sur les funérailles de sa fondatrice.

Après la messe, dite à grand renfort d'orgues et de requiem, le grand chambellan de la Cour s'approcha du cercueil et enleva de la tête du cadavre la couronne étincelante de pierreries pour la remplacer par un simple ruban de pourpre. Puis, l'impératrice fut enveloppée dans son linceul, non pas un simple drap blanc, mais une étoffe d'or, incrustée des plus beaux joyaux du trésor impérial. C'était là la dernière attention que l'empereur avait eue pour sa femme, l'ultime cadeau de l'amant à sa bien-aimée. Alors le cercueil d'or fut lentement descendu dans le vaste sarcophage de marbre depuis longtemps préparé à le recevoir. Et, tandis que l'impératrice Théodora disparaissait en terre, le grand maître des cérémonies, dans un silence absolu, lança par trois fois l'exhortation : « Va, impératrice, éloigne-toi de nous, entre dans le sommeil éternel. Le roi des rois, le souverain de tous les souverains, t'appelle. »

Antonina arriva quelques jours plus tard et s'empressa de rompre mes fiançailles avec Ioanna, brisant notre amour et la réputation de sa fille. Son attitude me parut un présage. Car depuis lors, tout n'a cessé de se détériorer. L'empire a tenu tant que l'empereur a vécu, mais à l'heure où j'écris, sous le règne de son neveu Justin le Fou, ses ennemis ne cessent de le ravaler, de l'amenuiser, irréversiblement semble-t-il. Ce qui me permet d'apprécier d'autant plus le privilège d'avoir connu ma grand-mère. Peut-être la gloire de l'empire ne fut qu'une illusion par elle créée, mais elle traversera les siècles plus sûrement que l'empire lui-même. Au point que lorsqu'il aura disparu, suivant le sort de tous les empires, on se souviendra encore de son incarnation la plus évocatrice et l'on ira répétant que Byzance, la fabuleuse, c'était Théodora.

Informations bibliographiques

La source la plus importante sinon la seule sur Théodora reste le chroniqueur Procope. Tout en écrivant sur ordre de Justinien son *Livre des guerres* et son *Traité des édifices*, ouvrages tout à la gloire de l'empereur et de l'impératrice, bourrés cependant d'informations précieuses, il rédigeait en secret ses *Anecdota* ou *Histoire secrète* où il accusa Justinien et Théodora des pires méfaits parmi lesquels il est nécessaire de faire une part importante à la calomnie.

Les prélats contemporains de Théodora, Malalas dans ses *Chroniques*, Évagrius dans son *Histoire de l'Église*, parlent à peine d'elle.

A ma surprise, j'ai trouvé moins d'informations que je ne m'y attendais chez Charles Diehl, ou chez mes historiens préférés spécialistes de Byzance. Par contre, le *Justinien* de Robert Browning et *L'histoire du bon empire* de Stein m'ont été indispensables. L'illustre Gibbon, malgré ses partis pris, sait prendre un événement comme nul autre.

Pour les détails de l'époque, j'ai consulté de nombreux ouvrages, parmi lesquels, je cite, *La Vie quotidienne à Byzance* de Walter, *Imperial Byzantium* de Jones, *Empire of the New Rome* de Cyril Manzo.

Lili espérant que vous
vous laisserez conquérir
sinon séduire par l'héroïne
du "Palais des larmes",
cette Theodora, redoutable,
implacable même, mais
irrésistible.

Avec les meilleurs vœux de
Michel de Grèce

FICHE D'IDENTITÉ

NAISSANCE :
Le prince Michel de Grèce est né à Rome le 7 janvier 1939. Son père était le prince Christophe de Grèce, fils du roi George Ier, sa mère la princesse Françoise d'Orléans, sœur du comte de Paris.

Pendant la guerre, Michel de Grèce a vécu au Maroc espagnol, puis, de 1945 à 1948, à Malaga (Espagne), avant de venir à Paris. Après la mort de sa mère en 1953, il a rejoint la famille de son oncle, le comte de Paris. Après ses études, il a vécu à Athènes ; actuellement sa femme et lui partagent leur temps entre New York, Paris et Athènes.

SITUATION DE FAMILLE :
Michel de Grèce a épousé Marina Karella, fille d'un industriel grec et artiste peintre, en 1965. Le couple a deux filles : Alexandra et Olga.

ÉTUDES :
Diplôme de l'Institut des Sciences Politiques en 1960.

LOISIRS :
Michel de Grèce aime le sport (marche à pied, yoga, équitation, natation), les salles des ventes, la lecture, en particulier les mémoires et journaux intimes. Il s'intéresse à la politique, à l'économie mondiale, est un fervent d'opéra et de musique. Il voyage beaucoup tant en Europe occidentale qu'au Moyen-Orient, en Inde, en Amérique du Sud.

LITTÉRATURE :
Michel de Grèce est l'auteur de divers essais, notamment historiques : *Ma sœur l'Histoire, ne vois-tu rien venir ?* (Prix

II

Cazes, 1970), *La Crète, épave de l'Atlantide, Andronic, Quand Napoléon faisait trembler l'Europe, Grèce, Joyaux des couronnes d'Europe, L'Envers du Soleil - Louis XIV.* Il s'est imposé comme un écrivain à succès avec son premier roman, *La Nuit du sérail*, publié en 1982, puis avec un autre roman paru en 1984, *La Femme sacrée.*

THÉODORA : LE SYMBOLE
DE LA CIVILISATION BYZANTINE

par Michel de GRÈCE

Mon livre *Le palais des larmes* a pour héroïne Théodora, l'impératrice Théodora, qui vécut au VIᵉ siècle après Jésus-Christ, une femme au destin prodigieux qui, née dans le ruisseau, se hissa jusqu'au trône le plus glorieux de l'univers... en suivant le parcours le plus aventureux.

Je connaissais les grands traits de son existence mais j'étais loin d'imaginer que je la raconterais. Tout cela a commencé il y a des années, un soir, alors que j'arrivais pour la première fois en la ville de Ravenne, conservatoire de l'art byzantin. Je ne la connaissais pas, il se faisait tard, et j'étais certain que tous les monuments seraient fermés. Je passe devant une église dont j'ignore le nom, et ô miracle, j'en vois la porte entrouverte. J'arrête la voiture, je cours, j'entre, et que vois-je juste en face de moi : l'empereur Justinien, le mari de Théodora, qui me regarde droit dans les yeux. Il est entouré de sa cour sur la célèbre mosaïque à fond or. Au milieu de l'obscurité ambiante, elle seule est éclairée par un dernier rayon de soleil qui a pénétré avec moi par la porte. J'allume l'église déserte et je découvre, en face de l'empereur, sa femme Théodora, entourée de ses dames d'honneur. La bouche et le nez sont minuscules et l'immense couronne hérissée de joyaux semble écraser le petit visage triangulaire. Les yeux sont inoubliables, immenses, sombres, brillants, au regard perçant et impénétrable à la fois, qui longtemps me hantera...

Puis, il y a trois ans, je visite pour la énième fois, Sainte-Sophie, le joyau de Constantinople, le sanctuaire le plus vaste, le plus splendide, le plus mystique et pour nous, Grecs, le plus émouvant du monde. J'en connais chaque recoin presque par cœur. Or voilà qu'errant dans la tribune réservée à l'impératrice, j'aperçois sur la balustrade de marbre un graffiti, je m'agenouille pour le déchiffrer. Mes doigts suivent les lettres grecques, dessinées à l'ancienne : « Ici est la place de Théodora ». Était-ce de ma Théodora qu'il s'agissait ? S'était-elle distraite en gravant son nom au cours d'une interminable liturgie, ou avait-elle voulu marquer son passage afin que les impératrices qui se succéderaient à cette place se rappellent d'elle ? Je ne le sais mais je pris cette découverte comme un signe.

Enfin, je parlais d'elle à l'une de ses admiratrices inconditionnelles, notre amie, l'actrice grecque Irini Pappas, et celle-ci eut pour décrire Théodora cette formule fulgurante : « Théodora, c'est la Evita Peron du Moyen Age ». Je vérifiais et, en effet, point par point, l'existence de ces deux femmes, séparées par tant de siècles et tant de milliers de kilomètres, coïncide exactement, au point qu'on pourrait murmurer le mot de réincarnation.

UNE FEMME MODERNE ET BIEN VIVANTE

Du coup, Théodora n'était plus pour moi une statue perdue au fond de l'Histoire mais une femme moderne et bien vivante. C'était décidé, j'en ferais une de mes héroïnes. Bien des éléments devaient confirmer mon choix. Pour les catholiques, elle passe pour le diable incarné, en souvenir du traitement qu'elle a fait subir à trois papes, tandis que pour nous, orthodoxes, elle est presque considérée comme une sainte, contraste qui m'intrigua tout de suite. Théodora était grecque, comme je le suis, ce qui raccourcissait la distance qui nous séparait et établissait entre nous une complicité de sentiments, de réactions, de goûts, de langage. Elle avait d'autre part vécu à une époque déterminante de transition et elle-même avait été une charnière. L'empire romain, dont son mari Justinien, se voulait l'héritier et dont il tâchait de maintenir les traditions, se mourait bel et bien. Elle fut la

première à l'admettre et à le faire reconnaître, au point que j'en venais à la considérer comme la véritable fondatrice de cet empire d'Orient, fabuleux et mystérieux. C'était une époque de bâtisseurs, race à laquelle elle appartenait, une époque où il y avait tout à faire, une époque ouverte aux plus forts, aux plus intelligents, chance dont elle avait amplement profité.

Enfin, incontestablement, elle avait réussi à devenir et à rester jusqu'à aujourd'hui le symbole même de la civilisation byzantine. Civilisation pour laquelle j'éprouve une tendresse toute particulière à cause de l'injustice dont si longtemps elle a été victime. Les Occidentaux, à commencer par les Croisés, se sont conduits d'une façon tellement abominable envers l'empire byzantin que, pour justifier leurs exactions, ils l'ont délibérément rabaissé, lui donnant le sobriquet méprisant de « bas empire », eux, ces Barbares avides, qui, en l'anéantissant, avaient ouvert les portes de l'Europe à l'invasion turque.

J'avais envie de profiter de l'occasion offerte par Théodora pour évoquer la gloire incomparable, le raffinement et la somptuosité sans pareille, la mystique qu'avait été Byzance.

La source principale sur Théodora est son contemporain, l'historien Procope, bien intéressant mais peu recommandable personnage. Nommé par l'empereur Justinien chroniqueur officiel du règne, il passait ses journées à chanter les hauts faits du souverain et les vertus de son épouse, ce qui nous a valu une quantité considérable de volumes. Mais la nuit, par contre, dans le secret de sa chambre, il rédigeait le plus effarant acte d'accusation jamais écrit contre ces mêmes Justinien et Théodora. Ce manuscrit incendiaire devait rester caché durant deux siècles et ne fut découvert que par hasard. Les renseignements inédits, les vérités les plus dures s'entremêlent avec les calomnies les plus éhontées, et seule une étude approfondie de la personnalité de Théodora permet en fin de compte de déceler un tant soit peu le vrai du faux.

Pour compléter mes informations, je dus donc me plonger dans de doctes traités de prélats du Moyen Age byzantin, et je le fis avec un plaisir toujours renouvelé. En effet, dans l'édification d'un livre, le meilleur moment reste les recherches. Je les compare à ce jeu de notre enfance, la course au trésor. Devant une pile de livres à lire, je ne sais jamais si je découvrirai des informations passionnantes ou si je ferai buisson creux. Je tiens pourtant à accumuler le plus possible de détails authentiques, pour la simple raison que, en toute occasion, la vérité historique est plus imaginative, plus intéressante, plus extraordinaire que ne le sera jamais aucune invention romanesque.

Le jour où je découvris dans un volume que Théodora, en sa folâtre jeunesse, avait pratiqué le strip-tease, art qui existait déjà à Byzance au VIᵉ siècle après Jésus-Christ, fut marqué par exemple d'une pierre blanche. Et puis les recherches permettent de constater que dans bien des cas rien n'a changé. Pour mettre un peu de vie dans le bazar où Théodora va se laisser tenter, je n'ai qu'à revoir de mémoire les souks du Moyen Orient où moi-même j'aime tant me promener. Leur disposition, leurs mœurs, et j'allais dire leurs produits, sont exactement semblables à ce qu'ils étaient il y a quatorze siècles.

LE ROMAN : PROLONGEMENT DE LA VÉRITÉ HISTORIQUE

Cependant, après avoir fait le tour des sources concernant Théodora, je dus constater que son existence tantôt était mise en pleine lumière jusqu'à en faire ressortir le moindre détail, tantôt curieusement s'entourait d'ombres impénétrables. Alors, je dus faire appel, comme je l'avais déjà fait naguère pour d'autres héroïnes, au roman, mais pour moi, le roman n'est que le prolongement de la vérité historique, et souvent il est la vérité historique. Je ne peux bien expliquer ce phénomène qui me fait « inventer » tout en sachant que ce que je raconte s'est bel et bien déroulé de

la façon dont je le décris. Souvent, il m'est arrivé de tirer de mon imagination un trait, un détail, un personnage, et bien plus tard, de découvrir au cours de recherches ultérieures que tout était vrai, comme si mon invention devenait vérité *a posteriori*.

Peut-être, et même probablement, était-ce Théodora elle-même qui m'inspirait, car, pendant tout le temps où j'ai écrit sa vie, j'ai pratiquement vécu avec elle. Au début, elle était une sorte de silhouette imprécise dans un coin de ma pièce de travail, puis, peu à peu, les traits de son visage, les détails de ses vêtements prenaient du relief et sortaient de la brume. Puis, elle se mit à bouger, à évoluer, à tourner autour de ma table. J'en venais à dialoguer avec elle, à lui demander des informations, à la supplier de m'éclairer. Bien qu'elle eut été une femme fort difficile, nous avons fini dans la plus grande intimité. Puis, le jour où j'ai écrit le mot « fin » sur mon manuscrit, elle a brusquement disparu, et elle n'est plus jamais revenue. Viendra-t-elle rendre visite au lecteur, à la lectrice qui va se plonger dans le récit de ses aventures ? Je souhaite à celui-ci ou à celle-là de connaître cette étrange et exaltante expérience.

Michel de GRÈCE

IX